# INTRODUCCIÓN A LA OPTIMIZACIÓN NO LINEAL

**Sociedad Matemática Mexicana**
**Instituto de Matemáticas, UNAM**
**Reverté Ediciones**
**Universidad Autónoma de San Luis Potosí**

Aportaciones Matemáticas
Textos

APORTACIONES MATEMÁTICAS

TEXTOS 34
NIVEL AVANZADO

# INTRODUCCIÓN A LA OPTIMIZACIÓN NO LINEAL

ELVIO ACCINELLI

Ediciones Reverté

Sociedad Matemática Mexicana

Universidad Autónoma de San Luis Potosí

Universidad Nacional Autónoma de México

México D.F., 2009

**Elvio Accinelli**
Facultad de Economía
Universidad Autónoma de San Luis Potosí
Av. Pintores s/n
Fraccionamiento Burócratas del Estado
San Luis Potosí 78263, SLP
MÉXICO



**Coedición:**

*Instituto de Matemáticas, UNAM*
Av. Universidad 3000
04510 – México, D.F.

*Sociedad Matemática Mexicana*
Carretera México-Cuernavaca Km 23.5,
Av. Cipreses s/n, San Andrés Totoltepec,
14400 – México, D.F.

*Universidad Autónoma de San Luis Potosí*
Alvaro Obregón 64
San Luis Potosí 78000, S.L.P.
México

*Reverté Ediciones, S.A. de C.V.*
Río Pánuco No. 141
Col. Cuauhtémoc
06500 – México, D.F.

1a. Edición, 2009

ISBN: 978-968-36-3591-4 (Aportaciones Matemáticas)
ISBN: 978-968-36-3594-5 (Serie Textos)
ISBN: 978-607-02-0424-1
ISBN: 978-607-7815-02-0 (Reverté Ediciones, S.A. de C.V.)

Impreso y hecho en México.

Este volumen se imprimió con el apoyo financiero de: la Sociedad Matemática Mexicana a través del fondo de Aportaciones Matemáticas; el Instituto de Matemáticas, UNAM; la Universidad Autónoma de San Luis Potosí.

# Índice general

# Prefacio

El presente material no pretende ni mucho menos, sustituir la lectura de buenos libros de texto de economía o de matemática, necesidad impostergable para todo estudiante que aspire a entender con rigor y profundidad la teoría que presentamos aquí de manera introductoria y lo más autocontenida posible. Es este trabajo más bien una guía para posteriores lecturas más profundas, las que deberán ir acompañadas por la realización de ejercicios: *En la construcción del conocimiento, el aprendizaje de la teoría y la resolución de problemas deben ir juntos.* Aunque parezca muchas veces escueto y descarnado, pretende mostrar el espíritu general de un curso de matemática con énfasis en aplicaciones económicas tratadas de manera rigurosa, claro está, advirtiendo de la necesidad de no confundir *rigoris logicus* con *rigoris mortis.*

La justificación de la matemática en la economía es, a esta altura del desarrollo de ambas ciencias, ociosa. No obstante a modo de justificación para este trabajo hacemos el siguiente comentario:

El estudio científico de la realidad económica, en la medida en que las hipótesis puedan ser planteadas de manera formalmente correcta, aparece como generador de problemas desafiantes para la matemática cuya resolución supone un avance posterior para la teoría económica. Ciertamente, no parece sensato justificar la necesidad del estudio de la matemática por parte del economista, en la posibilidad de resolver triviales ejercicios de matemática disfrazados de economía, presentados en el apéndice de un libro de *matemáticas para economistas.* Estas elementales aplicaciones, descontextualizadas, oscurecen la verdadera relación entre ambas ciencias y son ciertamente desalentadoras tanto para el buen estudiante de ciencias económicas con gusto por las matemáticas, como para el buen estudiante de matemáticas con gusto por la economía. Diversas áreas de la teoría económica presentan uniformidades formales, que muestran la existencia de principios generales unificadores, posibles de ser expresados en un lenguaje matemático único que adquirirá, una vez devuelto al entorno original, una expresión particular lógicamente correcta, y accesible a la discusión científica, y principalmente, con inmenso valor heurístico para la teoría económica. Volviendo al principio del parágrafo, es necesario resaltar, que la validez empírica o fecundidad de los teoremas, en los que la realidad se expresa, no puede superar la de la hipótesis original.

El autor de este trabajo, es totalmente contrario a la opinión de quienes proponen presentar la matemática para los estudiantes de ciencias económicas, como una matemática de segundo nivel, eufemísticamente llamada *para economistas,* como si existera una matemática diferente según el área de investigación. Creemos si, que debe presentarse a los estudiantes de economía, una matemática de profundo contenido y rigor, enseñada como se enseña a los estudiantes de las llamadas ciencias exactas. De forma tal que ayude a realizar aplicaciones y resolver problemas, con verdadero sentido económico y que rebasen el nivel del ejercicio simplificado, sin connotación verdadera en la teoría económica. Ciertamente, si diferenciar cabe, es entre buena y mala matemática.

Es totalmente justificable que los estudiantes de ciencias económicas estudien matemática en la facultad de ciencias y con matemáticos profesionales. Indudablemente, el programa elegido debe comprender aquellos temas de la matemática, de los que la teoría económica moderna se vale con mayor intensidad. Estos temas, una vez elegidos, deben ser estudiados con rigor y comprendidos en su profundidad, sea para desarrollar la teoría económica dentro de su esquema actual, o sea para criticarla y presentar una alternativa valedera. Encarada la matemática en cualquier carrera propia de las ciencias económicas de manera trivial, como una matemática de poco nivel, da lugar a la pregunta ingenua y muchas veces tendenciosa, no obstante justificada en el neófito, que ha sufrido de este tipo de cursos: *¿para qué sirve la matemática en las ciencias económicas?*

El rechazo de la matemática como herramienta o como fuente del pensamiento económico por parte de algunos economistas, en base a la afirmación de que la realidad escapa a cualquier modelo no es de recibo, como no lo es en ninguna ciencia, pues la trivialidad de la afirmación es clara y de valor universal y se convierte en una mutilación de la posibilidad del pensamiento creador. Lamentablemente, en América Latina aún perviven en algunas universidades, núcleos de economistas que rechazan la matemática como herramienta de valor para el pensamiento económico. Tras una aparente declaración de principios se justifica la mediocridad y la incapacidad para abordar todo pensamiento creador. Aunque afortundamente esta situación se revierte día a día, aún hoy en la mayoría de las facultades de economía del continente es escaso el rigor con el que se enseña esta ciencia a los estudiantes de economía. Muchas veces la responsabilidad está en el limitado y anticuado conocimiento, escondido y justificado en supuestas posiciones ideológicas, que de la teoría económica moderna tienen los profesores de estas facultades. El ciclo de profesor con poco conocimiento que engendra estudiantes, luego profesores, igualmente mediocres, no es fácil de romper.

La alta formalización alcanzada por la moderna teoría económica, en particular a partir de los trabajos de G. Debreu, y la ductilidad lograda por la matemática a partir de D. Hilbert, permiten una simbiosis rica y fecunda en descubrimientos e interacciones. Por otra parte, la potencialidad de la interdisciplinariedad se pierde tanto cuando se rechaza a la matemática como instrumento y fuente del pensamiento económico, como cuando se asume la matemática primero y luego se buscan las posibles aplicaciones. Estas dos malas maneras de concebir la interdisciplinariedad, encorsetan la investigación científica en un marco fijado a priori y por lo tanto empobrecido respecto a la realidad a la que aspira. La matemática se aplica para la resolución de problemas originados en la realidad económica, luego formalizados por el pensamiento del economista y del matemático. Llegado a este nivel de abstracción, el problema es un desafío que puede o no ser resuelto de manera completa, en forma más o menos inmediata; pero que, en todo caso pasa, si es de interés, al cuerpo de la teoría y de manera más o menos indirecta al terreno de las aplicaciones.

¿Qué matemática o qué rama de la matemática debe enseñarse a los estudiantes de ciencias económicas? y ¿con qué profundidad debe dictarse un curso para dichos estudiantes? son preguntas de gran interés, con respuestas diferentes en su contenido. Para la primera no hay una respuesta clara, pues en tanto que herramienta del descubrimiento no puede fijarse a priori, en todo caso podemos ayudarnos conociendo el tipo actual de problemas que la ciencia económica se plantea, los que dan una pauta de los problemas del porvenir. Para la segunda la respuesta es clara: con toda la profundidad que la matemática requiere para ser bien utilizada, lo que naturalmente no implica confundir formación en economía, con formación en matemática. Entendemos si, que sólo un economista bien formado en alguna disciplina matemática es capaz de alcanzar un conocimiento profundo de su ciencia. Si el comportamiento humano puede modelarse, aunque sólo sea parcialmente, no es ciertamente posible de hacerse con una herramienta trivial. La gran cantidad de malos trabajos en economía fundados en un conocimiento pobre en matemática es un hecho que nos debe alertar. *La paradoja se cierra: la mejor herramienta de que disponemos para entender los hechos concretos, es la mejor abstracción.* Pedro Uribe lo decía en términos más pedestres, respondiendo a quienes le criticaban por enseñar a sus estudiantes una economía altamente formalizada y lo conminaban a que *"aterrizase"* les respondía con una pregunta: *¿Cómo pueden aterrizar si aún no han despegado?* Es claro que, para aterrizar, hay primero que al menos, haber iniciado el vuelo.

Nos guía en el proceso de elaboración de este trabajo el pensamiento de Hilbert según el cual, en matemática, no importa la naturaleza exacta de las entidades estudiadas, son las relaciones entre dichas entidades las que por sí solas son importantes. Pero en este caso, la dirección del pensamiento es la inversa, partimos de lo específico, es decir desde la formalización económica, donde los entes matemáticos aparecen disfrazados, y llegamos a lo abstracto, a la matemática en donde los conceptos aparecen sin disfraces, conceptos primitivos y axiomas. En lugar de cestas de bienes, sistema de precios, preferencias, hablamos aquí de puntos, funcionales, y conjuntos convexos. Purgados los axiomas de palabras, la validez de la estructura lógica es la misma. No obstante en diferentes partes del trabajo presentamos aplicaciones de la teoría expuesta a la economía. Algunas aplicaciones dejadas como ejercicios ayudarán a no olvidarnos del origen de nuestro pensamiento.

La axiomatización de la teoría económica postdebreuriana, permite usar la abstracta matemática posthilbertiana de manera rica y creadora. La generalidad de los conceptos primitivos aceptados en matemática deja lugar, una vez sustituídos estos convenientemente, a la especificidad de la teoría económica, dándole a ésta el rigor que requiere para su comprensión cabal y su crítica. Una vez hecha una traducción correcta la teoría económica está apta para enfrentar nuevos desafíos.

En base a la forma actual de la teoría económica elegimos la optimización como tema central de este trabajo. La justificación de tal elección la encontramos en la presentación de la economía y la administración como ciencias que se refieren a la asignación de recursos escasos con eficiencia. Importantes temas de la microeconomía como: el equilibrio general, la teoría del agente y el principal, la teoría de la firma, la teoría de los contratos, así como la moderna teoría del crecimiento sustentable y otros tantos, se refieren de manera directa a este tema. Claro está, que no es el único tema de las matemática que requiere de un estudio riguroso por parte del economista, pero es sin duda básico y unificador y no sólo del pensamiento económico formalizado propio de diversas áreas de la teoría económica, sino también, del surgido en diversas disciplinas científicas.

## Reconocimientos

El trabajo pudo concretarse gracias a las facilidades que me fueron otorgadas por la Facultad de Economía de la UASLP, en especial por su director, Lic. David Vega Niño, quien está convencido de la necesidad de elevar el rigor en la enseñanza de la teoría económica. Quisiera agradecer también a los profesores, Ramón Garcia-Cobbian y Loretta Gasco por haberme invitado a participar de las actividades de la Sección de Matemáticas de La Universidad Católica de Perú, durante los meses de abril, mayo y junio de 2004. Período este, en el cual estas notas fueron escritas en su primera aproximación. Este agradecimiento es extensivo a profesores y funcionarios de dicha sección por el apoyo y hospitalidad que me brindaron. Deseo agradecer también al Dr. Leobardo Plata, al Dr. Guillermo Pastor y a dos anónimos evaluadores cuyos comentarios y sugerencias hicieron posible una mejora sustancial del texto. La participación del Ing. Ricardo Hernández Medina del Laboratorio de Cómputo de la Facultad de Economía de la UASLP fue decisiva para la presentación general del texto y en particular para el diseño de las gráficas y figuras que se adjuntan. A Juan Carlos Yañez, también ingeniero del Laboratorio de Cómputo de la Facultad de Economía de la UASLP, por su colaboración con la compilación de este material.

La colaboración de la Dra. Luz de Teresa, editora de la serie Aportaciones Matemáticas, la paciencia de Gabriela Sanginés para corregir decenas de errores de tipografía, así como en general la colaboración de todo el personal que edita Aportaciones Matemáticas de la Sociedad Matemática Mexicana, ha sido una necesidad de primer orden para la edición de este libro.

Naturalmente que los errores que en este trabajo persisten son de responsabilidad exclusiva del autor, y toda sugerencia u observación tendiente a superarlos y en general a mejorar el trabajo, serán agradecidas.

Capítulo 1

# Introducción

*Cuando era estudiante estaba de moda dar cursos llamados "Matemáticas elementales desde un punto de vista superior"... Pero lo que yo necesitaba eran unos cuantos cursos llamados "Matemáticas superiores desde un punto de vista elemental".*
J. Franklin.

El objetivo principal de este libro es presentar el teorema de Khun-Tucker, el que entendemos central para la comprensión de la teoría económica moderna. Desarrollaremos en el camino, la herramienta necesaria para su demostración y cabal comprensión. Prestaremos especial atención a aquellos puntos que entendemos son de mayor importancia para quienes pretenden conocer la teoría económica moderna, como por ejemplo el teorema de separación de convexos. A lo largo del texto una serie de ejercicios ayudará a quienes los resuelvan, a entender la teoría presentada y sus aplicaciones. Una referencia clásica para la introducción de la concavidad y la convexidad, temas que abordaremos en este libro, y la optimización en forma rigurosa en economía, tema central de nuestro trabajo, es [Maden, P.] cuya presentación es inspiradora del presente texto.

Comenzaremos este trabajo con unas breves consideraciones sobre la estructura vectorial y topológica de $R^n$. Las mismas pueden encontrarse en cualquier texto de topología o de análisis en $R^n$, como por ejemplo [Lima, L.] y en el más avanzado texto [Kelley, J.]. La lectura de cualquier texto moderno de microeconomía como [Mas-Colell et al], [Varian, H.] o como [Luemberguer, D. (b)], convencerá al lector de la importancia de conocer este espacio. Luego haremos algunas consideraciones sobre convexidad en $R^n$, la referencia clásica es [Rockafellar, T.]. Muchos de las definiciones y resultados presentados pueden ser llevados a espacios más generales que $R^n$. ver por ejemplo [Luenberger, D. (a)]. Hacemos en el texto referencia a esta posibilidad, no obstante, la dificultad del tema que nos convoca, es suficiente para que en esta primera aproximación nos contentaremos con trabajar sólo en $R^n$. Pero si, sin violentar demasiado la intuición podemos generalizar, lo haremos. Intentaremos siempre, motivar al estudioso a lecturas más profundas y generales, las que le habilitarán a una comprensión de otros temas propios de la teoría económica, los que aún siendo una extensión natural de temas tratados en este libro, la matemática involucrada en su modelado, sobrepasa los límites del material reunido en este libro[1]. Al interesado en conocer algunas de estas generalizaciones lo remitimos a los siguientes textos [Duffie, D.] y [Aliprantis, C.D.; Brown, D.J.; Burkinshaw, O.]. En general, los problemas más interesantes en teoría económica, más *"realistas"* si se quiere, son los que requieren de una matemática más sofisticada para su justa comprensión y resolución. La axiomatización proporciona una estructura dentro de la cual el pensamiento lógico puede moverse, dejando en claro contradicciones y razonamientos incorrectos. Ciertamente la economía no termina aquí, pero las estructuras vacías de rigor lógico no tienen valor en la economía ni en ninguna ciencia. Cada vez que introducimos nuevos axiomas en una teoría debemos mostrar la no contradicción del nuevo sistema axiomático, *es decir que en un número finito de pasos lógicos no llegamos a resultados contradictorios a partir de la axiomática prestablecida.* Pero si bien, la lógica es la higiene de la teoría, no es su única ni la principal fuente de alimento, es sobre los grandes desafíos y problemas que resuelve y que se plantea como propios, que florece. Al decir de Hilbert, "*Una rama de la ciencia está llena de vida mientras ofrezca abundancia de problemas, una carencia de problemas es signo de muerte.*" La construcción de nuevas teorías que enfoquen nuevos aspectos y pongan en descubierto carencias de las anteriores, pueden negar las teorías existentes, pero para poder hacerlo necesitan ser rigurosamente correctas.

Dedicaremos entonces, el principo de este trabajo a definir las estructuras abstractas, que servirán de andamios a lo largo de los que nos moveremos en esta obra en proceso, para llegar al teorema de Kuhn-Tucker y sus posibles aplicaciones en economía. Es este teorema, una generalización del método de los multiplicadores de Lagrange, cuya aplicación en economía nos lleva a la formalización de importantes intuiciones económicas tales como por ejemplo, el de la no saciedad local[2]. Las referencias básicas son [Takayama, A.] y para

[1]Para un resumen de las principales dificultades con que se enfrenta la teoría económica, cuando intenta trabajar con espacios más generales que $R^n$ ver [Accinelli, E. (03)], o [Mas-Colell, A, and Zame, W.R.].

[2]Se dice que las preferencias de un consumidor son localmente no saciables, cuando tan próximo como se quiera, a toda cesta de consumo, existe otra cesta estrictamente preferible a la primera.

todo lo referente al estudio de la convexidad [Rockafellar, T.]. El teorema de Kuhn-Tucker da condiciones necesarias para la existencia de la solución de un programa no lineal de optimización, que representa en un determinado contexto, la demanda del consumidor que maximiza sus preferencias, o bien en otro, el plan óptimo de un productor que maximiza sus beneficios. Este programa, bajo cualquiera de sus apariencias, representa el problema central de la teoría económica que se preocupa de la asignación óptima de recursos escasos. Originalmente conocido como teorema de Karush-Kuhn-Tucker, se populariza como teorema de Kuhn-Tucker una vez que es presentado en una conferencia en Berkeley en 1951. El trabajo es publicado en los "proceeding" de la conferencia antes que en revistas [Kuhn,H.W.; Tucker, A. W.]. Completaremos el trabajo con una discusión sobre algunos temas clásicos de la optimización y desarrollos de la optimización cuasi-cóncava de interés profundo en teoría económica. El temario es conocido pero está disperso en diversos textos y artículos publicados en revistas especializadas. El principal mérito de este libro, si es que tiene alguno, es el de presentar (o pretenderlo al menos) una visión completa y autocontenida de este teorema y de algunas de sus aplicaciones. Presentación esta, realizada a partir de las necesidades más corrientes de los economistas, sin esconder los problemas y dificultades que su comprensión conlleva. Finalmente, en los apéndices discutiremos temas conexos con el temario desarrollado en el texto y que fueron abordados y utilizados más o menos indirectamente en el texto, pero que no fueron considerados centrales para comprender el temario desarrollado, no obstante entendemos que son de interés para comprender la teoría presentada en su totalidad y profundidad.

Capítulo 2

# $R^n$ como un espacio vectorial

*Al ocuparnos de problemas matemáticos, un rol más importante que la generalización es jugado, yo creo, por la especialización.*
D. Hilbert.

La estructura matemática existente en el concepto de espacio vectorial y en particular de $R^n$ como espacio vectorial, es básica y convoca a diferentes áreas del pensamiento teórico de diversas disciplinas científicas, de allí el por qué comenzar con ella.

Los economistas piensan en cestas de bienes, restricciones presupuestarias y precios, en forma análoga a como los físicos piensan en partículas, campos, y trayectorias. Este hecho, no debe llevarnos a la falaz conclusión de que los modelos económicos y los modelos físicos se construyen de igual manera. La teoría económica y la física parten de realidades y formas de pensar muy diferentes. No deja de ser sorprendente entonces, que la matemática logre expresar en un lenguaje común estos dos mundos tan diferentes. Conceptos tales como punto, variedades diferenciales, y operadores duales, sirven tanto al físico como al economista[1]. Ciertamente hay que saberlos encontrar tras sus avatares, pero la lógica de su interacción es la misma aunque claro está, los economistas deben partir de problemas de la economía, y los físicos de los de la física. Es al formalizar las intuiciones elementales que el investigador se encuentra con la crudeza del concepto matemático. Los físicos al formalizar conceptos como velocidad y partícula, llegan al de derivada o punto, los economistas llegan a dichos conceptos matemáticos a partir de, por ejemplo: elasticidades, productos o utilidades marginales, precios, etc. Este proceso de abstracción, permite descubrir, detrás de las relaciones matemáticas entre abstractos conceptos primitivos propios de la matemática, relaciones hasta

[1]En [Balasko, Y. (09)] el lector encontrará un amplio y fructífero uso del concepto de variedad diferenciable en la teoría económica.

entonces veladas a los ojos del investigador, entre los conceptos primitivos propios de cada ciencia particular. Desde allí, unos y otros viajan nuevamente a sus realidades particulares las que ahora serán, a los ojos de los investigadores, más ricas.

## 2.1. Cestas, precios, puntos y vectores

Las cestas de bienes definidas en la teoría económica, no son otra cosa que listas finitas de números, que expresan las unidades de cada bien de la economía, presentes en una cesta de consumo. Si $l$ es la cantidad de bienes diferentes existentes, una cesta de bienes será un vector del espacio $R^l$, cuya primera coordenada representa la cantidad asignada en la cesta al bien uno, y así sucesivamente hasta la $l$-ésima. Generalmente, estas cestas se limitan a un subconjunto del espacio en el que están definidas. Por ejemplo (si asumimos que los bienes sólo pueden adquirirse en cantidades positivas), no pueden tener los vectores que las representan, coordenadas negativas, lo que las ubican en el cono positivo de dicho espacio vectorial. Llamaremos a este subconjunto, **conjunto de consumo** generalmente representado por $R^l_+$ es decir el cono positivo de $R^l$. Los precios unitarios de los bienes, forman también una lista de $l$ coordenadas, los representamos en general por $p = (p_1, \ldots, p_l)$. Veremos que estos precios son, en términos matemáticos, un funcional lineal definido en el conjunto de consumo. Las cestas de bienes se suman y se multiplican siguiendo las reglas de las sumas de vectores y las del producto de vectores por números. El valor de una cesta $x$, no es otra cosa que el valor que asume el funcional dual $p$, evaluado en $x$. En el caso particular que tratamos $px = p_1x_1 + \ldots, p_lx_l$. Si $n$ es el número de agentes de la economía y $l$ el número de bienes, las asignaciones de recursos son listas en el espacio producto de $n$ factores $R^l \times R^l \times \cdots \times R^l$, es decir $R^{nl}$ $x = (x^1, \ldots, x^n)$ donde $x^i \in R^l$ representa una cesta para el $i$-ésimo consumidor.

Un problema no menor en economía, es el de conseguir cestas próximas (sustitutas) a una deseada, cuando ésta no se encuentra fácilmente. Las cestas de bienes están próximas en gustos y valores si distan poco entre sí. Introduciremos en la siguiente sección, un concepto de distancia entre puntos de $R^l$ para aproximarnos al de cestas próximas en el gusto del consumidor. Nos interesa entonces conocer las reglas con las que podemos operar en $R^l$ en forma coherente, pues en definitiva, operar con cestas o valuar cestas, será, como veremos, equivalente a operar con puntos o vectores, del espacio vectorial $R^l$. Estas reglas serán las que nos permiten formalizar el concepto de agregación o de valor de las cestas de consumo. En definitiva, nos interesan las características de $R^l$ como espacio vectorial y las reglas con las que en él se opera, las que pasamos a presentar a continuación, pues reflejan las reglas de la economía.

Si bien el concepto de espacio vectorial es muy abstracto, en este trabajo, nos limitaremos en general, al caso del espacio vectorial real de dimensión finita al que representaremos como $R^n$, siendo $n$ el número de coordenadas, (en general usaremos $n = l$ para referirnos al número de bienes diferenciados existentes en una economía). No obstante si es posible sin violentar demasiado la intuición generalizar, lo haremos.

Sea $R$ el conjunto de los números reales y $n$ un número natural. El **espacio vectorial** real $n$-dimensional es el producto cartesiano de $n$ factores iguales a $R$, al que representamos por $R^n = R \times R \times \cdots \times R$. Los puntos de $R^n$ son las $n$-uplas (o $n$-listas) de números reales $x = (x_1, x_2, \ldots, x_n)$. Estos elementos serán llamados **vectores** o puntos de $R^n$. El $i$-ésimo elemento de $x$ se llama $i$-ésima coordenada y la representamos por $x_i$. Diremos que dos vectores $x = (x_1, \ldots, x_n)$ e $y = (y_1, \ldots, y_n)$ en $R^n$ son iguales y escribimos $x = y$ si y solamente si, son iguales sus respectivas coordenadas, es decir: $x_1 = y_1, \ldots, x_n = y_n$. Definimos la **suma de dos vectores** de $R^n$ $x = (x_1, x_2, \ldots, x_n)$, e $y = (y_1, x_2, \ldots, y_n)$, cualesquiera, al vector $z$ cuya $i$-esima coordenada resulta de la suma de las correspondientes de $x$ e $y$. Definimos también la **multiplicación por un escalar** es decir, de un número $\alpha \in R$ por un vector $x \in R^n$ al elemento $w$ de $R^n$ obtenido mediante la multiplicación de cada coordenada de $x$ por el número $\alpha$. Es decir $w = \alpha x = (\alpha x_1, \ldots, \alpha x_n)$.

- $z = x + y$; es el vector de $R^n$, cuyas coordenadas son $z_1 = x_1 + y_1, \ldots, z_n = x_n + y_n$. Es decir que la suma de vectores es un función $S$ definida en el producto cartesiano de $R^n$ consigo mismo en $R^n$, es decir $S = R^n \times R^n \to R^n$, definida como $S(x, y) = x + y$.
- Mientras que el producto de un vector por un número, es una función $w$ cuyo dominio es el producto cartesiano de $R$ con $R^n$ en $R^n$ definida como $w : R \times R^n \to R$ definida como $w(\alpha, y) = \alpha y$ es decir el vector cuyas coordenadas $(w_1, w_2, \ldots, w_n)$ verifican las igualdades $w_1 = \alpha y_1, \ldots, w_n = \alpha y_n$.

Con las operaciones definidas de esta forma $R^n$ es un **espacio vectorial** sobre $R$.

NOTA 2.1. El concepto de **espacio vectorial** es un concepto abstracto, muy amplio, cuya definición involucra a dos conjuntos y dos operaciones. Uno de ellos el conjunto de los llamados vectores, al que representamos por $X$, el otro, el de los escalares $C$ que tiene la estructura de cuerpo. Dado que en nuestro trabajo nos limitaremos a los reales (es decir que $C = R$), no insistiremos en analizar las características que definen a un cuerpo en general, las que ciertamente el conjunto de lo reales tiene. Las dos operaciones son: la suma de vectores y el producto de un vector por un escalar. La operación de suma es una función que a dos vectores le asocia un tercero, es decir es cerrada en $X$. De forma tal que dicha operación debe ser asociativa, conmutativa, debe tener definido un neutro (el vector nulo) y un inverso, (es decir para que $x \in X$ debe existir $y \in X$ tal que $x + y = 0$). Generalmente este inverso es representado como $-x$. La operación producto, relaciona escalares y vectores. El conjunto de escalares puede pensarse como el conjunto de los números reales, con las operaciones de suma y multiplicación habituales. En este caso diremos que estamos ante un espacio vectorial real. La operación producto de un escalar por un vector, asocia a cada par $(x, \alpha) \in X \times \mathcal{C}$ un segundo vector $y = \alpha x$, que será el mismo vector $x$, si $\alpha$ es el neutro de la operación producto, definida en los escalares, en el caso de los reales el 1. Esta operación debe ser, conmutativa $\alpha x = x\alpha$, distributiva frente a la suma de vectores $\alpha(x + y) = \alpha x + \alpha y$ y tal que si $\alpha = 0$ al producto de $0 \cdot x$ para todo $x \in X$, le corresponde el vector nulo. Además si $\alpha, \beta$ y $\gamma$, son escalares y $x$ un vector se verifica que $(\alpha+\beta)x = \alpha x+\beta x$ y $\alpha(\beta\gamma)x = (\alpha\beta)\gamma x$. Además si $\alpha = 1$ entonces para todo vector $x$ $\alpha x = x$.

Recomendamos al lector que no conozca esta definición, la consulta de cualquier texto de álgebra lineal que la contenga.

EJERCICIO 2.2. Pruebe que si el conjunto de vectores es $R^n$ y el de escalares es $R$ con las operaciones de suma y producto anteriormente definidas, entonces $R^n$ forma un espacio vectorial real, (es decir, un espacio vectorial donde los escalares son los números reales).

Asumidas las operaciones anteriormente indicadas en $R^n$, consideremos el conjunto de vectores $\mathcal{B} = \{e_1, \ldots, e_n\}$ de $R^n$, donde $e_i, i = 1, \ldots, n$ es un vector tal que, con excepción de la $i$-ésima coordenada que vale 1, todas las demás son cero. Puede verse que, entonces, todo vector $x = (x_1, \ldots, x_n)$ de $R^n$ puede escribirse de manera única como $x = \sum_{i=1}^{n} x_i e_i$, es decir como una combinación lineal de los vectores $e_i, i = 1, \ldots, n$. Decimos que el conjunto $\mathcal{B}$ forma una base de vectores $R^n$

Dados dos elementos $x = (x_1, \ldots, x_n)$ e $y = (y_1, \ldots, y_n)$ de $R^n$ definimos el producto de $x$ por $y$ como el número real que se obtiene en la siguiente operación:

$$\langle x, y\rangle = xy = \sum_{i=1}^{n} x_i y_i. \tag{1}$$

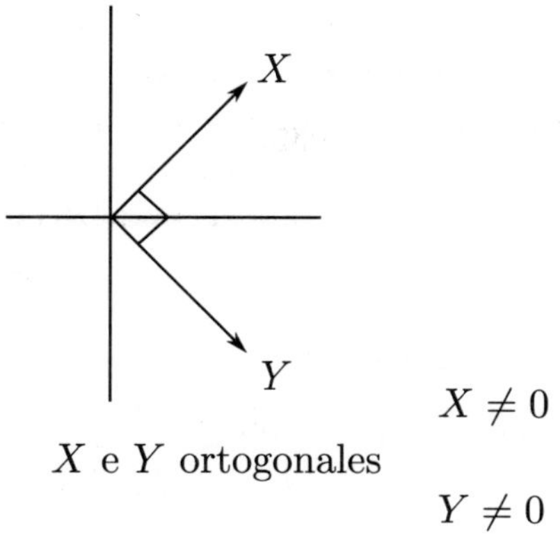


FIGURA 1. Ortogonalidad

Obsérvese que el producto así definido es una función $P : R^n \times R^n \to R$ con dominio en el producto cartesiano de $R^n$ consigo mismo y recorrido en los números reales, es decir que a dos vectores de $R^n$ les asocia un número real $P(x, y) = xy$, de acuerdo a la operatoria definida en (1). Este producto se llama **producto interno o escalar.**

EJERCICIO 2.3. Verificar que el producto interno satisface las siguientes propiedades para todo $x, y, z \in R^n$, $\alpha, \beta \in R$:

(1) $\langle x, y\rangle = \langle y, x\rangle$.
(2) $\langle(\alpha x + \beta y), z\rangle = \alpha\langle x, z\rangle + \beta\langle y, z\rangle$.
(3) $\langle x, x\rangle \geq 0$ y $\langle x, x\rangle = 0$ *si y sólo si* $x = 0$.

En general dado un espacio vectorial $X$ se llama **producto interno** a una función $P : X \times X \to R$ que verifica las propiedades anteriormente mencionadas[2]. El caso particular en el que $X = R^n$, el producto interno $P : R^n \times R^n \to R$ definido como $\sum_{i=1}^{n} x_i y_i$ se denomina producto euclidiano.

DEFINICIÓN 2.4. Sea $X$ un espacio vectorial, diremos que dos vectores $x$ e $y$ son ortogonales o perpendiculares si $P(x, y) = 0$.

Observe que el producto $P(x, y) = xy$ puede ser nulo, sin que ni $x$ ni $y$ sean cero, ver figura 1.

[2]No debe confundirse esta operación con el producto definido anteriormente entre escalares y vectores el que se define por una función $p : E \times X \to X$ donde $E$ es el cuerpo de escalares y $X$ el espacio vectorial. En el caso en que $X = R^n$, y $E = R$, se define el producto interno $P : R \times R^n \to R^n$, como un producto entre vectores de $R^n$. Mientras que $p(\alpha, x) = \alpha \cdot x$, representa el vector $(\alpha x_1, \ldots, \alpha x_n)$.

NOTA 2.5. En una economía con $l$ bienes, cada cesta se representa por un vector $x \in R^l$ y los precios unitarios de los bienes por un vector $p \in R^l$. Luego el producto interno $px$ de estos dos vectores, representa el valor de la cesta $x$, a precios $p$. Por otra parte, las cestas de bienes se agregan siguiendo las reglas de suma y producto propias del espacio vectorial $R^n$, en este caso $n = l$.

## 2.2. $R^n$ como espacio métrico

A continuación definiremos la **función distancia** o métrica. Podremos entonces decir cuando dos cestas de bienes son próximas o no.

DEFINICIÓN 2.6. Sea $X$ espacio vectorial. Decimos que la función $d : X \times X \to R$ **es una distancia** si verifica que:

(1) $d(x, y) \geq 0$, con igualdad si y sólo si $x = y$,
(2) $d(x, z) \leq d(x, y) + d(y, z)$, llamamos a esta desigualdad triangular.
(3) $d(x, y) = d(y, x)$.

Un espacio vectorial $X$ en el que hay definida una función distancia se llama espacio métrico y se representa por $(X, d)$.

EJERCICIO 2.7. Verifique que las siguientes funciones de $R^n \times R^n \to R$ son funciones distancia.

(1) $d_1(x, y) = \begin{cases} 1 & x \neq y \\ 0 & x = y \end{cases}$

(2) $d_2(x, y) = \sum_{i=1}^{n} |x_i - y_i|$.

(3) $d_3(x, y) = sup_i\{|x_i - y_i|\}$.

(4) $d(x, y) = \sqrt{\sum_{i=1}^{n}(x_i - y_i)^2}$. Esta distancia se suele llamar distancia usual o euclidiana.

NOTA: Para la demostración de que esta función define una distancia, es necesitará de la desigualdad de Cauchy-Schwartz, es decir

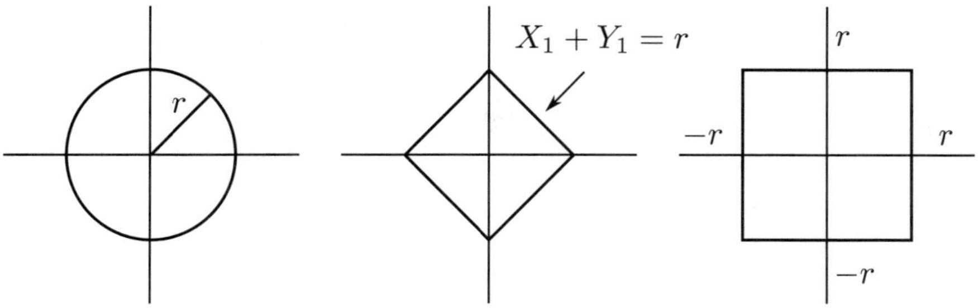


Puntos que distan $r > 0$ del origen según las distancias 2, 3, 4

FIGURA 2. Métricas diferentes

que dados dos puntos de $R^n$ $x$ e $y$ se verifica que $(\sum_{i=1}^{n} x_i y_i)^2 \leq \sum_{i=1}^{n} x_i^2 \sum_{i=1}^{n} y_i^2$ equivalentemente que $(\langle x, y \rangle)^2 \leq \langle x, x \rangle \langle y, y \rangle$. La demostración puede ser encontrada en [Apostol, T.].

En la figura 2, se representan las distancias definidas en los numerales, 2, 3 y 4.

*Demostración de la propiedad triangular (4):* Definamos $u = z - x$; $v = y - z$; $w = y - x$. Observe que $\langle u, u \rangle = d^2(x, z)$; $\langle v, v \rangle = d^2(y, z)$ y que $\langle w, w \rangle = d^2(y, x)$. Queremos probar entonces que

$$(\langle w, w \rangle)^{\frac{1}{2}} \leq (\langle u,\ u \rangle)^{\frac{1}{2}} + (\langle v,\ v \rangle)^{\frac{1}{2}}.$$

Elevando al cuadrado ambos miembros de la desigualdad obtenemos que la desigualdad a probar es:

$$\langle w,\ w \rangle \leq \langle u,\ u \rangle + \langle v,\ v \rangle + 2(\langle u\ u \rangle \langle v,\ v \rangle)^{\frac{1}{2}}.$$

Siendo $w = u + v$ se sigue que

$$\langle w,\ w \rangle = \langle u + v,\ u + v \rangle = \langle u,\ u \rangle\ + \langle v,\ v \rangle + 2\langle u,\ v \rangle.$$

Por la desigualdad de Cauchy-Schwarz, $\langle u\ v \rangle \leq (\langle u,\ u \rangle \langle v\ v \rangle)^{\frac{1}{2}}$. De donde se sigue la desigualdad triangular. □

Decimos que la métrica o distancia proviene de un producto interno si

$$d(x, y) = \sqrt{\langle x - y, x - y \rangle}.$$

Definiremos ahora la función norma.

DEFINICIÓN 2.8. Sea $X$ espacio vectorial. Una función $N : X \to R$ **es una norma** en $X$ desde que dicha función verifique las siguientes propiedades:

(1) $N(x) \geq 0$ con igualdad si y solamente si $x = 0$,
(2) $N(x) + N(y) \geq N(x + y)$,
(3) $N(\alpha x) = |\alpha| N(x)$.

Si en $X$ se define una norma $N$ entonces $(X, N)$ se llama **espacio normado.** En particular si $X = R^n$ la función $N(x) = \sqrt{x_1^2 + \cdots + x_n^2}$ define, como elector verificará una norma.

La siguiente definición será de gran utilidad en particular a partir de la sección siguiente en la que introduciremos la definición de espacios topológicos, se trata de la definición de normas equivalentes.

DEFINICIÓN 2.9. Decimos que dos normas $N_1$ y $N_2$ **son equivalentes** cuando existen constantes $A > 0$ y $B > 0$ tales que $N_1(x) \leq AN_2(x)$ y $N_2(x) \leq BN_1(x)$.

Un hecho notable es que en el espacio vectorial $R^n$ todas las normas son equivalentes[3]. Esta observación nos permite utilizar en $R^n$ cualquier norma, en particular la habitual, sin perder generalidad.

EJERCICIO 2.10. Sea $X$ un espacio vectorial,

(1) Muestre que todo espacio normado es un espacio métrico,
(2) pero que el recíproco no es cierto.
(3) ¿Qué propiedades debe verificar una función distancia para ser una norma?
   (a) Muestre que con la distancia usual $d(x, 0)$ define una norma a la que representaremos con $\|x\|$.
   (b) Verifique que $\|x\| = d(x, 0) = \sqrt{\langle x, x \rangle}$.
   (c) >Define la distancia $d_1$ del ejercicio (2.7) una norma?

Sea $(X, d)$ un espacio métrico. Consideremos $x_0 \in X$ y definamos como **bola abierta** centrada en $x_0$ de radio $r$ al conjunto $B_r(x_0)$ definido como

$$B_r(x_0) = \{x : x \in X, d(x, x_0) < r\},$$

[3]Para ver la equivalencia de las normas consideremos $N_2$ como una norma cualquiera $N$, mientras que sea $N_1$ la norma del supremo $N_s(x) = max\{x_1, \ldots, x_n\}$. Observe que si $e_i, i = 1, \ldots, n$ son los vectores de la base canónica de $R^n$ la siguiente cadena de desigualdades se sigue: $N(x) \leq \sum_{i=1}^n |x_i| N(e_i) \leq BN_s(x)$, siendo $B = \sum_{i=1}^n N(e_i)$. Se sigue entonces que $|N(x) - N(y)| \leq N(x - y) \leq BN_s(x - y)$. Por lo tanto $N : R^n \to R$ es una función continua en $(X, N_s)$ y por lo que alcanza su máximo y su mínimo en el conjunto compacto $V = \{x \in R^n : N_s(x) = 1\}$ es decir existen $A$ y $B$ tales que $A \leq N(x) \leq B$, $\forall x \in V$. Luego escribiendo $y = \frac{y}{N_s(y)} N_s(y)$ se sigue que $AN_s(y) \leq N(y) = N(\frac{y}{N_s(y)}) N_s(y) \leq BN_s(y)$. Es decir que, dadas dos normas $N_1$ y $N_2$ existen unas constantes $A$ y $B$ tales que $AN_1(x) \leq N_2(x) \leq BN_1(x)$.

donde $r$ es algún número positivo y $d$ se refiere a la distancia. Llamaremos **bola cerrada** de radio $r$ y centro en $x_0$ al conjunto

$$\bar{B}_r(x_0) = \{x : x \in X, d(x, x_0) \leq r\}.$$

EJERCICIO 2.11. Sea $X = R^n$ considere las distancias definidas en el ejercicio (2.7). Represente gráficamente, para cada una de ellas, las correspondientes bola abierta y cerradas centradas en el cero de radio $r$.

DEFINICIÓN 2.12. Decimos que un subconjunto $A$ de un espacio métrico $(X, d)$ es un **conjunto acotado** si existe $r \geq 0$ tal que $A \subseteq B_r(0)$.

Es también posible definir subconjunto acotado en un espacio normando $(X, N)$ Basta para esto decir que un suconjunto $A$ del espacio normado está acotado, si existen $m_1$ y $m_2$ números reales, tales que $m_1 \leq N(x) \leq m_2 \ \ \forall x \in A$.
Es inmediato concluir a partir de acá que si un conjunto está acotado bajo una norma, lo estará bajo cualquier norma equivalente.

## 2.3. Aplicaciones

EJERCICIO 2.13. Considere una economía con $l = 2$ bienes. Su espacio de consumo, el cono no negativo de $R^2$ (es decir el conjunto de vectores con 2 coordenadas no negativas), generalmente representado por $R^2_+$. Sean $x$ e $y$ dos cestas de bienes y suponga que los precios, están dados por un vector $p$ de $R^2_+$. *Recuerde las definiciones de espacio vectorial, producto euclidiano y distancia dadas en el texto.*

(1) ¿Qué significa en términos de las operaciones definidas en $R^2$ como espacio vectorial que, el valor de la cesta $x$ es $\alpha$?
(2) ¿Qué significa (en el mismo sentido que anteriormente) que la cesta $x$ es más cara que la cesta $y$?
(3) ¿Qué significa que la cesta $x$ tiene el mismo valor que la cesta $y$? Relacionar la respuesta con la definición 2.4.
(4) Suponga que un agente tiene un ingreso igual a $I$ unidades monetarias. ¿Cuál será, en función de los precios, la cesta de norma máxima a que el agente puede aspirar? ¿Cuál será la más costosa que puede comprar?
(5) Encuentre todas las cestas cuya distancia a la cesta $x = (1, 2)$ es 1.
(6) ¿Cómo actuaría una inflación de precios con índice $e$ en esta economía y qué repercusiones tendría sobre el consumo de un agente cuyo ingreso $I$ se mantiene fijo?

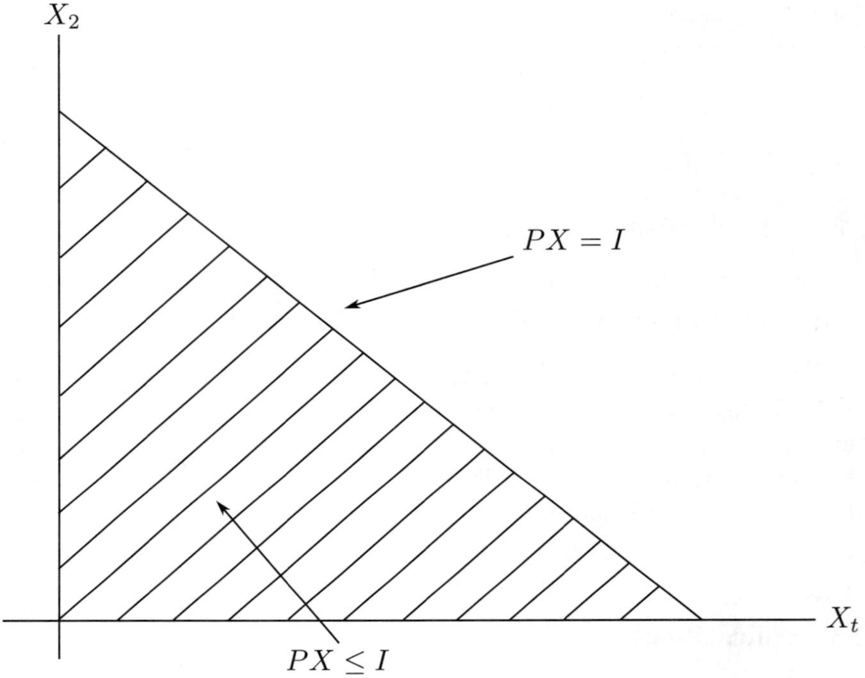


FIGURA 3. Restricción presupuestaria

(7) ¿Qué medidas tomaría para que el consumo del agente no se vea afectado?
(8) Muestre que, si los precios son estrictamente positivos, entonces la región presupuestaria es un subconjunto acotado de $R^2$. ¿Qué pasaría si algún precio fuese igual a cero?

La figura 3 representa la restricción presupuestaria como un subconjunto de $R^2_+$, cuando los precios son estrictamente positivos.

EJERCICIO 2.14. Suponga una economía con dos agentes y $l$ bienes, sea $w^1$ y $w^2$ las dotaciones iniciales de cada uno de los agentes. Suponga que los precios están dados por $p \in R^l$ estrictamente positivos. Suponga que los agentes son localmente no saciables. Muestre que la ley de Walras equivale a firmar que el vector de precios es ortogonal al vector exceso de demanda.

## 2.4. $R^n$ Como espacio topológico

Si bien centraremos nuestra atención en $R^n$, los conceptos que en esta sección consideraremos son generalizables a cualquier conjunto. En particular el concepto de topología puede ser introducido en conjuntos cualesquiera, lo que permite construir espacios topológicos muy generales. Esto posibilita entre otras cosas, definir el concepto de continuidad de funciones en forma muy amplia. Interesantes aplicaciones a la economía de los conceptos de continuidad en espacios más generales que $R^n$ se encuentran por ejemplo en [Aliprantis, C.D.; Brown, D.J.; Burkinshaw, O.].

DEFINICIÓN 2.15. Dado un conjunto cualquiera $X$ decimos que una familia $\mathcal{F}$ de subconjuntos de $X$ es **una topología** para $X$ si

(1) $X \in \mathcal{F}$ y $\emptyset \in \mathcal{F}$,
(2) $V_i \in \mathcal{F}\ \ i = 1, 2, \ldots, n$ entonces $\cap_{i=1}^{n} V_i \in \mathcal{F}$,
(3) $V_\alpha \in \mathcal{F}\ \forall \alpha \in A$ entonces $\cup_{\alpha \in A} V_\alpha \in \mathcal{F}$.

Llamaremos a $(X, \mathcal{F})$ **espacio topológico.**

Obviamente en un mismo conjunto $X$ pueden definirse distintas topologías. Decimos que la topología $\mathcal{F}'$ es más fina que la topología $\mathcal{F}$ si $\mathcal{F} \subset \mathcal{F}'$. No todas las topologías son comparables. Como ejemplo de topologías extremas definibles en $X$, considere la formada solamente por el conjunto total y el conjunto vacío (llamada trivial) y por otra parte, la formada por todos los subconjuntos posibles del conjunto $X$, (llamada discreta).

Sea $A \subset X$, decimos que un subconjunto $B$ de $X$ es el **complemento** de $A$ y lo representamos por $A^c$, cada vez que $A \cup A^c = X$ y además $A \cap A^c = \emptyset$.

DEFINICIÓN 2.16. Dada una topología $\mathcal{F}$ en $X$, los elementos de la familia $\mathcal{F}$ son llamados **conjuntos abiertos** mientras que, sus complementos, se llaman **cerrados**.

Observe que un subconjunto arbitrario de un espacio topológico no tiene por qué ser abierto o cerrado, más aún un subconjunto de un espacio topológico puede ser a la vez abierto y cerrado.

DEFINICIÓN 2.17. Llamaremos **entorno abierto** o simplememte entorno de un punto $x \in X$ a todo conjunto abierto que contenga a $x$. Diremos entonces que un conjunto $A$ es abierto si y solamente si es un entorno de cada uno de sus puntos.

DEFINICIÓN 2.18. Diremos que una topología en $X$ **es de Hausdorff** si separa puntos. Es decir, si cada vez que $x, y \in X$ siendo $x \neq y$ existen entornos $V$ y $U$ que contienen a $x$ y a $y$ respectivamente con $U \cap V = \emptyset$.

Nótese que no toda topología satisface esta condición, por ejemplo la formada sólo por el conjunto vacío y el total, nunca separa puntos. Es decir que para tener esta propiedad la topología debe ser suficientemente fina o equivalentemente, tener una cantidad de conjuntos abiertos considerable.

DEFINICIÓN 2.19. Diremos que un punto $x \in X$ es:

- Un **punto interior** a $A \subset X$ si y solamente si, existe un entorno abierto $U_x$ de $x$ tal que $U_x \subseteq A$. El conjunto de los puntos interiores al subconjunto $A$ es representado por $A^0$.
- Un **punto frontera** de $A \subset X$ si y solamente si, para todo entorno abierto $U_x$ de $x$ se verifica que $U_x \cap A \neq \emptyset$ y $U_x \cap A^c \neq \emptyset$. El conjunto de los puntos frontera de $A$ se denomina frontera de $A$ y lo representaremos por $frA$.

DEFINICIÓN 2.20. Llamaremos **base de una topología** $\mathcal{F}$ en $X$, a una subfamilia $\mathcal{B}$ de $\mathcal{F}$ tal que todo elemento $U$ de $\mathcal{F}$ es unión de elementos de $\mathcal{B}$. Y llamaremos **subbase de la topología** $\mathcal{F}$ en $X$ a una subfamilia $\mathcal{S}$ de $\mathcal{F}$ tal que la colección de todas las intersecciones finitas de elementos de $\mathcal{S}$ forman una base para la topología $\mathcal{F}$.

DEFINICIÓN 2.21. Una **base local** en $x$, es una familia de entornos de $x$, tal que todo entorno del punto, contiene un elemento de la familia.

Un espacio topológico, cumple con el llamado *primer axioma de numerabilidad,* si y solamente si, tiene una base numerable. Mientras que si existe una base local numerable se dirá que verifica el *segundo axioma de numerabilidad.*

Los espacios que satisfacen el segundo axioma de numerabilidad juegan un importante papel en la teoría económica. En [Debreu, G. (b)]) se demuestra el siguiente teorema:

TEOREMA 2.22. *Toda relación de preferencia continua, en un espacio que satisface el segundo axioma de numerabilidad, es representable por una función de utilidad continua.*

Entendemos por relación de preferencias en un conjunto $X$ un preorden completo[4], al que representaremos por $\succeq$. Decimos que el par $(x, y) \in \succeq$ para $x$ e $y$ en $X$ si y solamente si, $x$ es al menos tan bueno cuanto $y$, equivalentemente escribimos $x \succeq y$. Decimos que la preferencia es representable por una función

[4]Decimos que una relación binaria $\succeq$ es un preorden en $X$ si $\succeq$ es transitiva y reflexiva. El preorden es completo si dados dos elementos $x$ e $y$ en $X$ se verifica que $(x, y) \in \succeq$ o bien $(y, x) \in \succeq$.

de utilidad, es decir una función real con dominio en $X$ el conjunto de consumo de la economía $u : X \to R$ cuando $x \succeq y$ si y solamente si $u(x) \geq u(y)$.

Un factor muy importante, para el desarollo del análisis matemático es, como veremos más adelante, luego de la definición de límite de una sucesión, que una topología tenga suficientes abiertos como para separar puntos, ver definición 2.18.

**Topologías definidas a partir de métricas y normas:** En un espacio métrico $(X, d)$ es posible definir una *topología a partir de la métrica,* para esto procedemos de la siguiente manera.

(1) Consideramos la familia de las bolas abiertas posibles de definir en $X$ con la métrica $d$
(2) Definimos la familia de abiertos de $R^n$ como aquellos subconjuntos $A$ de $X$ tales que para todo $x \in A$ existe $r > 0$ tal que $B_r(x) \subseteq R^n$.
(3) Decimos que esta topología es generada por la métrica $d$.

DEFINICIÓN 2.23. Sea $A \subset X$, decimos que el conjunto $A$ **es denso** en $X$ si en todo conjunto abierto $U$ de $X$ existe $x \in A \cap U$.

DEFINICIÓN 2.24. Decimos que $X$ es un conjunto **separable** si existe un subconjunto $A$ en $X$ denso y numerable.

Por ejemplo con la topología generada por la distancia habitual, (o cualquiera equivalente) el conjunto de los racionales es denso en $R$

EJERCICIO 2.25. Verifique que:
La familia de abiertos definidos como anteriormente forma una topología.
El conjunto de las bolas abiertas con centro $x \in X$ y radio $r > 0$ forman una base local de esta topología.
Consecuentemente, todo espacio métrico verifica el segundo axioma de numerabilidad.
Si existe un conjunto denso numerable $N \subset X$ entonces $X$ verifica el primer axioma de numerabilidad.

Es también posible definir una topología en un espacio normado $(X, N)$ a partir de la norma $N$ allí definida. Esta será la *topología definida por la norma.* Procedemos de la siguiente forma:

(1) Definimos las bolas abiertas de radio $\epsilon > O$ centradas en cero como los subconjuntos de $X$

$$B_0(\epsilon) = \{y \in X : N(y) < \epsilon\}$$

(2) Consideramos como conjuntos abiertos en $X$ a aquellos subconjuntos $A$, tales que para todo $x \in A$, existe $V_x = x + B_0(\epsilon)$ que verifica

la propiedad $V_x \subseteq A$. Donde $V_x = \{z \in X : z = x + y,\ y \in B_0(\epsilon)\}$ define un entorno de $x$.

En el ejercicio anterior se demuestra que la familia de las bolas abiertas

$$B_r(x_0)\ \forall x_0 \in X,\ r \in R$$

definen una base de la topología. Mientras que, a la vez, para cada $x \in X$, la familia de bolas abiertas centradas en $x$, y representadas por $B_r(x_0)\ \ r \in R$, define una base local de $x$. Se concluye entonces que los espacios métricos y, consecuentemente, los normados satisfacen el primer axioma de numerabilidad.

NOTA 2.26. Todas las topologías en $R^n$ generadas por normas, definen los mismos abiertos[5].

Esta afirmación resulta del hecho de que en $R^n$ todas las normas son equivalentes.

EJERCICIO 2.27. Demuestre que las topologías generadas por normas equivalentes, definen los mismos abiertos.

EJERCICIO 2.28. En $R^2$ considere la métricas $d_2$, $d_3$ *y* $d$ definidas en el ejercicio 2.7. Muestre que son métricas equivalentes y dibuje las correspondientes $B_0(r)$.

EJERCICIO 2.29. Verifique las siguientes afirmaciones:

(1) El conjunto vacío y el total son cerrados.
(2) Una unión finita de conjuntos cerrados es un conjunto cerrado.
(3) La intersección arbitraria de conjuntos cerrados es cerrada.
(4) Sea $\mathcal{F} = \{\emptyset, X\}$ entonces $(X, \mathcal{F})$ es espacio topológico. La topología así definida se llama trivial.
(5) Considere $\mathcal{F}$ como el conjunto de todos los puntos de $X$ entonces $(X, \mathcal{F})$ es espacio topológico. La topología así definida se llama discreta.

Considere el espacio métrico $(R^n, d)$, donde por $d$ representaremos la distancia euclidiana (o habitual). Consideremos la topología formada por los siguientes abiertos: *un conjunto A es un abierto si y solamente si, para cada punto $x \in A$ existe una bola abierta de radio $\epsilon > 0$ totalmente contenida en A.*

---

[5]Existe un teorema que generaliza esta afirmación. El referido teorema dice que en $R^n$ toda las topologías lineales que son Hausdorff, definen los mismos abiertos. Este teorema se encuentra en textos avanzados de topología general, no obstante daremos en el apéndice I de la sección (11.1) una demostración. Muestra que casi todas las topologías comúnmente usadas en $R^n$ son las mismas, lo que deja de ser válido en espacios de dimensión infinita.

Decimos que esta es la *topología habitual*. Toda topología inducida por una norma en $R^n$ es, por lo anteriormente visto, equivalente a ésta. Por lo que todo lo dicho con respecto esta topología vale para cualquier otra que sea Hausdorff y lineal en $R^n$.

EJERCICIO 2.30. Probar que si $Y$ es un subconjunto de un espacio topológico $(X, \mathcal{F})$ la colección $\mathcal{F}_Y$ de subconjuntos de $Y$ definida por

$$\mathcal{F}_Y = \{V \cap Y : V \in \mathcal{F}\}$$

es una topología en $Y$.

La topología formada de esta manera, se llama **topología relativa o inducida** por $\mathcal{F}$ en $Y$.

DEFINICIÓN 2.31. Sea $f : X \to Y$ una función definida en $X$ con recorrido en $Y$ siendo $X$ e $Y$ espacios topológicos $(X, \tau_x)$ y $(Y, \tau_y)$. Decimos que $f$ **es una función continua** si y solamente si, la preimagen por $f$ de todo abierto en $(Y, \tau_y)$ es un abierto en $(X, \tau_x)$.

Es importante recordar las siguientes definiciones:

DEFINICIÓN 2.32. Sea $(X, \tau)$ espacio topológico y sea $K \subset X$.

(1) Decimos que $x \in X$ es un **punto de acumulación** de $K$ si y solamente si, en todo entorno suyo hay un punto de $K$ distinto de $x$.
(2) Llamaremos **clausura** de $K$ al conjunto formado por la intersección de todos los cerrados que lo contienen, notaremos a este conjunto como $\bar{K}$.

Muestre que la siguiente afirmación equivalente a la definición 2.23: *El conjunto A es denso en X si y solamente si,* $\bar{A} = X$.

TEOREMA 2.33. *Un conjunto $F \subseteq X$ es cerrado si y solamente si contiene a todos sus puntos de acumulación.*

*Demostración:* En efecto $F$ es cerrado si y solamente si $F = \bar{F}$. La clausura de $F$ es la unión de los puntos de $F$ y sus puntos de acumulación, conjunto este al que denotaremos por $F'$. Pero si $A = A \cup B$ entonces $B \subset A$ luego $F' \subset F$. □

Si bien en este trabajo nos limitaremos a trabajar en $R^n$ con la topologiía habitual y las operaciones de suma y producto por escalar previamente definidas, es posible generalizar muchos de los resultados que aquí se presentan, al caso más general de los llamados espacios vectoriales topológicos.

DEFINICIÓN 2.34. Un espacio vectorial $X$, en el que se define una topología $\tau$, es llamado **espacio vectorial topológico** (abreviadamente e.v.t.), si se verifican los siguientes dos axiomas:

(1) La función multiplicación por un escalar $w : R \times X \to X$ definida por $w(\lambda, x) = \lambda x$ y
(2) la función suma de vectores $S : X \times X \to X$ definida por $S(x, y) = x + y$,

son continuas respecto de las topologías producto $\mathcal{Y} \times \tau$ y $\tau \times \tau$ respectivamente, donde $\mathcal{Y}$ es la topología definida en el cuerpo de los escalares. Estos espacios se simbolizan generalmente por $(X, +, \cdot)$.

En nuestro caso, el cuerpo de escalares $R$, será siempre el de los números reales con la topología habitual (es decir la generada a partir de los intervalos abiertos).

En particular $R^n$ con la topología habitual y las operaciones de producto por escalar y suma definidas en el inicio del capítulo, forma un espacio vectorial topológico, el que se representa por $(R^n, +, \cdot)$.

## 2.5. Sucesiones

Consideremos una función real $x : N \to R$, cuyo dominio sea $N$ el conjunto de números naturales. Llamamos sucesión al conjunto infinito de valores $x_1, x_2, \ldots, x_n, \ldots$ que toma dicha función. Representamos a la sucesión por su elemento genérico $x_n$. Entendemos por subsucesión la composición de $x$ con una función $f$ estrictamente creciente de $N$ en $N$. Es decir $y_n$ es una subsucesión de $x_n$ si $y_n = x_{f(n)}$ para $f$ como la descrita anteriormente.

DEFINICIÓN 2.35. **Sucesión convergente en un espacio topológico** Decimos que la sucesión $x_n$ definida en un espacio topológico, converge (o que es una sucesión convergente) a $x$, lo que notaremos como $x_n \to x$, $n \to \infty$, si y solamente si para todo entorno abierto $U_x$ de $x$, existe $n_0 \in N$ tal que para todo $n \geq n_0$ se verifica que $x_n \in U_x$.

Si una sucesión converge en un espacio topológico y la topología separa puntos, (definición 2.18), entonces el límite es único. Consecuentemente *la sucesión $x_n \in X$ converge a $x \in X$* si y solamente si $x$ es el único punto de acumulación de la sucesión.

DEFINICIÓN 2.36. **Sucesión convergente en un espacio métrico** Sea $x_n$ una sucesión en un espacio métrico, decimos entonces que $x_n$ converge a $x$ si para todo $\epsilon > 0$ existe $n(\epsilon)$ tal que si $n \geq n(\epsilon)$ entonces $d(x_n, x) < \epsilon$. Análogamente para espacios normados, diremos que $x_n \to x$, $n \to \infty$ si y solamente si: $\|x_n - x\| < \epsilon$, para todo $n > n(\epsilon)$.

DEFINICIÓN 2.37. **Sucesión de Cauchy** Decimos que una sucesión es de Cauchy, si y solamente si, para todo $\epsilon > 0$ existe $n(\epsilon)$ tal que si $n, m \geq n(\epsilon)$ entonces $d(x_n, x_m) < \epsilon$.

Decimos que un espacio es métrico completo, si y solamente si toda sucesión de Cauchy es convergente en él. Ejemplo de espacio métrico completo es el conjunto de los números reales. $R^n$ con la métrica usual es un espacio métrico completo. No es completo el conjunto de los racionales.

*Se dice que un espacio normado completo es un espacio de Banach.* Mientras que es de Hilbert, un espacio vectorial en el que hay definido un producto interno y que es a la vez, completo, respecto a la norma definida por dicho producto.

## 2.6. Conjuntos compactos y conexos

A continuación haremos una breve introducción de los conceptos de compacidad y conexidad. Entendemos que el lector tiene cierta familiaridad con estos conceptos así como con el continuidad de funciones.

DEFINICIÓN 2.38. Decimos que una familia $\mathcal{H}$ de subconjuntos $C$ de $X$ es un **cubrimiento** de $X$, si $X \subset \bigcup_{C \in \mathcal{H}} C$. Entendemos por **subcubrimiento** una subfamilia $\mathcal{G}$ de $\mathcal{H}$ que también cubre a $X$, es decir que $X \subset \bigcup_{C \in \mathcal{G}} C$.

El subcubrimiento se dirá finito, cuando la cardinalidad de $\mathcal{G}$ sea finita.

DEFINICIÓN 2.39. Decimos que $K$ es un **conjunto compacto** si para todo cubrimiento por abiertos de $K$, existe un subcubrimiento finito.

En $R^n$, decir que un conjunto es compacto, es equivalente a decir que es acotado y cerrado, esto es el teorema de Heine-Borel, ver apéndice (11.3). Esta propiedad no se mantiene necesariamente en espacios más generales que $R^n$ con la topología usual. No obstante para espacios métricos vale la siguiente definición, equivalente a la definición (2.39).

DEFINICIÓN 2.40. Un conjunto $K$ es compacto si y solamente si toda sucesión de elementos de $K$ tiene una subsucesión convergente.

DEFINICIÓN 2.41. Decimos que $K$ es un **conjunto conexo** si y solamente si cada vez que $K \subset A \cup B$ siendo $A$ y $B$ abiertos en la topología relativa, y $A \cap B = \emptyset$ entonces $A = K$ y $B = \emptyset$ o bien $B = K$ y $A = \emptyset$.

Obsérvese que $X$ con la topología $\tau$ es conexo si y solamente si los únicos conjuntos de $\tau$ abiertos y cerrados a la vez, son el total y el vacío.

Puede probarse que en $R$ los únicos conjuntos conexos son los intervalos[6].

Si bien no equivalente a la anterior definición de conexidad, el concepto de **conexidad por caminos** ayuda a entender la idea de conexión en general. Se dice que un conjunto $X$ es *conexo por caminos* cuando, dados dos puntos $a$ y $b$ en $X$, existe un *camino*[7] en el conjunto que los une. Si bien no todo conjunto conexo de $R^n$ es conexo por caminos[8], es cierto que en $R^n$ un conjunto abierto es conexo si y solamente si es conexo por caminos. Ver [Lima, L.].

El siguiente concepto permitirá una caracterización muy utilizada de conjuntos compactos.

DEFINICIÓN 2.42. Decimos que una familia $\mathcal{F}$ de subconjuntos de $X$ tiene la **propiedad de intersección finita** (PIF), si y solamente si, se verifica que todo subconjunto finito de elementos de la familia $\mathcal{F}$ tiene intersección no vacía.

Una importante aplicación de esta propiedad es el siguiente teorema:

TEOREMA 2.43. *Sea $(K, \tau)$ espacio topológico, $K$ es compacto si y solamente si toda familia de cerrados con la PIF tiene intersección no vacía.*

*Demostración: Directo:* Sea $K$ compacto y sea $\tau_\alpha$ $\alpha \in A$ una familia de subconjuntos cerrados con la PIF. Supongamos que la intersección es vacía. Por lo tanto se verifica que $\bigcup_{\alpha \in A} \tau_\alpha^c = K$. Por ser $K$ compacto y $\tau_\alpha^c$ abiertos, existe una subfamilia $F$ finita de elementos de $A$ $\tau_\beta$ ,$\beta \in F$, tal que $\bigcup_{\alpha \in F} \tau_\alpha^c = K$. Luego $\bigcap_{\alpha \in F} \tau_\alpha = \emptyset$, lo que contradice que $\tau_\alpha$ , $\alpha \in A$ tiene la PIF. *Recíproco:* Supongamos que toda familia de cerrados en $K$ con la PIF tiene intersección no vacía. Si $K$ no es compacto, existe un cubrimiento de $K$, $A_\alpha; \alpha \in A$ de abiertos, tal que ninguna subfamilia finita $F \subset A$ es un subcubrimiento de $K$, es decir que $\bigcup_{\alpha \in F} A_\alpha^c \neq \emptyset$. Esto supone que $\forall F \subset A$, $F$ finita, $\left(\bigcap_{\alpha \in F} A_\alpha\right)^c \neq \emptyset$. Como $A_\alpha^c$ es una familia de cerrados con la PIF se sigue que la intersección $\bigcap_{\alpha \in A} A_\alpha^c \neq \emptyset$, luego tomando complementos en ambos lados, se sigue que: $\bigcup_{\alpha \in A} A_\alpha \neq K$ lo que contradice la afirmación inicial. □

[6]Entendiendo por intervalo un subconjunto $I$ de $R$ formado por todos los puntos del segmento de recta comprendidos entre dos reales dados. El intervalo será abierto, cerrado o semiabierto, según contenga o no, a los extremos $a$ y $b$, o a uno de ellos solamente. Obviamente, si un subconjunto $C$ de $R$ no es un intervalo, existen números $a < b$ en $C$ y $c \in C^c$ tales que $a < c < b$. Luego el conjunto $C$ puede escribirse como unión de intervalos abiertos y disjuntos $(a, c)$ y $(c, b)$ diferentes del vacío. Para el recíproco ver por ejemplo [Lima, L.].

[7]Se entiende por camino en un espacio topológico $X$, una función $f : I \to X$ donde $I$ es el intervalo cerrado en $[0, 1]$.

[8]Considere el subconjuto $X \subset R^2$, formado por la unión del grafo de $f(x) = \sin(1/x)$ y el origen $O = (0, 0)$ este conjunto es conexo, pero no es conexo por caminos.

## 2.7. Aplicación

A partir de la caracterización de los conjuntos compactos como conjuntos en los que se verifica que toda familia de subconjuntos cerrados con la PIF tiene intersección no vacía, es posible demostrar la existencia de la demanda, considerando consumidores con preferencias semicontinuas superiores, definidas en $R^l_+$ ver [Accinelli, E. (05)].

Recuerde que el problema central del consumidor es el de maximizar sus preferencias en su restricción presupuestaria. Supongamos que en la economía existen $l$ bienes y sea $R^l_+$ el conjunto de consumo. La llamada restricción presupuestaria es un subconjunto del conjunto de consumo, conformado por aquellas cestas de bienes accesibles al consumidor dados los precios y sus dotaciones iniciales. Representaremos a este subconjunto por: $\mathcal{R}P_w(p) = \{x \in X : px \leq pw\}$, donde $p \in R^l_+$ es un vector cuyas coordenadas representan los precios unitarios de los bienes y $w \in R^+_l$ un vector que representa las dotaciones iniciales del consumidor. Eventualmente alguna de las coordenadas de $w$ puede ser nula, pero en este caso, nunca negativa. Como ya fue dicho anteriormente, entendemos por preferencias un preorden completo definido en el conjunto de consumo, es decir en un subconjunto $X$ de un espacio vectorial topológico, en este caso $R^l_+$ y $R^l$ respectivamente. Representaremos la preferencia del consumidor (o preferencias) por $\succeq$. Si $x$ e $y \in X$ son tales que $x \succeq y$, decimos que $x$ es al menos tan bueno cuanto $y$ para el consumidor en cuestión. Si $x \succeq y$, y además $y \succeq x$, diremos que el consumidor es indiferente entre $x$ y $y$. Mientras que el consumidor preferirá estrictamente $x$ a $y$ lo que escribiremos como $x \succ y$ si $x \succeq y$ pero no se verifica $y \succeq x$. Decimos que la preferencia del consumidor, es semi-continua superiormente si el conjunto $C_x = \{y \in X : y \succeq x\}$ es cerrado. Si los precios son estrictamente positivos y $X = R^l_+$ entonces, la restricción presupuestaria es un subconjunto compacto de $R^l$. Afirmamos que, entonces, existe al menos un elemento maximal $m \in R_w(p)$ para $\succeq$. Es decir que no existe $x$ en la restricción presupuestaria, que verifica que $x \succeq m$. Llamaremos **demanda del consumidor** al conjunto de maximales de $\succeq$ restringido a la restricción presupuestaria. En aquellos casos en que este elemento exista y sea único, la demanda del consumidor será una función: la función demanda. Dicha función, una vez que las preferencias del consumidor están dadas, depende de los precios y de las dotaciones iniciales del agente. Fijadas las dotaciones iniciales, la demanda será entonces, una función exclusiva de los precios de mercado. La suma de las demandas de todos los agentes de la economía define la demanda agregada. Fijadas las preferencias y las dotaciones iniciales de todos los agentes, esta función depende exclusivamente de los precios y será, en esta forma, una herramienta importante para encontar los equilibrios walrasianos de una economía[9].

La existencia de la demanda sigue de considerar que $A_x = C_x \cap R_w(p)$ es cerrado y acotado, y por lo tanto compacto. Nótese que el conjunto de los maximales para $\succeq$ en $R_w(p)$ es igual a $\bigcap_{x \in R_w(p)} A_x$. Por ser ésta, una intersección de subconjuntos cerrados con la PIF en un compacto, es no vacía.

## 2.8. Continuidad de funciones

Introduciremos en esta sección algunas consideraciones sobre las funciones continuas. Concepto que entendemos familiar al lector de este texto. Dedicaremos un poco más de atención a los conceptos de semicontinuidad superior e inferior, quizás menos conocidos por el lector. Los teoremas tratados en esta sección tienen importantes aplicaciones no sólo en el campo de la matemática, sino también en el de la economía. El primer teorema que consideraremos afirma que la imagen de un conjunto compacto por una función continua es un compacto y el segundo lo análogo para conjuntos conexos. Ambos son la base para del teorema de Weierstrass, el que los economistas usan frecuentemente en muchas de sus aplicaciones en las que afirman la existencia de la demanda, como cesta maximizadora de las preferencias del consumidor, en su restricción presupuestaria.

DEFINICIÓN 2.44. Se $f : X \to Y$ una función entre dos espacios topológicos $\{X, \tau_X\}$ y $\{Y, \tau_y\}$. Decimos que $f$ es una **función continua,** si la preimagen por $f$ de un conjunto $A$ abierto en $Y$, es a su vez, un conjunto $B = f^{-1}(A)$ abierto en $X$.

Obsérvese que el conjunto de funciones continuas entre dos conjuntos se modifica con las topologías definidas en los espacios involucrados. Afortunadamente, las topologías generadas por normas equivalentes, son equivalentes, es decir, contienen los mismos abiertos. Esto hace que en $R^n$ el conjunto de funciones continuas no cambie con la elección de la norma. Más aún, en $R^n$ son equivalentes todas las topologías lineales de Hausdorff, ver apéndice 1, sección11.1.

Esta definición de continuidad es equivalente a la quizás más conocida para el lector (usado corrientemente para funciones de $R^n$ en $R^n$ y generalizable

---

[9]Llamamos equilibrio walrasiano de una economía con $n$ agentes y $l$ bienes a un par $(z, p) \in R^{ln} \times R^l$ tal que, $z = (x_1, \ldots, x_n)$ donde $x_i \in R^l, i = 1, \ldots, n$ representa la demanda del $i$-ésimo agente a precios $p$ y que verifica que $\sum_{i=1}^n x_i = \sum_{i=1}^n w_i$. Es decir que el exceso de demanda se anula (los mercados se limpian), la demanda agregada iguala a la oferta agregada.

para funciones entre espacios métricos), ver apéndice II, sección 11.2, que en términos de epsilones y deltas, es la siguiente:

DEFINICIÓN 2.45. Sean $(X, d_x)$ y $(Y, d_y)$ espacios métricos. Una función $f : X \to Y$ es continua en $x_0 \in X$, si y solamente si, para todo $\epsilon > 0$ existe $\delta > 0$ tal que, para todo $x \in X$ que cumpla que $d_x(x, x_0) < \delta$ se verifica que, $d_y(f(x), f(x_0)) < \epsilon$. Se dice que $f$ es continua en $X$, si es continua para todo punto $x \in X$.

Dado que en espacios topológicos, la continuidad depende de la topología definida en él, la continuidad de una función en un espacio métrico, depende de las métricas definidas en los espacios relacionados por la función. Por lo que el conjunto de las funciones continuas entre dos espacios métricos, se modifica si modificamos las métricas, obviamente siempre que estas modificaciones no definan topologías equivalentes.

La definición de continuidad (2.45) es equivalente a la definición (2.44) si consideramos a $X$ e $Y$ como espacios topológicos con la topología inducida por la métrica.

TEOREMA 2.46. *Sean $(X, \tau_x)$ e $(Y, \tau_y)$ espacios topológicos. Sea $f : K \to Y$ siendo $K \subset X$ compacto y $f$ continua. Entonces $f(K)$ es compacto.*

TEOREMA 2.47. *Sean $(X, \tau_x)$ e $(Y, \tau_y)$ espacios topológicos. Sea $f : K \to Y$ siendo $K \subset X$ conexo $f$ continua. Entonces $f(K)$ es conexo.*

Las demostraciones de estos teoremas se hacen por el absurdo, y las suponemos conocidas por el lector. Pueden verse en [Lima, L.].

Es fácil convencerse de que cualquier función $f : X \to R$ es continua si consideramos $X$ como un espacio topológico con la topología discreta, y a $R$ con la topología habitual (es decir la definida por la distancia habitual). Mientras que sólo las funciones constantes serán continuas si a $X$ lo equipamos con la topología trivial. No obstante, topologías equivalentes generan las mismas funciones continuas. En tanto que normas equivalentes generan topologías equivalentes, el enunciado vale para normas equivalentes.

DEFINICIÓN 2.48. **Extremos globales** Considere $f : X \to R$ decimos que $x^*$ es un **máximo global** para $f$ en $X$ si y solamente si $f(x^*) \geq f(x)\ \forall x \in X$. Analogamente, si $x^* \in X$ es tal que $f(x^*) \leq f(x)\ \forall x \in X$ decimos entonces que $x^*$ es un **mínimo global**[10].

---

[10]El calificativo de global para los extremos es a los efectos de distinguirlo del concepto de extremo relativo, que suponemos conocido por el lector.

Como consecuencia de los dos teoremas anteriormente mencionados, se obtienen las siguientes propiedades para funciones reales y continuas expresadas en los teoremas siguientes:

TEOREMA 2.49. **(De Weierstrass)** *Sea $(X, \tau_x)$ espacio topológico. Toda función $f$ real continua definida en un conjunto compacto $K \subset X$ alcanza su máximo (global) y su mínimo (global).*

*Demostración:* Siendo $f(K)$ compacto en $R$ es acotado y cerrado. Considere entonces una sucesión $f(x_n)$ convergente al supremo $(s)$ de $f$. Como $K$ es compacto la sucesión $\{x_n\}$ tiene una subsucesión convergente. Sea esta $\{x_{n_i}\}$ y sea $x$ su límite. Por la continuidad de $f$ la sucesión $f(x_{n_i})$ converge a $f(x) = s$. □

Para demostrar que el ínfimo se alcanza repetimos la demostración anterior pero para $-f(x)$.

TEOREMA 2.50. **(Del valor intermedio)** *Sea $(X, \tau_x)$ un espacio topológico. Sea $f : D \to Y$ función continua, $D \subset X$ conexo. Sean $y_1 = f(x_1)$ y $y_2 = f(x_2) = y_2$ donde $y_1 \leq y_2$ siendo $x_1$ y $x_2$ puntos en $D$. Entonces para todo $y$ tal que $y_1 \leq y \leq y_2$ existe $x \in D$ tal que $f(x) = y$.*

*Demostración:* Es corolario del hecho de que funciones continuas transforman conjuntos conexos en conexos y que los únicos conjuntos conexos en $R$ son los intervalos. □

En muchos problemas importantes de la teoría económica es posible reemplazar el supuesto de un comportamiento modelado por funciones continuas por el más general representado por funciones semicontinuas. A continuación definiremos los conceptos de semicontinuidad superior e inferior sin entrar en detalles. No obstante mostraremos que la caracterización de los compactos por la PIF, permite extender el teorema de Weierstrass a funciones semicontinuas superiores y semicontinuas inferiores.

DEFINICIÓN 2.51. **Funciones semicontinuas** Sea $f : X \to R$, siendo $X$ un espacio vectorial topológico.

- $f$ es semicontinua superior en $X$ si y solamente si, para todo $c \in R$, el conjunto $C = \{x \in X : f(x) \geq c\}$ es cerrado en $X$.
- $f$ es semicontinua inferior en $X$ si y solamente si para todo $c \in R$, el conjunto $C = \{x \in X : f(x) \leq c\}$ es cerrado en $X$.

El siguiente teorema caracteriza a las funciones semicontinuas y puede encontrarse en cualquier texto de análisis. Recordamos que en términos de

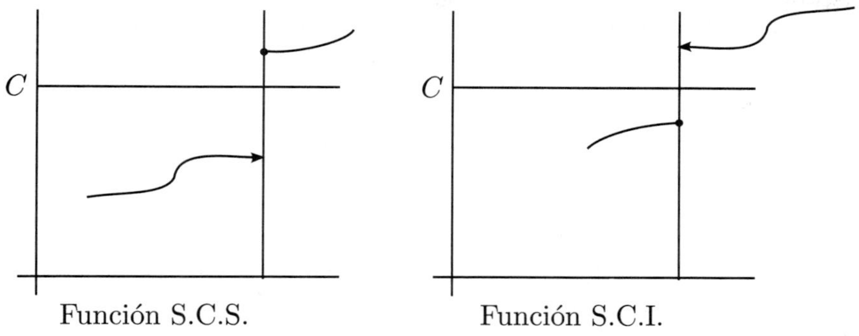


FIGURA 4. Semicontinuidades

sucesiones se tienen las siguientes definiciones:

$$\liminf_{\alpha} f(x_\alpha) = \sup_{\alpha} \inf_{\beta \geq \alpha} f(x_\beta)$$

mientras que:

$$\limsup_{\alpha} f(x_\alpha) = \inf_{\alpha} \sup_{\beta \geq \alpha} f(x_\beta).$$

*Equivalentemente en términos de entornos:*

$$\liminf_{x \to x^*} f(x) = \sup_{\delta > 0} \left[ \inf \{ f(x) : x \in B_{x^*}(\delta) \cap X \} \right]$$

mientras que:

$$\limsup_{x \to x^*} f(x) = \inf_{\delta > 0} \left[ \sup\{ f(x) : x \in B_{x^*}(\delta) \cap X \} \right].$$

En la figura 4, se representan los dos tipos de funciones.

TEOREMA 2.52. *Sea $f : X \to R$ $X$ espacio vectorial topológico. Las siguientes afirmaciones son equivalentes:*

(1) $f$ es semicontinua superior ( semicontinua inferior).
(2) $\limsup_\alpha f(x_\alpha) \leq (\geq) f(x)$, cuando $x_\alpha \to x$.
(3) Para cada $\epsilon > 0$ existe $\delta > 0$ tal que si $x \in B_{x^*}(\delta) \cap X$ entonces $f(x) < f(x^*) + \epsilon$ (resp. $f(x) > f(x^*) - \epsilon$).

Este teorema admite una interpretación intuitiva: *una función s.c.s. no tiene saltos hacia abajo, mientras que una función s.c.i. no tiene saltos hacia arriba.* Esto debe ser interpretado cuidadosamente a la luz de diferentes ejemplos.

*Demostración:*

(3) $\to$ (1) Sea $c = f(x^*) + \epsilon$, y sea $L_c = \{x \in X : f(x) < c\}$. Por (3) existe $B_{x^*}(\delta) \subset L_c$, luego $C = (L_c)^c$ es cerrado.

(1) $\to$ (3) Es inmediato.

(1) → (2) Sea $z = \text{lím sup}_{x\to x^*} f(x)$, supongamos que no sea cierto que $\text{lím sup}_{x\to x^*} f(x) \leq f(x^*)$. Existe entonces algún $\epsilon^* > 0$ tal que $f(x^*) + 2\epsilon^* < z$ :

(i) Si $z = \infty$ entonces por la definición de límite superior, en toda bola de centro $x^*$ y radio $\delta$ existe $x$ tal que $f(x) > f(x*)+100$, luego no se cumpliría (3).

(ii) Si $z \in R$ entonces en toda bola de centro $x^*$ y radio $\delta$ existe $x_\delta$ tal que $f(x_\delta) > z - \epsilon^*$ lo que contradice (3).

(2) → (3) Como por (2) se verifica que $f(x^*) \geq$ lím $sup_{x\to x^*} f(x)$, por la definición de límite superior, se tiene que existe $\delta' > 0$ tal que para todo $0 < \delta < \delta'$ se verifica que

$$\text{lím sup}_{x\to x^*} f(x) = \sup\{f(x) : x \in B_{x^*}(\delta) \cap X\} < f(x^*) + \epsilon.$$

Luego $f(x) < f(x^*) + \epsilon, \forall x \in B_{x^*}(\delta)$. □

EJERCICIO 2.53. Pruebe lo siguiente:

(i) Sea $X$ el intervalo unidad en $R$ y sea $f : [0,1] \to R$ dada por

$$f(x) = \begin{cases} 0 & 0 \leq x < 1 \\ 1 & x = 1. \end{cases}$$

Es s.c.s. pero no s.c.i. en $x = 1$.

(ii) Como puede verse fácilmente, la suma de funciones s.c.s. (resp. s.c.i.) es s.c.s. (resp. s.c.i.), pero no es cierta la afirmación análoga para el producto.

El siguiente teorema muestra la existencia de máximos (resp. mínimos) absolutos para funciones s.c.s. (resp. s.c.i.) definidas en compactos.

TEOREMA 2.54. **(De Weirstrass para F.S.C)** *Sea $f : K \to R$, donde $K$ es un subconjunto compacto de $R^n$, sea $f$ semicontinua superior, (resp. semicontinua inferior) entonces el conjunto de puntos donde $f$ alcanza el máximo (resp. mínimo) es no vacío y compacto.*

*Demostración:* Sea $c \in f(K)$, como $f$ es s.c.s $F_c = \{x \in K : f(x) \geq c\}$ es un subconjunto de $K$ cerrado y por lo tanto compacto, y no vacío. La familia $F_c$ con $c \in f(K)$, tiene la PIF, ver 2.42. Por lo tanto $\bigcap_{c\in f(K)} F_c \neq \emptyset$, y compacto. Obsérvese que si $y \in K$ es un máximo para $f$ es decir $f(y) \geq f(x)\ \forall\ x \in X$ entonces $y \in \cap_{c\in f(K)} F_c$ y recíprocamente. □

## 2.9. Aplicaciones

**¿Cómo encontrar extremos absolutos?** El teorema de Weierstrass nos da condiciones suficientes para la existencia de máximos y/o mínimos globales o absolutos, para funciones reales restringidas a conjuntos compactos. No obstante nada nos dice acerca de como hallar los puntos en los que estos valores son alcanzados. Un posible camino para resolver este problema consiste en encontrar candidatos y luego comparar entre ellos.

En el caso de funciones diferenciables en el interior de su dominio, (y por lo tanto continuas) son candidatos a extremos globales:

(1) Aquellos puntos del interior del conjunto al que se restringe, donde las derivadas se anulan y que son extremos relativos.
(2) Los puntos de la frontera de la restricción, en los que la función (restringida a este subconjunto), alcanza sus valores extremos, entre ellos: aquellos donde las derivadas de la función restringida se anulan o aquellos donde no existe alguna de sus derivadas.

Luego entre estos candidatos elegimos aquellos en los que son alcanzados los valores mayores o menores, estos serán respectivamente, los máximos y mínimos absolutos.

Si hubiera puntos del interior del dominio, donde la función no es diferenciable, estos deben agregarse a la lista de candidatos.

EJERCICIO 2.55. Considere la función $f : R^2 \to R$ definida como $f(x, y) = xy^2 - x$.

(1) Justifique la existencia de extremos absolutos de la función restringida al conjunto
$$C = \left\{(x, y) \in R^2 : -2 \leq x \leq 2;\ -3 \leq y \leq 3\right\}.$$
(2) Encuentre los candidatos a extremos absolutos en el interior de $C$.
(3) Encuentre los candidatos a extremos absolutos para la función restringida a la frontera de $C$, esto es considere lo casos $f(2, y)$, $f(-2, y)$, $f(x, 3)$, $f(x, -3)$ y los vértices del cuadrado.
(4) Justifique que solamente estos puntos son candidatos a extremos absolutos.
(5) Diga cuales son los puntos en los que los valores máximos y mínimos absolutos se alcanzan.

**Una aplicación a la teoría económica.** Si bien en un caso más general ya lo comprobamos, ver sección 2.7, una interesante aplicación a la economía de este teorema es la demostración de que toda relación de preferencia $\succeq$ representable por una función de utilidad semi-continua superiormente, tiene elemento maximal. Una de las dificultades más importantes para caracterizar los equilibrios walrasianos en economías con infinitos bienes, es decir en economías cuyos conjuntos de consumo se modelan como subconjuntos de espacios vectoriales de dimensión infinita, es precisamente el que un conjunto puede ser acotado y cerrado sin ser compacto. De ahí que, aún con utilidades continuas, no podamos garantizar la existencia de la solución del problema del consumidor[11], quedando descartada la posibilidad de estudiar los ceros de la función exceso de demanda para caracterizar los equilibrios como hacemos habitualmente, en el caso de economías finitas. Para un resumen de estos resultados ver [Accinelli, E. (03)].

EJERCICIO 2.56. Considere una economía con dos bienes, con conjunto de consumo $X = R^2_+$. Las preferencias de un agente se encuentran representadas por la función de utilidad, $u : R^2 \to R$ definida como $u(x, y) = x^{\frac{1}{2}} + y^{\frac{1}{2}}$. El ingreso del agente es $I = 20$.

(1) Suponga $p = (2, 3)$. Muestre que la restricción presupuestaria es un subconjunto compacto de $R^2$.
(2) Muestre que la frontera de la restricción presupuestaria es un subconjunto cerrado de $R^2$.
(3) Muestre que la función de utilidad es continua.
(4) Concluya en la existencia de la función demanda, y muestre que es un punto de la frontera.
(5) Calcule la demanda para esos precios e ingreso.
(6) Suponga ahora que $p = (2, 0)$. Represente la restricción presupuestaria, y muestre que no existe la demanda.

EJERCICIO 2.57. En una economía con $l = 2$ bienes, considere un agente con preferencias representadas por un función de utilidad continua, y con dotaciones iniciales $w \in X$ siendo $X = R^2_+$. Denominamos dotaciones inciales a la cesta de bienes de que originalmente dispone el agente[12]. Dichas dotaciones iniciales quedarán representadas por un vector $w \in R^2_+$. El conjunto de consumo, es el subconjunto de cestas posibles (no necesariamente adquiribles[13]) por el consumidor, en este caso estas son las representadas por los vectores $x = (x_1, x_2)$ tales que $x_1 \geq 0, x_2 \geq 0$. Sea $p = (p_1, p_2)$ el vector de precios unitarios, asumimos que son estrictamente positivos, es decir $p_1 > 0,\ p_2 > 0$.

[11]En ciertos casos es posible restringir el conjunto de funciones de utilidad posibles, exigiendo continuidad con respecto a topologías más débiles, o menos finas, que las generadas por la norma, ver [Araujo, A. (85)].

[12]No discutimos su origen, simplemente asumimos su existencia.

[13]El concepto no hace referencia al valor de las cestas en él incluidas.

Consideremos $x \in X$ e $y \in X$ cestas en la restricción presupuestal del agente. Representaremos a este subconjunto de $X$ por $\mathcal{R}P$ y queda definido por la desigualdad $px \leq pw$. Por lo que

$$\mathcal{R}P = \{x \in X : \; px \leq pw\},$$

conjunto este, que representa al subconjunto del espacio de consumo, formado por las cestas de bienes que el agente puede intercambiar por sus dotaciones iniciales, y queda definido por los precios existentes en la economía y las dotaciones iniciales (las que asumimos dadas) del agente. Por lo que si $x \in \mathcal{R}P$ e $y \in \mathcal{R}P$ se cumplirá que además de estar en el espacio de consumo (el que en nuestro caso es $R^2_+$), que su valor no será superior al de sus dotaciones iniciales $w$, es decir que verificarán las desigualdades: $px \leq pw$ y $py \leq pw$. Supongamos ahora, que la cesta $x$ le brinda al agente una utilidad $u(x)$ y que la cesta $y$ le brinda una utilidad $u(y)$ tal que $u(x) < u(y)$. Muestre que, para todo $v \in R$ que verifica las desigualdades $u(x) < v < u(y)$, existe una cesta $z(v)$ en la restricción presupuestaria (es decir que verifica $pz(v) \leq pw$) y para la que se cumple que $u(z(v)) = v$.

Capítulo 3

# Conjuntos afines, y convexos

*El estudio de los conjuntos convexos es una rama de la geometría, el análisis y el álgebra lineal, que tiene numerosas conexiones con otras áreas de la matemática y permite unificar muchos fenómenos matemáticos aparentemente diferentes.*
V. Klee.

Muchas de las consideraciones que haremos a continuación en $R^n$, continúan siendo válidas en general, en espacios vectoriales topológicos[1]. No obstante, siguiendo el espíritu general de este libro, los resultados más importantes estarán referidos siempre a espacios vectoriales de dimensión finita (a no ser que se diga lo contrario). Más aún, nos remitiremos siempre a $R^n$ y toda consideración sobre métrica será referida a la métrica euclidiana, así también, toda consideración topológica, a la topología generada por esta métrica.

Los teoremas de separación de convexos, que demostraremos en este capítulo, son de particular interés en economía y en toda la optimización en general. En particular los usaremos para demostrar el teorema de Khun-Tucker. Su generalización a espacios vectoriales topológicos es un corolario del llamado teorema de extensión Hahn Banach. El lector podrá encontrar una excelente exposición de este teorema y sus corolarios en [Aliprantis, C.D.; Border, K.C.]. No obstante la aplicación de este teorema en economías más generales que las llamadas economías con finitos bienes, es decir, a economías más generales que aquellas cuyos conjuntos de consumo están definidos en espacios vectoriales de dimensión finita, no siempre es inmediata. Un resumen de las dificultades para realizar este tipo de generalizaciones puede verse en [Accinelli, E. (03)].

---

[1]Recordemos que un e.v.t. es un conjunto al que se les adjunta una estructura de espacio vectorial necesaria para definir combinaciones lineales de sus elementos y una topología lineal, necesaria para definir entornos de sus puntos y tal que las operaciones de suma de vectores y producto de vector por escalar sean continuas.

## 3.1. Conjuntos afines

Si bien el tema central de esta sección es el de las propiedades de los conjuntos convexos, comenzaremos con algunas consideraciones sobre conjuntos afines y conos, necesarias para el análisis convexo. Un tratamiento desarrollado del tema puede encontrarse en [Rockafellar, T.].

La definición que a continuación daremos, introduce notación necesaria para esta y las siguientes secciones.

DEFINICIÓN 3.1. Se define la **suma de dos conjuntos** $A$ y $B$ de $R^n$ como el conjunto

$$C = A + B = \{z \in R^n : z = x + y : \ x \in A, \ y \in B\}.$$

Sea $C$ un subconjunto de $R^n$ y $\alpha \in R$ se define el **conjunto producto**

$$\alpha C = \{z \in R^n : \ z = \alpha x, \ x \in C\}.$$

La consideración de las propiedades que definen a los conos y conjunto afines, son como veremos, de gran importancia para el estudio de la optimización convexa.

DEFINICIÓN 3.2. Un conjunto $C$ es un **cono** si para cada $x \in C$ y $\lambda > 0$ se tiene que $\lambda x \in C$.

DEFINICIÓN 3.3. Un conjunto $A \subset R^n$ es llamado **afín** si cada vez que $x \in A$ e $y \in A$ la línea recta que los une $\lambda x + (1 - \lambda)y$, $\lambda \in R$ pertenece a $A$.

Puede verse fácilmente que un subespacio vectorial es un conjunto afín cuya particularidad es que el cero pertenece al conjunto. Recíprocamente si $A$ es un conjunto afín y $0 \in A$ entonces $A$ es un subespacio vectorial

DEFINICIÓN 3.4. **Conjuntos paralelos** Diremos que dos conjuntos afines $M$ y $A$ son paralelos si existe $a \in A$ tal que $A + a = M$.

Se verifica que si $a$ y $b$ pertenecen a $A$ entonces $A + a$ y $A + b$ son paralelos. De esta forma puede definirse la clase de equivalencia de todos los conjuntos afines paralelos a uno dado.

Obsérvese que si $A$ es un conjunto afín entonces

$$L = A - A = \{x - y : x \in A, \ y \in A\}$$

es un subespacio vectorial paralelo a $A$. $A$ es paralelo a un único subespacio $L$, $A = x^* + L$, donde $x^*$ es un elemento arbitrario de $A$.[2]

---

[2]En efecto, si $H$ y $K$ son subespacios afines, entonces $\alpha H + \beta K$ es un espacio afín, para cualesquiera $\alpha$ y $\beta$ reales. En el caso $0 \in L$ por lo tanto $L$ es un subespacio vectorial. Sea

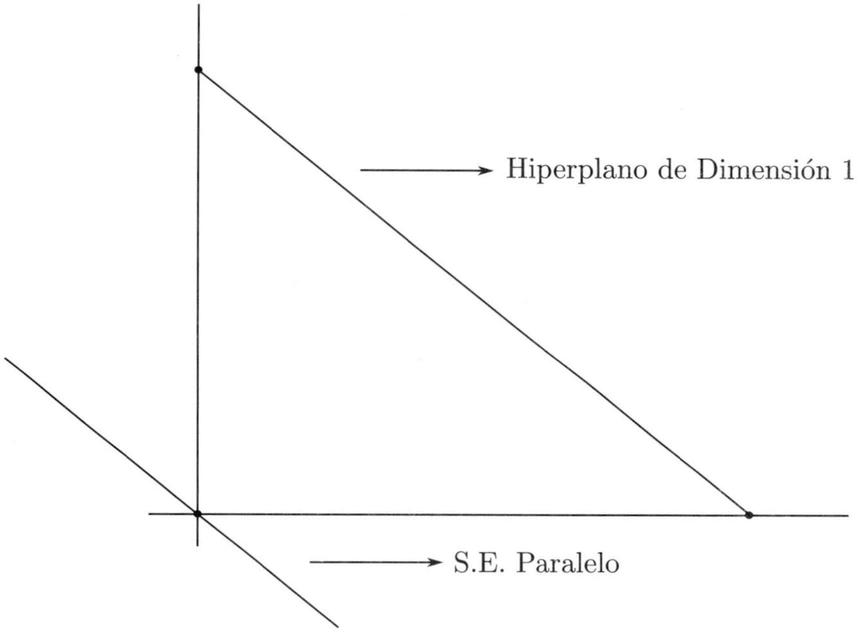


FIGURA 5. Sub-espacios e hiperplanos

DEFINICIÓN 3.5. Definimos la **dimensión de un conjunto afín**, como la dimensión del único subespacio paralelo al conjunto. Un conjunto afín de $R^n$ de dimensión $n-1$ es llamado un **hiperplano** . Ver figura 5.

Todo hiperplano define dos semiespacios $E_1$ y $E_2$ que serán llamados cerrados o abiertos según contengan o no al hiperplano que los define.

Obsérvese que un hiperplano $H$ en $R^n$ queda determinado por un vector $p \in R^n$, $p \neq 0$ y un real $\alpha$ siendo

$$H_{p,\alpha} = \{x \in R^n : \langle p, x\rangle = \alpha\}.$$

De esta manera quedarán determinados los semiespacios cerrados $E_1 = \{x \in R^n : \langle p, x\rangle \geq \alpha\}$ y $E_2 = \{x \in R^n : \langle p, x\rangle \leq \alpha\}$, los que serán llamados abiertos si las desigualdades se reemplazan por desigualdades estrictas. El hiperplano $H$ es paralelo al subespacio vectorial

---

$x \in x^* + L$ entonces $x = x^* + (y - z)$, $y, z \in A$. Como $\frac{1}{2}x^* + y \in A$ y además $\frac{1}{2}x^* - z \in A$ se sigue que $x \in A$. Por lo tanto $x^* + L \subset A$. Por otra parte, si $x \in A$ entonces de que $x - x^* \in L$ se sigue que $x = x^* + (x - x^*) \in x^* + L$ es decir $A \subset x^* + L$. □

$$S = \{x \in R^n : \langle p, x\rangle = 0\},$$

es inmediato verificar que $H = x^* + S$ siendo $x^* = \frac{\alpha}{\langle p,p\rangle} p$.

## 3.2. Conjuntos convexos

En general, todo el análisis convexo y en particular los conjunto convexos, juegan un papel central en la optimización, y en especial en la teoría económica, la que en gran medida, no es otra cosa que el arte de maximizar o minimizar funciones cóncavas o convexas con restricciones convexas. Dedicaremos esta sección precisamente al estudio de algunas propiedades de los conjunto convexos.

DEFINICIÓN 3.6. Un subconjunto $C$ de un espacio vectorial $X$ se dice **convexo** si

$$\forall x \in C,\ \forall y \in C \text{ y } \forall t \in [0,1] : tx + (1-t)y \in C.$$

DEFINICIÓN 3.7. Decimos que $x$ en una **combinación convexa** de elementos de $C$ si

$$x = \sum_{i=1}^{n} t_i x_i \quad \text{siendo} \quad \sum_{i=1}^{n} t_i = 1,$$

para $n \in N$ con $x_i \in C,\ y\ 0 \leq t_i \leq 1; \forall i = 1, 2, \ldots, n$.

TEOREMA 3.8. *Sea $X$ un espacio vectorial topológico. Entonces $C \subset X$, es convexo si y sólo si contiene todas las combinaciones convexas de $C$.*

*Demostración:*

(i) La definición de conjunto convexo implica que si un conjunto contiene todas sus combinaciones convexas entonces es convexo, pues en particular contiene las de dos elementos.

(ii) Recíprocamente: Por ser $C$ convexo entonces toda combinación convexa de dos elementos de $C$ está en $C$. Razonando por inducción completa. Consideremos $x_i \in C; i = 1, 2, \ldots, (n+1)$, sea

$$x = \sum_{i=1}^{n+1} t_i x_i = t \sum_{i=1}^{n} \frac{t_i}{t} x_i + (1-t) x_{n+1}$$

donde $\sum_{i=1}^{n+1} t_i = 1$ y definamos $t = \sum_{i=1}^{n} t_i$. Luego por la hipótesis de inducción se sigue que $y = \sum_{i=1}^{n} \frac{t_i}{t} x_i \in C$. Finalmente, por la convexidad asumida $x = ty + (1-t)x_{n+1} \in C$.

DEFINICIÓN 3.9. Un conjunto $C$ es un **cono convexo** si es un cono que además verifica que cada vez que $x, y \in C$ entonces $x + y \in C$.

Importantes ejemplos de conjuntos convexos son:

(1) Los semiespacios cerrados, es decir los conjuntos de la forma

$$\{x \in R^n : \langle x, b\rangle \leq \beta\}, \quad \{x \in R^n : \langle x, b\rangle \geq \beta\},$$

donde $b \in R^n$ es un vector no nulo y $\beta \in R$. Si las desigualdades son reemplazadas por desigualdades estrictas los semiespacios son abiertos, y obviamente también son conjuntos convexos.

(2) Las conjuntos de la forma $B_r(x)$.

(3) Las rectas, los segmentos de recta, los planos.

Decimos que un subconjunto $C$ de un espacio vectorial topológico es estrictamente convexo, si y sólo si, para todo par de elementos $x$, e $y$ de $C$ y para todo $\lambda \in (0, 1)$ se verifica que, $\lambda x + (1 - \lambda)y \in C^0$.

LEMA 3.10. *Sea X un espacio vectorial. Entonces las siguientes propiedades se verifican:*

(1) La suma de conjuntos convexos es un conjunto convexo.

(2) Multiplicando un conjunto convexo por un escalar se obtiene un conjunto convexo.

(3) $C$ es convexo si y solamente si $\alpha C + \beta C = (\alpha + \beta)C$.

(4) La clausura y el interior de un convexo, son conjuntos convexos.

Para abreviar notación, en lo que sigue, representaremos por $B$ la bola abierta de centro 0 y radio 1.

*Demostración:* Probaremos solamente la segunda parte del último item. Las afirmaciones restantes quedan como ejercicios. Sea $C^0$ el interior de $C$. Considere $z \in \alpha C^0 + (1 - \alpha)C^0$ por lo que $z = \alpha x + (1 - \alpha)y$ con $x$ e $y \in C^0$, por lo que existe $\epsilon$ tal que $x + \epsilon B \in C$ y $y + \epsilon B \in C$ donde $B$ es la bola de radio 1 y centro 0. La convexidad de $B$ permite escribir $\alpha\epsilon B + (1 - \alpha)\epsilon B = \epsilon B$. Luego $(\alpha)[x + \epsilon B] + (1 - \alpha)[y + \epsilon B] = z + \epsilon B \subset C^0$, por lo que $z \in C^0$. Se tiene que $\alpha C^0 + (1 - \alpha)C^0 \subset C^0$ luego $C^0$ es convexo. □

EJERCICIO 3.11. Pruebe que la clausura de un convexo es convexa[3].

EJERCICIO 3.12. Muestre que la bola abierta de centro en $x_0$ y radio $r > 0$ es convexa para toda métrica equivalente a la habitual. Mientras que lo mismo

[3]Sean $x$ e $y$ elementos de la clausura de $C$. Luego para todo $\epsilon > 0$, existen $x' \in (x + \epsilon B) \cap C$ e $y' \in y + \epsilon B \cap C$ tales que por ser $C$ convexo, su combinación convexa pertenece a $C$ y además $\alpha x' + (1 - \alpha)y' \in \alpha x + (1 - \alpha)y + \epsilon B$. Luego $\alpha x + (1 - \alpha)y \in \bar{C}$. □

no vale para $S = \{x \in R^n : d(x, x_0) = 1\}$. Sugerencia: considere los casos donde la métrica es la habitual y el caso en que $d(x, x_0) = \sum_{i=1} |x_i - x_{0i}|$.

EJERCICIO 3.13. Demuestre las siguientes afirmaciones:

(1) Si $I$ es un conjunto de índices cualesquiera y $\{C_i\}$ una colección de conjuntos convexos de $R^n$ entonces la intersección $\cap_{i\in I} C_i$ es un conjunto convexo.

(2) Sean $C_1$ y $C_2$ conjuntos convexos de $R^n$, entonces

$$C = \alpha C_1 + \beta C_2$$

es un conjunto convexo.

DEFINICIÓN 3.14. Dado un conjunto $S \subset R^n$ no vacío, definimos la **cápsula convexa** de $S$, a la cual denotaremos como $co(S)$, como la intersección de todos los conjuntos convexos que contienen a $S$.

TEOREMA 3.15. *La $co(S)$ es el conjunto de todas las combinaciones convexas de $S$.*

*Demostración:* Sea $D$ el conjunto de todas las combinaciones convexas de $S$, entonces $S \subseteq D$, siendo $D$ convexo, entonces $co(S) \subseteq D$. Recíprocamente, sea $y \in D$ por lo tanto $y$ es una combinación convexa de elementos de $S$ y por lo tanto $D \subseteq co(S)$. □

TEOREMA 3.16. *Para conjuntos convexos no vacíos $A_1, A_2, \ldots, A_n$ en un espacio vectorial topológico se verifica que*

$$co(\cup A_i) = \left\{ \sum_{i=1}^{n} \lambda_i x_i, \ \lambda_i \geq 0; \ x_i \in A_i, \ \sum_{i=1}^{n} \lambda_i = 1 \right\}.$$

*En particular si cada $A_i$ es compacto, entonces $co(\cup A_i)$ es compacto.*

*Demostración:* Sea $x \in co(\cup A_i)$ entonces existen $x_i \in \cup_{i=1} A_i$ tales que $x$ es una combinación convexa de estos elementos. Es decir

$$x = \sum_{i=1}^{m} \lambda_i x_i, \quad \sum_{i=1}^{m} \lambda_i = 1, \ \lambda_i \geq 0, \quad \forall\, i = 1, 2, \ldots, m.$$

Supongamos que la combinación convexa está compuesta por $h_i$ elementos pertenecientes a $A_i$. Definamos $t_i$ igual a la suma de los $h_i$ coeficientes correspondientes a los elementos de $A_i$. Escribamos $x$ ubicando los elementos de cada $A_i$ uno a continuación de otro comenzando con los correspondientes al $A_i$ con menor $i$, sea este $j$. Llamemos a los elementos de $j$ presentes en la combinación convexa $x_1, \ldots, x_{h_1}$, donde $h_1 = h_j$, y reescribimos a $t_j$ como $t_1$. Sea $k$, el segundo menor $i$ presente en la combinación convexa, luego de reordenarlos si fuera preciso, tendremos: $x_{h_1+1}, \ldots, x_{h_2}$ donde $h_2 = h_1 + h_k$ renombramos como $t_2$ a $t_k$. Continuamos de esta manera. Así $x$ puede escribirse entonces en la forma:

$$x = t_1 \sum_{i=1}^{h_1} \frac{\alpha_i}{t_1} + t_2 \sum_{i=h_1}^{h_2} \frac{\alpha_i}{t_2} + \cdots + t_n \sum_{i=h_{n-1}}^{h_n} \frac{\alpha_i}{t_n}.$$

Obsérvese que $\sum_{i=h_{j-1}}^{h_j} \frac{\alpha_i}{t_j} \in A_j$ por ser combinación convexa de elementos de $A_j$ y que $\sum_{j=1}^{n} t_j = 1,\ t_j \geq 0$.

Finalmente para probar la compacidad de $co(\cup_{i=1}^{n} A_i)$ definamos $f : A \times A_1 \times \cdots \times A_n \to co(\cup_{i=1}^{n} A_i)$ donde $A = \{\lambda \in R_+^n : \sum_{i=1}^{n} \lambda_i = 1\}$ tal que $f(\lambda, x_1, x_2, \ldots, x_n) = \sum_{i=1}^{n} \lambda_i x_i$. Es una función continua con dominio compacto y por lo tanto por lo que $co(\cup_{i=1}^{n} A_i)$ es compacto. □

DEFINICIÓN 3.17. Diremos que $m$ es la **dimensión de un conjunto convexo** $C \subset R^n$ si esta es la dimensión del menor subconjunto afín de $R^n$ que contiene a $C$, subconjunto al que denotaremos como $aff(C)$, afinidad de $C$. Obsérvese que la dimensión de $aff(C)$ es a lo sumo $n$.

DEFINICIÓN 3.18. Se define como **interior relativo** de un conjunto convexo $X \subseteq R^n$, que será denotado como $riX$, al interior de $X$ en la topología relativa del menor subconjunto afín que contiene a $X$. Es decir $riX = \{x \in aff(X) : \exists \epsilon > 0, (x + B_0(\epsilon)) \cap (aff(X)) \subset X\}$.

Si $C$ es un subconjunto convexo de $R^n$ entonces como fácilmente puede comprobarse, la dimensión de $C$ será $n$ si y solamente si el interior de $C$ coincide con el interior relativo de $C$, es decir si y solamente si $C^0 = riC$.

El siguiente teorema es fundamental en lo referente a resultados de dimensionalidad del análisis convexo. Dice que para conocer la cápsula convexa de un subconjunto $S \subset R^n$ es suficiente considerar combinaciones convexas de no más de $n + 1$ elementos de $S$.

TEOREMA 3.19. **(De Carathéodory)** *En un espacio vectorial de dimensión $n$, todo vector en la cápsula convexa de un conjunto no vacío, puede escribirse como la combinación convexa de a lo más $n + 1$ vectores de dicho conjunto.*

*Demostración:* Sea $S$ subconjunto de $R^n$. Supongamos que $x \in co(S)$ se escribe como combinación convexa de menos de $k$ elementos de $S$, siendo $k > n + 1$ sea $x = \sum_{i=1}^{k} \alpha_i x_i$. De esta forma el conjunto $V = \{x_2 - x_1, x_3 - x_1, \ldots, x_k - x_1\}$ es linealmente dependiente. Por lo tanto existen $\lambda_i,\ i = 1, 2, \ldots, k$ no todos nulos tales que $0 = \sum_{i=2}^{k} \lambda_i (x_i - x_1)$. De donde se sigue que $0 = \sum_{i=2}^{k} \lambda_i x_i - x_1 \sum_{i=2}^{k} \lambda_i$. Sea $c_1 = -\sum_{i=2}^{k} \lambda_i$, y sea $c_i = \lambda_i\ \ i = 2, 3, \ldots, k$. Puede verse que $\sum_{i=1}^{k} c_i x_i = 0$ y que $\sum_{i=1}^{k} c_i = 0$.

Sea $c = min\{\frac{\alpha_i}{c_i} : c_i > 0\}$. Supongamos que $c = \alpha_m/c_m$. Se sigue que $\alpha_i - cc_i \geq 0,\ \forall i$ y además como $\alpha_m - cc_m = 0$ que $\sum_{i=1}^{n} \alpha_i - cc_i = 1$. Finalmente puede verse que $x = \sum_{i=1}^{n}(\alpha_i - cc_i)x_i$ donde al menos un elemento de la combinación convexa es cero, por lo que $x$ puede escribirse con menos de $k$ elementos. Luego cada vez que $k > n-1$ podemos obtener una combinación convexa que exprese a $x$ como una combinación convexa con al menos un elemento menos. □

## 3.3. Teoremas de separación

Esta sección está dedicada al estudio de los teoremas de separación de conjuntos convexos. A partir de ellos, pueden realizarse un conjunto de importantes aplicaciones de la microeconomía. Muchos de los teoremas más importantes de esta teoría son en definitiva corolarios suyos. La extensión de los teoremas de separación a espacios más abstractos que $R^n$ puede hacerse, pero con el cuidado de que sean conjuntos convexos con interior relativo no vacío. En estos casos dichos teoremas de separación son corolario del teorema de Hahn-Banach, ver por ejemplo [Brézis, H.], así como la obra ya citada [Aliprantis, C.D.; Border, K.C.]. Muchas de las dificultades de la teoría económica modelada sobre espacios de dimensión infinita, radican precisamente en la imposibilidad de extender estos teoremas a espacios vectoriales de dimensión infinita. En particular, los conos positivos de estos espacios, son conjuntos convexos los que en general tienen interior vacío. Hay excepciones a esta regla, como ser el espacio de las funciones continuas definidas en conjuntos compactos con la con la llamada norma uniforme, o el de las funciones medibles con el supremo esencial acotado, ampliamente utilzado en teoría del crecimiento económico, y en general en toda la optimización dinámica y otras. No obstante, en otros casos (la mayoría), estos conos son de interior vacío. El lector econtrará una amplia variedad de ejemplos de uno y otro tipo en [Mas-Colell, A, and Zame, W.R.]. Los conos positivos de los espacios vectoriales topológicos, juegan en la teoría económica un papel muy importante, pues son ellos quienes, muchas veces, representan los conjuntos de consumo de las economías modelados sobre dichos espacios . Se hace entonces necesario utilizar y construir otras herramientas para poder extender con éxito muchos de los teoremas más importantes de la optimización (y en particular de la economía) a espacios vectoriales topológicos cualesquiera. En [Araujo, A. and Monteiro P.K.(90)] se muestra la posibilidad de extender a espacios vectoriales topológicos, teoremas como el de Khun-Tucker. Así mismo en [Mas-Colell, A. (86)] el lector interesado encontrará una construcción que en muchos casos, puede sustituir a los teoremas de separación, con especial interés para la teoría de las llamadas economías con infinitos bienes, es decir economías cuyos espacios de consumo son subconjuntos de espacios vectoriales topológicos de dimensión infinita.

TEOREMA 3.20. **(De separación (1))** *( Sea $X$ un conjunto convexo no vacío de $R^n$. Sea $x_0 \notin \bar{X}$. Entonces:*

i) *Existe un punto $a \in \bar{X}$ tal que $d(x_0, a) \leq d(x_0, x)$ para todo $x \in \bar{X}$, con $d(x_0, a) > 0$. Aquí $d(\cdot, \cdot) : R^n \times R^n \rightarrow R_+$ representa la función distancia definida en $R^n$.*

ii) *Existe un $p \in R^n, p \neq 0, \|p\| < \infty$ y un $\alpha \in R$ tal que*

$$\langle p, x \rangle \geq \alpha, \forall x \in \bar{X} \quad y \; ; \; \langle p, x_0 \rangle < \alpha.$$

*en otras palabras, $\bar{X}$ y $x_0$ están separados por el hiperplano $H = \{x : \langle p, x \rangle = \alpha, x \in R^n\}$*

*Demostración:*

(i) Sea $\bar{B}_r(x_0)$ una bola cerrada con centro en $x_0$ y radio $r > 0$ tal que la intersección con $\bar{X}$ es no vacía. Sea $A = \bar{B}_r(x_0) \cap \bar{X}$, este conjunto es no vacío, cerrado y acotado, por lo tanto compacto[4]. Sea $d(x_0, \cdot) : A \rightarrow R$ la función distancia. Es una función continua y por ser $A$ compacto, alcanza su mínimo en $A$ (teorema de Weierstrass). Esto es, existe $a \in A$ tal que $d(x_0, a) \leq d(x_0, x)$ para todo $x \in A$ y por lo tanto para para todo $x \in \bar{X}$. Como $x_0 \notin \bar{X}$ entonces $d(x_0, a) > 0$.

(ii) Sea $p \equiv a - x_0$ y $\alpha = \langle p, a \rangle$. Obsérvese que $\langle p, x_0 \rangle = -\|p\|^2 + \alpha < \alpha$. Sea $x \in \bar{X}$ siendo $\bar{X}$ convexo se sigue que $x(t) = (1-t)a + tx \in \bar{X}$. Luego será $d(x_0, a) \leq d(x_0, x(t))$. Esto es

$$\|x_0 - a\|^2 \leq \|x_0 - [(1-t)a + tx]\|^2 = \|(1-t)(a - x_0) + t(x - x_0)\|^2,$$

siendo

$$\|(1-t)(a - x_0) + t(x - x_0)\|^2 =$$

$$= \langle (1-t)(a - x_0) + t(x - x_0) \, , \, (1-t)(a - x_0) + t(x - x_0) \rangle$$

se sigue que:

$$\|x_0 - a\|^2 \leq (1-t)^2\|a - x_0\|^2 + 2(1-t)t(a - x_0)(x - x_0) + t^2\|x - x_0\|^2.$$

De donde, $0 \leq (t-2)t\|a - x_0\|^2 + 2(1-t)t(a-x_0)(x-x_0) + t^2\|x - x_0\|^2$. Dividiendo por $t$, $(t > 0)$ y tomando en la expresión obtenida el límite para $t \rightarrow 0$ se obtiene que

$$0 \leq -2\|a - x_0\|^2 + 2(a - x_0)(x - x_0)$$

[4]Obsérvese que esta caraterización de los conjuntos compactos sólo vale en $R^n$.

o equivalentemente $0 \leq \langle (a - x_0)\ ,\ (a - x_0) + (x - x_0) \rangle$. Finalmente operando y siendo $p = (a - x_0)$ obtenemos que $\langle p, a \rangle \leq \langle p, x \rangle$. □

COROLARIO 3.21. *Sea $X$ un conjunto convexo no vacío en $R^n$ tal que $0 \notin \bar{X}$. Entonces existe $p \in R^n$ tal que $p \neq 0$, $\|p\| < \infty$, y un real $\alpha$ tal que:*

$$\langle p, x \rangle \geq \alpha > 0 \qquad \forall x \in \bar{X}.$$

TEOREMA 3.22. **(De separación (2))** *( Sea $X$ un conjunto convexo no vacío en $R^n$ y sea $x_0 \notin riX$. Entonces existe $p \in R^n$, $p \neq 0$, $\|p\| < \infty$, tal que*

$$\langle p, x \rangle \geq \langle p, x_0 \rangle \ \forall x \in X.$$

*Demostración:* Distinguimos dos casos.

(i) Si $x_0 \notin \bar{X}$ entonces el teorema anterior prueba la afirmación.

(ii) Si $x_0 \in \bar{X}$, entonces para toda bola de radio $r$ y centro en $x_0$ existe un punto que no pertenece a $\bar{X}$. Es decir existe una sucesión de puntos $x^q \notin \bar{X}$ convergente a $x_0$ y una sucesión de $p^q$ tales que $\|p^q\| = 1$ para los que se verifica que $p^q x^q < p^q x$ para todo $x \in \bar{X}$. Como $p^q$ pertenecen a la esfera unitaria la que es un conjunto compacto, existe un punto límite, sea este $p$. La continuidad del producto interno[5] permite afirmar que $\langle p, x_0 \rangle \leq \langle p, x \rangle$ para todo $x \in \bar{X}$. □

TEOREMA 3.23. **(De separación (3))** *Sean $X$ e $Y$ conjuntos convexos no vacíos en $R^n$ tales que $riX \cap riY = \emptyset$. Entonces existe $p \in R^n$ $p \neq 0$, $\|p\| < \infty$, tal que*

$$\langle p, y \rangle \leq \alpha \leq \langle p, x \rangle;\ \forall y \in Y,\ \forall x \in X.$$

*Demostración:* Consideremos el conjunto convexo $S = X + (-Y)$. Entonces $0 \notin riS$ pues en otro caso deberían existir $x \in riX$ e $y \in -riY$ tales que $x = -y$ lo que no puede suceder pues la intersección de ambos interiores relativos es vacía. Escribamos $z = x - y$, por el teorema anterior existe $p \neq 0$ tal que $\langle p, z \rangle \geq \langle p, 0 \rangle$ para todo $z \in S$. Luego $\langle p, x \rangle \geq \langle p, y \rangle$ para todo $x \in X$ e $y \in Y$. Es decir $inf_{x \in X} \langle p, x \rangle \geq sup_{y \in Y} \langle p, y \rangle$. □

DEFINICIÓN 3.24. Decimos que un hiperplano $H$ es un **hiperplano soporte** para un conjunto $C$ si la clausura de $C$ está contenida en unos de los semiespacios cerrados que $H$ determina.

En la figura 6 se representa un hiperplano soporte de un conjunto convexo. Obsérvese entonces que el teorema de separación (2) establece que si $x^* \notin ri(C)$ siendo $C$ un conjunto convexo, entonces existe un hiperplano

[5]Esta propiedad del producto interno no es necesaria en espacios de dimensión infinita, ver por ejemplo [Brézis, H.].

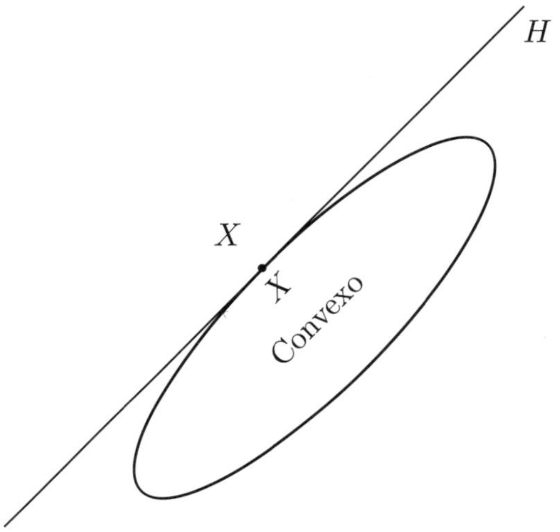


FIGURA 6. Hiperplano soporte

soporte para $C$ que contiene a $x^*$, particularmente si $x^*$, es un elemento de la frontera de $C$.

## 3.4. Aplicación: Conjuntos de producción

En teoría económica, la idea general de la producción se refiere al proceso de transformación mediante el cual ciertos bienes (insumos) se convierten en otros diferentes (productos). Para cada firma, un plan de producción consiste en una especificación de insumos que se utilizarán para la creación de ciertos productos. El conjunto de listas posibles (o planes de producción) depende de la tecnología disponible por la firma en cada momento y forma el conjunto de producción o tecnológicamente factible. Este conjunto, al que representaremos por $T$, si bien se transforma con el tiempo, se supone que mantiene algunas propiedades generales, por ejemplo $T \subset R^l$ entendiendo que existen en la sociedad $l$ bienes diferentes, algunos serán insumos y otros productos, dependiendo de la tecnología existente y de la firma. En general, representaremos los planes de producción por vectores $z \in T \subset R^l$ cuyas coordenadas positivas representan la cantidad de productos y las negativas la cantidad de insumos que se utilizarán para producir las cantidades indicadas de productos. Un plan $z$ es posible si y solamente si $z \in T$. Además $T$ se considera cerrado, pues si la sucesión de planes $z_n \in T$ es posible entonces, su límite debe ser también un plan posible. Verifica además que $T - R^l_+ \subseteq T$. Es decir que si un cierto vector $\bar{z} \in R^l$ representa un plan posible entonces cualquier $z \leq \bar{z}$ es también posible, definiendo $z \leq \bar{z}$ si y solamente si todas las coordenadas de $z$ son menores o iguales que todas las de $\bar{z}$ es decir: $z_j \leq \bar{z}_j,\ \forall j = 1, \ldots, l$. Además $T \bigcap R^l_+ = \{0\}$, es decir, no pueden ser todos los elementos de la lista productos, pues para producir algo, es necesario siempre, al menos un insumo. Algunos supuestos económicos de importancia para la teoría de la firma, se representan diciendo que el conjunto $T$ es un conjunto convexo. Este supuesto representa los llamados rendimientos decrecientes a escala. Para entender este supuesto considere una firma que produce un único producto a partir de $l - 1$ insumos, supongamos que la cantidad máxima de producto que puede producir, a partir de las cantidades $x = (x_1, \ldots, x_{l-1})$ de insumos, representaremos los planes posibles como el conjunto

$$\mathcal{T} = \left\{(y, -x) : y \leq f(x),\ y \leq 0, x \in R^l_+\right\},$$

donde $f : R^{l-1}_+ \rightarrow R$ representa la tecnología disponble, $f(x_1, \ldots, x_{l-1})$ es la máxima cantidad posible de producto que puede lograrse a partir de una cesta de insumos definida por $x = (x_1, \ldots, x_l)$. Diremos que un plan $(y - x)$ es eficiente si se verifica que $y = f(x)$. Se dice que la tecnología presenta rendimientos decrecientes a escala, si el conjunto $T$ es convexo[6], lo que puede suponerse si la función $f$ es cóncava. La intuición económica detrás del supuesto de rendimientos decrecientes a escala, es la de que un incremento en los insumos produce incrementos decrecientes en el producto. Es decir que si definimos $\phi_h(x) = f(x + h) - f(x)$ con $h \in R^{l-1}_+$ fijo, se verificará que $\phi_h(z) < \phi_h(x)$ para $z - x \in R^{l-1}_+$. Este supuesto permite encontrar una función oferta para la firma, es decir un plan de producción que dados ciertos precios $P = (p, w) \in R_+ \times R^{l-1}_+$ para el producto y los insumos, le permite al productor, maximizar sus beneficios. Esto es resolver el problema de maximizar la función de beneficios $\pi(P) = py + wx$ con $y \leq f(x),\ \ x \geq 0$. Entonces, para cada sistema o vector precios $P$ existirá un plan eficiente, o lo que es lo mismo, un plan eficiente que resuelve el problema de maximización antedicho, y que se encuentra en la frontera del conjunto $\mathcal{T}$. Este plan corresponde al punto $(x, f(x))$ en el grafo de $f$, punto en el que existe un hiperplano de separación del conjunto convexo $\mathcal{P}$ al que el vector de precios $P$ es perpendicular. Como veremos más adelante (sección (4.5)) si $f$ es derivable en $x$, entonces existe en este punto un único hiperplano de separación.

[6]En [Mantel, R.] el lector interesado puede encontrar un modelo de economía con un conjunto de tecnología no convexo.

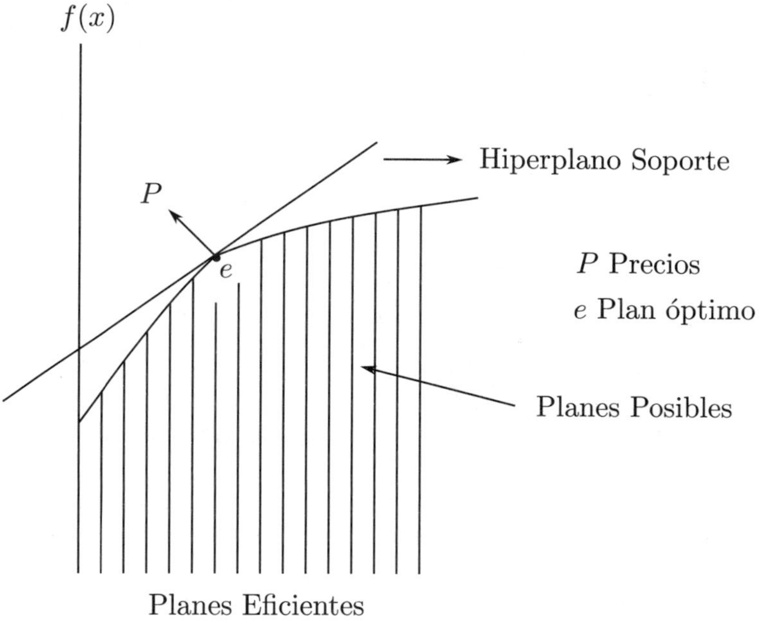


FIGURA 7. Una tecnología convexa

En la figura 7 se caracteriza en forma gráfica el conjunto de tecnología de una firma competitiva. Una función de producción cóncava, representa un conjunto de planes posibles convexo. El lector interesado, puede encontrar por ejemplo en [Mas-Colell et al] una descripción detallada de los conjuntos de producción bajo el supuesto de convexidad. Por otra parte, un resumen de las principales dificultades para el tratamiento matemático del tema cuando dicho supuesto falla, puede encontrarse en [Brown, J.] y en [Mantel, R.].

## 3.5. Ejercicios

EJERCICIO 3.25. Verifique las siguientes afirmaciones:

(1) Un conjunto convexo, cerrado $C$ es la intersección de todos los semiespacios que lo contienen. (Ayuda: use el teorema 3.20 de separación, luego la intersección de todos los semi-espacios que contienen a $C$ no podrá tener puntos que no sean de $C$).
(2) Sea $S$ un subconjunto cualquiera de $R^n$ muestre que la cápsula convexa de $S$ es igual a la intersección de todos los semiespacios que contienen a $S$.

EJERCICIO 3.26. Sea $S$ convexo en $X$ espacio vectorial topológico. Un vector $x \in X$ se dice del **interior algebraico de** $S$ si para todo $z \in X$ existe $\alpha_z > 0$ tal que

$$(1-\alpha)x + \alpha z \in S \quad \forall\, 0 \leq \alpha \leq \alpha_y.$$

Denotaremos a este conjunto por $ali(S)$.

Sea $S$ un conjunto convexo no vacío en $R^n$ Demuestre que:

(1) $ri(S) \neq \emptyset$
(2) $ali(S) \neq \emptyset$ si y solanmente si $aff(S) = R^n$

DEFINICIÓN 3.27. **Tipos de separación**

- Decimos que el hiperplano $H_{p,\alpha}$ **separa** dos conjuntos $A$ y $B$, si $A \subseteq \{x \in R^n : \langle p, x\rangle \leq \alpha\}$ y $B \subseteq \{x \in R^n : \langle p, x\rangle \geq \alpha\}$.
- Decimos que el hiperplano $H_{p,\alpha}$ **separa estrictamente** dos conjuntos $A$ y $B$, si $A \subseteq \{x \in R^n : \langle p, x\rangle < \alpha\}$ y $B \subseteq \{x \in R^n : \langle p, x\rangle > \alpha\}$.
- Decimos que el hiperplano $H_{p,\alpha}$ **separa fuertemente** dos conjuntos $A$ y $B$, si $A \subseteq \{x \in R^n : \langle p, x\rangle \leq \alpha\}$ y $B \subseteq \{x \in R^n : \langle p, x\rangle \geq \alpha + \epsilon\}$.

EJEMPLO 3.28. En el espacio vectorial $R^2$, definimos los siguientes conjuntos: $A_1 = \{(x, y) : y > 0;\ o\ bien\ (y = 0,\ x > 0)\}$, y $B_1 = -A_1$, así como $A_2 = \left\{(x, y) : x > 0, y \geq \frac{1}{x}\right\}$ y $B_2 \left\{(x, y) : x > 0, y \leq -\frac{1}{x}\right\}$. Entonces el hiperplano $y = 0$ separa $A_1$ y $B_1$ y separa estrictamente a $A_2$ y $B_2$. No obstante los conjuntos $A_1$ y $B_1$ no pueden ser estrictamente separados, y $A_2$ no puede ser fuertemente separado de $B_2$.

EJERCICIO 3.29. Considere el hiperplano $H$ en $R^n$ definido por $(p, \alpha) \in R^n \times R$. Muestre que los conjuntos $X_\alpha = \{x \in R^n : px \leq \alpha\}$ y $X^\alpha = \{x \in R^n : px \geq \alpha\}$ son convexos.

DEFINICIÓN 3.30. Un **poliedro** en un espacio vectorial toplógico, es la intersección finita de semiespacios cerrados. Es decir un poliedro es la solución de un sistema finito de inecuaciones en $X$.

En la figura 8 se representa un poliedro como intersección de semiespacios definidos por 3 hiperplanos.

EJERCICIO 3.31. Muestre que conjunto

$$X = \left\{x \in R^2_+ : px \leq pw\right\} \bigcap \left\{x \in R^2_+ : qx \leq qh\right\}$$

donde $p$, $q$, $w$ y $h$ son vectores dados en $R^2$ forma un poliedro convexo. Dibuje el poliedro correspondiente a cada uno de los casos $p = q$ y $p \neq q$.

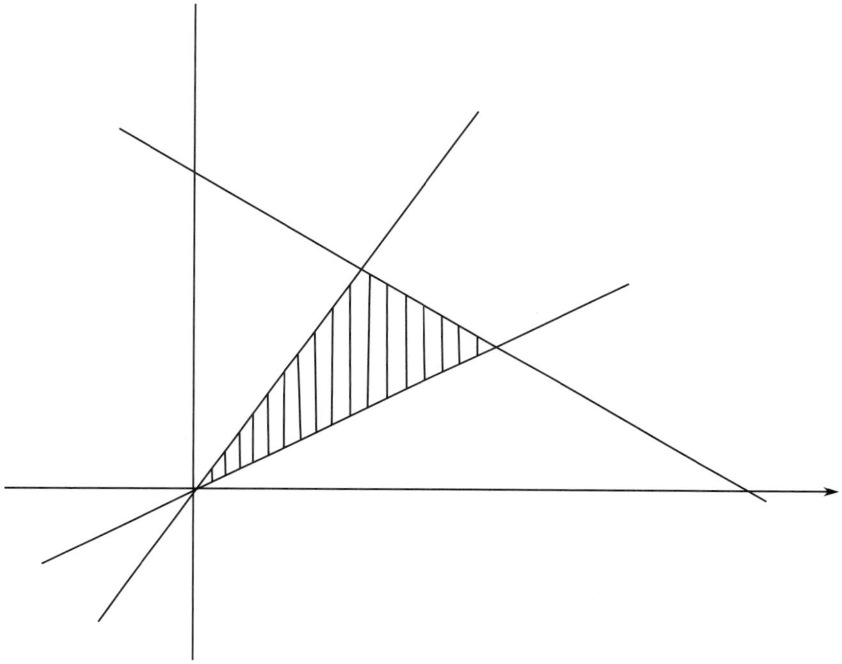

FIGURA 8. Un poliedro es la intersección de hiperplanos

EJERCICIO 3.32. Considere una economía con $l$ bienes y $n$ agentes, cada uno con dotaciones iniciales $w_i$ y utilidades $u_i$, $i = 1, \ldots, n$. Sea $R^l_+$ el conjunto de consumo y sea $P \in R^l_+$ el vector de precios. Muestre que la restricción presupuestaria, de cada agente de la economía, es un conjunto convexo, y que también lo es, el conjunto de las cestas de bienes en el espacio de consumo, que verifican la igualdad $px = pw_i$, para cada $i = 1, \ldots, n$.

Capítulo **4**

# Funciones cóncavas y cuasi-cóncavas

*Me parece que la noción de función convexa es tan fundamental como la de función positiva o creciente. Si no me equivoco en esto, la noción encontrará su lugar en las exposiciones elementales de la teoría de funciones reales.*
J.V. Jensen.

Dado que uno de los problemas principales para los economistas es el de resolver programas de optimización no lineales donde la función objetivo es cóncava o cuasi-cóncava, y las restricciones se representan por conjuntos convexos, dedicaremos esta sección a analizar algunas de las principales características de este tipo de funciones y conjuntos. Muchas de éstas no se encuentran en los textos clásicos de análisis, los que en el mejor de los casos analizan las funciones cóncavas o convexas diferenciables y generalmente al final de un capítulo dedicado al lagrangiano por ejemplo, o en un apéndice. La cuasi-concavidad queda totalmente a cargo de los economistas matemáticos y en general a apéndices de libros dedicados al equilibrio general o publicaciones en revistas especializadas. Un texto clásico de análisis funcional, especialmente recomendado a los economistas, pues obtiene muchos resultados propios del análisis funcional, a partir del estudio de las propiedades de las funciones cóncavas, es [Brézis, H.].

Muchas de las definiciones y propiedades que analizaremos en este capítulo, propias de las funciones cóncavas, convexas, cuasi-cóncavas, etc, con dominio en subconjuntos de $R^n$, pueden extenderse a funciones definidas en subconjuntos convexos de espacios vectoriales topológicos generales. No obstante centraremos nuestra atención en $R^n$ equipado con la topología habitual, espacio este, que representa un caso particular de espacio vectorial topológico.

La importancia de las funciones cuasi-cóncavas en economía radica en que ellas representan preferencias convexas, es decir, el gusto de los agentes económicos por la diversidad. Por su parte, las funciones convexas representan costos con rendimientos decrecientes a escala, hecho este que caracteriza a las firmas competitivas. Una propiedad de gran utilidad para la teoría económica, pero en la que no ahondaremos, es el hecho de que el conjunto de funciones cuasi-cóncavas y semi-continuas superiores, no se modifica al utilizar topologías equivalentes[1] lo que hace que en $R^n$ este conjunto funcional, sea prácticamente independiente de la topología elegida, al interesado lo referimos a [Aliprantis, C.D.; Brown, D.J.; Burkinshaw, O.] por ejemplo.

NOTA 4.1. En este capítulo, trabajaremos con funciones reales definidas $f : X \to R$ definidas en subconjuntos convexos de $R^n$, no obstante la mayoría de las definiciones, en particular las relacionadas a la concavidad o convexidad de dichas funciones, continúan siendo válidas si en lugar de $R^n$ consideramos en espacio vectorial topológico cualquiera. El lector puede intentar hacer esta traducción, sustituyendo $R^n$ por $\mathcal{E}$.

DEFINICIÓN 4.2. **Funciones cóncavas** Sea $f$ una función real definida en $X$ subconjunto convexo de $R^n$. La función $f$ es llamada cóncava si, para todo $x, y \in X$, y $0 \leq \theta \leq 1$,

$$f(\theta x + (1-\theta)y) \geq \theta f(x) + (1-\theta)f(y)$$

Una función real definida en $X$ subconjunto de $R^n$ se dice **convexa** si $-f$ es cóncava.

DEFINICIÓN 4.3. Una **función afín** es una función $f : X \to R$ finita, a la vez cóncava y convexa. Observe que $f$ puede ser escrita como la suma de una función lineal $l : X \to R$ y una constante $c$, $f(x) = l(x) + c$.

Si las desigualdades son estrictas, la función se dice que es **estrictamente cóncava.** Una función $f$ es llamada **estrictamente convexa** si $-f$ es estrictamente cóncava.

En la figura 9 se representa una función estrictamente cóncava, mostrando que el gráfico de dicha función, entre los puntos $(x, f(x))$ y $(y, f(y))$ queda por encima de la cuerda que une dichos puntos.

NOTA 4.4. Intuitivamente $f$ es cóncava si la cuerda que une dos puntos de su gráfica cae bajo la función. Esta afirmación, puede demostrarse fácilmente a partir de la definición de función cóncava y de la ecuación de la cuerda que une dos puntos $(a, f(a))$ y $(b, f(b))$ en el grafo $(x, f(x))$ de la función cóncava.

Un concepto que generaliza al de funciones cóncavidad es el de funciones cuasi-cóncavas, estas son de gran importancia en la teoría ecomómica

[1] Más aún, esta afirmación continúa siendo válidas en espacios vectoriales topológicos equipados con topologías compatibles con la de la norma, es deir aquellas que definen los mismos espacios duales, ver [Aliprantis, C.D.; Border, K.C.].

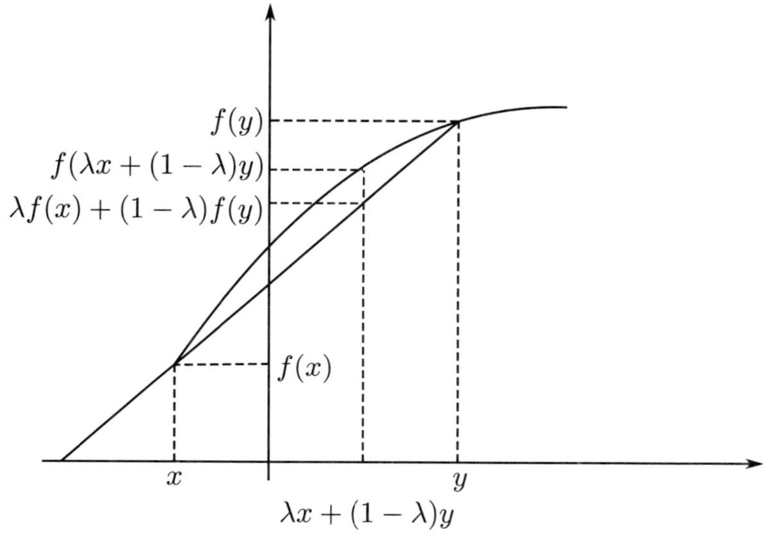


FIGURA 9. Una función estrictamente cóncava

por representar preferencias convexas. Es decir que si una relación de preferencia convexa es representable por una función de utilidad, entonces ésta es cuasi-cóncava y recíprocamente. El concepto de función cuasi-cóncava será desarrollado en la sección 4.6.

DEFINICIÓN 4.5. Decimos que $f : X \to R$, siendo $X$ un subconjunto convexo de $R^n$ es **cuasi-cóncava**, si

$$f(\alpha x + (1-\alpha)y) \geq \ min\left\{f(x), f(y)\right\}, \ 0 \leq \alpha \leq 1.$$

La función $f$ es **cuasiconvexa** si y solamente si $-f$ es cuasi-cóncava.

Se sigue de la definición de cuasiconvexidad que $f$ es cuasi-convexa si y solamente si $f(\alpha x + (1-\alpha)y) \leq \ max\left\{f(x), f(y)\right\}, \ 0 \leq \alpha \leq 1$.

DEFINICIÓN 4.6. Sea $X$ un subconjunto convexo de $R^n$ y $f : X \to R$, se definen los siguientes conjuntos:

El **subgrafo de** $f$ como el subconjunto $sug_f \subset R^n \times R$

$$sug_f = \left\{(x, \lambda) \in X \times R : \lambda \leq f(x)\right\}.$$

El **epígrafo de** $f$ como el subconjunto $epi_f \subset R^n \times R$

$$epi_f = \left\{(x, \lambda) \in X \times R : \lambda \geq f(x)\right\}.$$

Ver figura 10.

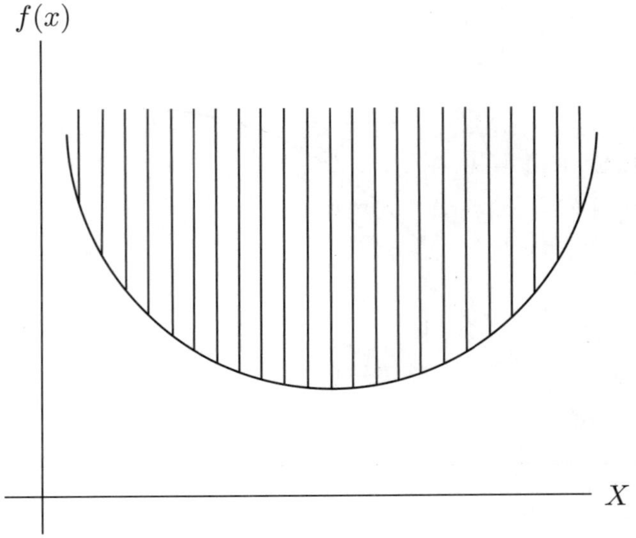


FIGURA 10. Epígrafo de una función convexa

Algunas propiedades de las funciones cóncavas que se deducen de la definición en forma inmediata son:

(1) Se verifica la siguiente desigualdad: $f(\sum_{i=1}^{n} \alpha_i x_i) \geq \sum_{i=1}^{n} \alpha_i f(x_i)$. Es decir que el valor que toma una función cóncava en una combinación convexa de elementos de su dominio, es mayor o igual que la combinación convexa de los respectivos valores.
(2) El subgrafo de de una función cóncava, es un subconjunto convexo de $R^n \times R$.
(3) El epígrafo de una función convexa, $f : X \to R$ siendo $X \subset R^n$ convexo, es un subconjunto convexo de $R^n \times R$.
(4) Una combinación lineal no negativa, de funciones cóncavas ( respectivamente convexas), definidas en un conjunto convexo, es una función cóncava (resp. convexa).
(5) Toda función cóncava es cuasi-cóncava, pero el recíproco no es cierto. Demuestre que una función real, convexa puede ser cuasi-cóncava.

Dada una función $f : S \to R$ con $S \subset R^n$ se puede siempre prolongar a una función $g : R^n \to \bar{R}$ donde $\bar{R}$ es el conjunto de los reales ampliado con los valores $\pm\infty$ definida por:

$$g(x) = \begin{cases} f(x) & si\ x \in S \\ \infty & si\ x \notin S \end{cases}$$

En muchos casos se define el concepto de función cóncava o convexa permitiendo que el recorrido de la función tome valores en el conjunto de los reales ampliado $\bar{R} = R \cup \{-\infty + \infty\}$. En este caso, funciones tales como

$$f(x) = \begin{cases} -\infty & |x| < 1, \\ 0 & |x| = 1, \\ \infty & |x| > 1 \end{cases}$$

representan funciones convexas, pues su epígrafo es convexo. No obstante obsérvese que nuestra definición de convexidad tendría problemas técnicos. Funciones de este tipo son llamadas impropias. La definición general de función cóncava que abarque también estos casos sería la siguiente:

DEFINICIÓN 4.7. Una función $f : X \to \bar{R}$, $X \subset R^n$ convexo, es convexa, si y solamente si su epígrafo es convexo.

EJERCICIO 4.8. Muestre que si una función verifica la definción de convexidad dada anteriormente entonces verifica esta última.

DEFINICIÓN 4.9. Sea $X \subset R^n$ convexo. Una función $f : X \to R$ convexa se dice **propia** cuando su epígrafo es no vacío y no contiene rectas verticales, esto es $f(x) < +\infty$ para al menos un $x$ y $f(x) > -\infty$ para todo $x \in X$.

El subconjunto $\{x \in X : f(x) < \infty\}$ es llamado **dominio efectivo**. De esta manera una función convexa definida en un conjunto $C$ no vacío puede ser visto como una función convexa definida en todo $x \in R^n$, cuyo dominio efectivo es $C$. Las razones que llevan a considerar el recorrido de $f$ como un subconjunto de los reales ampliado $\bar{R} = [-\infty, \infty]$ son de orden técnico y nosotros no entraremos mayormente en ellos aquí, aunque en algunos casos se definirán funciones que toman valores infinitos, como el caso de la función indicadora. En general el dominio de $f$ coincidirá con su dominio efectivo, a menos que digamos lo contrario. Para detalles ver [Rockafellar, T.].

Hay algunas relaciones entre funciones convexas y conjuntos convexos. Una asociación muy simple la determina la función $\delta(\cdot/C) : C \to \bar{R}$ *indicadora de un conjunto convexo* $C$ :

$$\delta(x/C) = \begin{cases} 0 & si\ x \in C \\ +\infty & si\ x \notin C. \end{cases} \tag{2}$$

El epígrafo de la función indicadora de un conjunto $C$ es un semi-cilindro con sección $C$. Claramente $\delta(\cdot/C)$ es una función convexa en $R^n$.

Considere las funciones cóncavas $g_j : X \rightarrow, \ j = 1, 2, \ldots, m$. Entonces el conjunto

$$\mathcal{C} = \bigcap_{j=1}^{n} \{x : x \in X : g_j(x) \geq 0\}$$

es convexo. (La justificación de la afirmación queda a cargo del lector).

El lector familiarizado, relacionará este conjunto con el conjunto factible, en los que un consumidor elige su cesta más preferida, o un productor elige su plan maximizador de los beneficios.

EJERCICIO 4.10. Reescriba las anteriores definiciones de funciones convexas propias y dominio efectivo, para funciones cóncavas.

EJERCICIO 4.11. Sea $u : X \rightarrow R$ la función de utilidad de un consumidor, y $X$ su conjunto de consumo, el que suponemos convexo. Muestre que si $u$ es cóncava, entonces $S_x = \{y \in X : u(y) \geq u(x)\}$ es convexo. Es decir que toda función de utilidad cóncava representa preferencias convexas, como veremos, el recíproco no es cierto. No obstante es cierto para el funciones cuasi-cócavas.

## 4.1. Aplicación

En teoría de la inversión bajo incertidumbre, consumidores adversos al riesgo se reprepresentan como agentes cuyas funciones de utilidad son cóncavas, mientras que, aquellos que son propensos al riesgo, presentan utilidades convexas.

La explicación de esta analogía está en las propiedades de las referidas funciones. Decir que un consumidor es adverso al riesgo, equivale a decir que en un juego de azar prefiere quedarse con el valor esperado del juego a participar en él, mientras que el propenso al riesgo prefiere participar del juego. En efecto, supongamos un juego en el que el participante con probabilidad $p$ gana una cantidad $w$, mientras que con probabilidad $(1 - p)$ pierde una cierta cantidad $l$. Supongamos que la utilidad se representa por una función creciente $u$ de esta forma la utilidad esperada del agente $U_j$, por participar en el juego estará dada por: $u(w)p + u(h)(1 - p) = U_j$. Mientras que de obtener el valor esperado del beneficio el agente obtendrá una utilidad $u(wp + (1 - p)l)$. Obtenga las conclusiones a partir de considerar $u$ cóncava y luego $u$ convexa. Note además que si el juego es justo, para el agente con utilidad cóncava, su mejor elección será no participar del juego.

## 4.2. Funciones cóncavas de variable real

Presentaremos a continuación algunas propiedades para funciones cóncavas reales de variable real.

TEOREMA 4.12. *Si* $f : I \to R$ *es cóncava y si* $f(t) < \infty$ *para todo* $t \in I$ *donde* $I$ *es un intervalo en* $R$*, entonces* $f$ *es continua y existen las derivadas laterales en el interior de su dominio y se tiene*

$$f'_-(s) \geq f'_+(s) \geq \frac{f(t) - f(s)}{t - s} \geq f'_-(t) \geq f'_+(t)$$

*para todo* $s$ *y para todo* $t$ *en el interior del dominio de* $f$ *tal que* $s \leq t$.

*Demostración (intuitiva) de la continuidad:* Consideremos $a < s < x < y < t < b$, representemos por $X$ al punto $(x, f(x))$ análogamente en los demás casos. El punto $X$ queda por encima de la recta que $SY$ mientras que el punto $Y$ queda por encima de la recta $XT$. Cuando $y \to x$ entonces $f(y) \to f(x)$. Con los límites por la izquierda procedemos de igual forma. □

*Demostración:* (*Formal*). Considere $a < b < c$ pertenecientes al interior del dominio de $f$. Sea $h \in R$ tal que: $b = (1 - h)a + hc$. Usando la concavidad de $f$ se obtiene que

$$\frac{f(b) - f(a)}{b - a} \geq \frac{f(c) - f(a)}{c - a}. \tag{3}$$

Análogamente, sea $k$ tal que $b = ka + (1 - k)c$. Se obtiene entonces que

$$\frac{f(c) - f(a)}{c - a} \geq \frac{f(c) - f(b)}{c - b}. \tag{4}$$

Entonces vale la siguiente cadena de desigualdades:

$$\frac{f(b) - f(a)}{b - a} \geq \frac{f(c) - f(a)}{c - a} \geq \frac{f(c) - f(b)}{c - b}. \tag{5}$$

Sea $0 \leq \alpha \leq \beta$; entonces para $t$ perteneciente al interior del dominio de $f$, $t - \beta < t - \alpha < t < t + \alpha < t + \beta$ y la cadena de desigualdades (4 ) implican que:

$$\frac{f(t) - f(t - \beta)}{\beta} \geq \frac{f(t) - f(t - \alpha)}{\alpha} \geq \frac{f(t + \alpha) - f(t)}{\alpha} \geq \frac{f(t + \beta) - f(t)}{\beta}.$$

Puede verse que la función $x \to \frac{f(t+x)-f(t)}{x}$ es una función no decreciente cuando $x \downarrow 0^+$ y que además está acotada por arriba, por lo que existe $f'_+(t)$.

Similarmente la función $x \to \frac{f(t)-f(t-x)}{x}$ es una función no creciente cuando $x \downarrow 0^+$ y que además está acotada por abajo, por lo que existe $f'_-(t)$.

Más aún, para $x > 0$ y $t_1 < t_2$ en el interior del dominio de $f$ se tiene que:

$$f'_+(t_1) \geq \frac{f(t_1 + x) - f(t_1)}{x} \ \text{ y } \ f'_-(t_2) \leq \frac{f(t_2) - f(t_2 - x)}{x}.$$

Considerando: $x = t_2 - t_1$ se obtiene:

$$f'_+(t_1) \geq \frac{f(t_2) - f(t_1)}{x} \geq f'_-(t_2).$$

Finalmente de la desigualdad $\frac{f(t)-f(t-x)}{x} \geq \frac{f(t+x)-f(t)}{x}$, $\forall\ x > 0$, tomando límites cuando $x \to 0$ se sigue que $f'_-(t) \geq f'_+(t)$. □

TEOREMA 4.13. *Si $f : I \to R$ es diferenciable en $I$. Una condición necesaria y suficiente para que $f$ sea cóncava en $I$ es que $f'$ sea decreciente en $I$.*

*Demostración:* El directo es una consecuencia inmediata del teorema anterior.
Recíprocamente: Sea $a \leq b \leq c$. Por el teorema del valor medio sabemos que existen $x_1 \in (a, b)$ y $x_2 \in (b, c)$ tales que:

$$f'(x_1) = \frac{f(b) - f(a)}{b - a} \ \text{ y } \ f'(x_2) = \frac{f(c) - f(b)}{c - a}.$$

Por ser la derivada decreciente se concluye que:

$$\frac{f(b) - f(a)}{b - a} \geq \frac{f(c) - f(b)}{c - a}. \tag{6}$$

Luego haciendo $b = \alpha a + (1 - \alpha)c$, sustituyendo en (6) y dado que $\alpha = \frac{a-b}{a-c}$ se llega a que $f(\alpha a + (1 - \alpha)c) \geq \alpha f(a) + (1 - \alpha)f(c)$. □

COROLARIO 4.14. *Si $f : I \to R$ admite derivada segunda en $I$. Una condición necesaria y suficiente para que $f$ sea cóncava en $I$ es que $f''(x) \leq 0$ $\forall x \in I$.*

*Demostración:* Ejercicio para el lector. □

NOTA 4.15. Si $f$ es tal que $f''$ es negativa (respectivamente positiva) en $I$ entonces $f$ es estrictamente cóncava (respectivamente convexa) en $I$. No obstante puede una función ser estrictamente cóncava (respectivamente convexa) en un intervalo y la derivada anularse en algún punto del mismo. Caso $f(x) = x^4$.

La figura 11, ilustra algunas propiedades de las funciones cóncavas. Represente el lector el mismo esquema para funciones convexas.

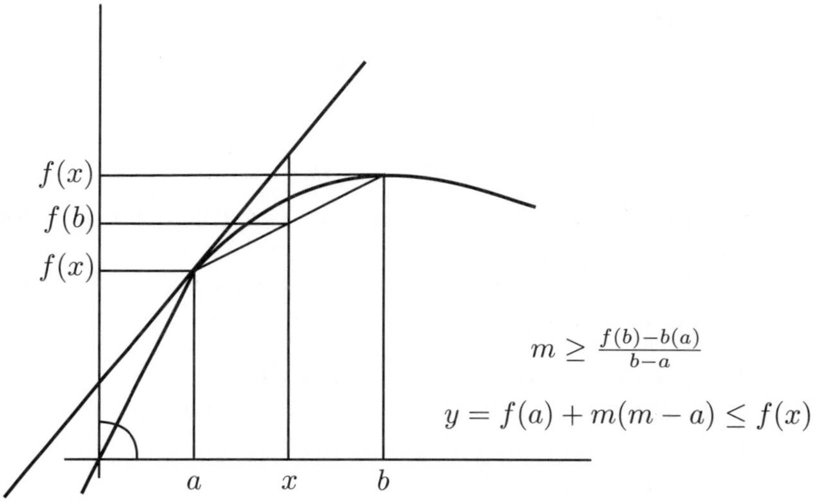


FIGURA 11. La recta tangente de una función cóncava

## 4.3. Funciones cóncavas de $n$ variables.

A continuación presentaremos algunas propiedades de continuidad verificadas por las funciones cóncavas y convexas.

EJERCICIO 4.16. Los siguientes dos teoremas serán enunciados y demostrados para funciones convexas, definidas en subconjuntos convexos de $R^n$, no obstante las demostraciones son válidas en espacio vectoriales topológicos cualesqueira. Enuncie y demuestre los teoremas correspondientes para funciones cóncavas.

TEOREMA 4.17. **(De continuidad local)** *Si una función $f$ convexa está definida en $X$ subconjunto convexo de $R^n$ y está acotada superiormente en un entorno $V_x \cap X$ de un punto $x \in ri(X)$, entonces es continua en el punto.*

*Demostración:* Sea $B_r(0)$ la bola con centro en cero y radio $r$ tal que para $z \in B_r(0): \ x - z \ \in V_x$. Para $\delta \in [0,1]$, $x + \delta z = (1-\delta)x + \delta(x+z)$, se tiene que $f(x+\delta z) \leq (1-\delta)f(x) + \delta f(x+z)$. Por lo tanto

$$f(x+\delta z) - f(x) \leq \delta[f(x+z) - f(x)]. \tag{7}$$

Cambiando $z$ por $-z$ obtenemos:

$$f(x-\delta z) - f(x) \leq \delta[f(x-z) - f(x)]. \tag{8}$$

Como $x = \frac{1}{2}(x+\delta z) + \frac{1}{2}(x-\delta z)$ se sigue que $f(x) \leq \frac{1}{2}f(x+\delta z) - \frac{1}{2}f(x-\delta z)$. Multiplicando por 2, la expresión anterior, operando a partir de las ecuaciones

(7) y (8) se obtiene:

(9) $$f(x) - f(x+\delta z) \leq f(x-\delta z) - f(x) \leq \delta[f(x-z) - f(x)].$$

A partir de (7) y (8) se obtiene:

(10) $$|f(x+\delta z) - f(x)| \leq \delta max\{f(x-z) - f(x), f(x+z) - f(x)\}.$$

Luego, usando el hecho de que $f$ está acotada por arriba en un entorno de $x$ se sigue para $\delta$ suficientemente pequeño: $|f(x+\delta z) - f(x)| \leq \delta M$. Luego, para todo $y \in x + \delta B_r(0)$ para $\epsilon > 0$ arbitrario, eligiendo $\delta = \frac{\epsilon}{M}$ se sigue que $|f(y) - f(x)| < \epsilon$ para todo $y \in x + \delta B_r(0)$ desde que $\delta = \frac{\epsilon}{M}$. □

TEOREMA 4.18. **(De la continuidad global)** *Sea $f : X \to R$ convexa, siendo $X$ un subconjunto convexo de $R^n$. Las siguientes afirmaciones son equivalentes:*

(1) *$f$ es continua en $ri(X)$.*
(2) *$f$ es semicontinua superior en $ri(X)$.*
(3) *$f$ está acotada superiormente en algún entorno abierto $V_x \cap X$ de cada punto $x \in ri(X)$.*
(4) *$f$ es continua en algún $x \in ri(X)$.*

*Demostración:*

(1) $\to$ (2) es inmediato.

(2) $\to$ (3). Sea $x \in ri(X)$ como $f$ es semicontinua superior se tiene que $\{y : f(y) < f(x) + 1\}$ es un entorno abierto de $x$.

(3) $\to$ (4) Es el teorema probado anteriormente.

(4) $\to$ (1) Supongamos que $f$ es continua en $x \in ri(X)$. Queremos probar que, entonces, $f$ es continua en cualquier otro punto $y \in ri(X)$. Sea $V_x$ un entorno de $x$ tal que $V_x \subset ri(X)$. Escribimos $V_x = x + B_\epsilon(0)$ donde $B_\epsilon(0)$ es la bola de centro cero y radio $\epsilon$. Para cada $y \in ri(X)$ existe $z \in X$, tal que $y = \lambda x + (1-\lambda)z$ [2]. Se verifica que $y + \lambda B_\epsilon(0) = \lambda(x + B(\epsilon))(0) + (1-\lambda)z$. Sea $B'_0 = \lambda B(\epsilon)(0)$, entonces $V_y = y + B'_0$ es un entorno de $y$ contenido en $ri(X)$. Sea $w \in V_y$ existen entonces $v \in B'_0$ y $u \in B_\epsilon(0)$ tales que $w = y + v = \lambda(x+u) + (1-\lambda)z$. Como $f(w) = f(y+v)$ de la convexidad de $f$ se sigue que $f(w) \leq \lambda f(x+u) + (1-\lambda)f(z)$. Como $f$ es continua en $x$ existe $M$ tal que $f(x+u) \leq M, \quad \forall u \in B_\epsilon(0)$ ($\epsilon$ suficientemente pequeño). Luego $f(w) \leq \lambda M + (1-\lambda)f(z)$ para todo $w \in V_y$ por lo tanto

[2] Tal $z \in X$ existe, para probarlo considere $V_y$ entorno abierto de $y$. Sea $\beta > 0$ suficientemente pequeño como para que $z = y + \beta(x-y) \in V_y$. Puede verse entonces que existe $0 < \lambda < 1$ tal que $y = \lambda x + (1-\lambda)z$.

$f$ está acotada en $V_y$ entorno de $y$ y por el teorema anterior es continua en $y$. □

Obsérvese que los teoremas de continuidad anteriores son válidos en general en espacios vectoriales topológicos cualesquiera. Su validez, en espacios vectoriales de dimensión finita como $R^n$, tanto para funciones cóncavas como convexas con valores reales es inmediata, pues si una función convexa $f : X \to R$ tiene por dominio un subconjunto $X$ convexo de $R^n$, entonces es finita en un entorno de cualquier punto interior. *Demostración de la afirmación:* En efecto, sea $x$ interior a $C$, existen entonces $a$ y $b$ tales que $a < x < b$. Sea $[a, b] = \{y \in R^n : a \leq y \leq b\}$. Este es un entorno de $x$ en $C$ que forma la cápsula convexa de un conjunto finito de puntos (teorema de Charatheodory)[3], luego $f$ debe ser acotada por arriba en ese conjunto. La continuidad de $f$ en $C$ se sigue de los teoremas anteriores.

En general una función convexa definida en un espacio de dimensión infinita puede no ser continua, basta pensar en un funcional lineal discontinuo.

EJERCICIO 4.19.

(i) Muestre un ejemplo de función convexa semicontinua superior en su dominio que no sea continua en el mismo.

(ii) Muestre un ejemplo de función cóncava semicontinua inferior en su dominio que no sea continua en el mismo.

(iii) Muestre que una función convexa no puede ser semicontinua inferior sin ser continua y que, análogamente, una función cóncava no puede ser semicontinua superior sin ser continua.

EJERCICIO 4.20.

(i) Demuestre que si una función cóncava definida en $X$ convexo, alcanza un máximo local en $x^*$ [4] entonces $f(x^*)$ es un máximo global.
*Para la demostración de este punto, considere* $z(\alpha) = \alpha x^* + (1-\alpha)y \in X$, $\forall\ 0 \leq \alpha \leq 1$, *observe que* $z(\alpha)$ *pertenece a cualquier entorno de* $x^*$ *si* $\alpha$ *está suficientemente próximo a* 1. *Utilice la definición de concavidad para contradecir entonces, que* $x^*$ *es un máximo local.*

(ii) Demuestre que si una función convexa definida en $X$ convexo, alcanza un mínimo local en $x^*$ entonces $f(x^*)$ es un mínimo global.

---

[3] Sea $h = b - a$ observe que los puntos de la forma $b - \delta h = (b_1 - \delta_1 h_1, \ldots, b_n - \delta_n h_n)$ siendo $\delta_i = 1$ *o* $0$ $i = 1, 2, \ldots, n$ son puntos extremos. Entonces $[a, b]$ es la cápsula convexa de estos puntos.

[4] Recuerde que una función alcanza en $x^*$ su máximo local, si y solamente si, existe un entorno del punto donde $f(x^*) \geq f(y)$, para toda $y$ en dicho entorno.

A continuación presentaremos algunas propiedades de las funciones convexas relacionadas con la derivabilidad. Notaremos por *grad* $f(x)$ al vector gradiente de $f$ en $x$ (es decir el vector de $R^n$ formado por las derivadas parciales de $f$ evaluadas en el punto $x$). Aquí si la estructura vectorial de $R^n$ es fuertemente utilizada. Para el estudio de estas propiedades en casos más generales se puede consultar: [Zeidler, E.] y [Luenberger, D. (a)].

TEOREMA 4.21. *Sea* $X \subset R^n$ *convexo y sea* $f : X \to R$ *diferenciable.* $f$ *es cóncava si y solamente si*

$$\langle grad\ f(y) - grad\ f(x),\ y - x\rangle \leq 0 \quad \forall x, y \in X. \tag{11}$$

*Demostración:* Para la demostración del teorema precisamos del siguiente lema:

LEMA 4.22. *Sean* $x$ *e* $y$ *en* $X$ *y* $d = y - x$. *Considere* $F(t) = f(x + td)$. *Entonces* $f$ *es cóncava si y solamente si para todo* $x, y \in X$ *lo es* $F$.

*Demostración del lema:* Considere $F(t) = f(ty + (1 - t)x)$, $0 \leq t \leq 1$, si $F$ es cóncava se sigue que $F(t) \geq tF(1) + (1 - t)F(0)$, como $F(1) = f(y)$ mientras que $F(0) = f(x)$ la concavidad de $f$ se sigue. El recíproco queda a cargo del lector.

(1) *Directo:* Sea $f$ cóncava. Sea ahora $d = y - x$ entonces debido a la concavidad de $F$, se sigue que $F'(0) \geq F'(1)$ como $F'(0) = grad\ f(x), y - x$ y $F'(1) = grad\ f(y), y - x$ se tiene $\langle grad\ f(x), y - x\rangle \geq \langle grad\ f(y), y - x\rangle$.
(2) *Recíproco:* Si $\langle grad\ f(y) - grad\ f(x), y - x\rangle \leq 0$ $\forall x, y \in X$ se deduce que $F'$ es decreciente pues la expresión: $[F'(t) - F'(t')](t - t') = \langle grad\ f(x + td) - grad\ f(x + t'd), d(t - t')\rangle$ es negativa cada vez que $t \geq t'$. Por lo tanto si y solamente si $F'$ es decreciente lo que implica que $F$ es cóncava, luego $f$ es también lo es. $\square$

TEOREMA 4.23. *Sea* $X \subset R^n$ *abierto y convexo y* $f : X \to R$ *dos veces diferenciable.* $f$ *es cóncava si y solamente si* $\nabla^2 f(x)$ *es semidefinida negativa*[5] *sobre* $C$.

*Demostración:* Considere $x \in X$ sea $F(t) = f(x + td)$. Puede verse fácilmente que $f$ es cóncava si y solamente si $F''(0) \leq 0$, $\forall x, d$, en consecuencia si y solamente si $\langle \nabla^2 f(x)d, d\rangle \leq 0$ $\forall x, d$. $\square$

[5] Recordamos que una matriz simétrica $M$ es semidefinida negativa si y solamente si sus autovalores son todos negativos, o bien si los determinantes de las submatrices principales alternan los signos, empezando con menor o igual a cero. Es estrictamente definida negativa cuando las desigualdades son estrictas.

Para $f : X \rightarrow R, X \subseteq R^n$, la matriz $\bigtriangledown^2 f(x)$ a veces escrita como $[f''(x)]$ se denomina hessiana de $f$ en $x$ y es la matriz cuyas entradas están dadas por las derivadas parciales segundas $\{\partial^2 f(x)/\partial x_i \partial x_j\}$ $i, j = 1, \ldots, n$.

## 4.4. Ejercicios

EJERCICIO 4.24.

(i) Escriba un teorema análogo al teorema 4.23 para funciones estrictamente cóncavas. Recuerde la observación (4.15).

(ii) Verificar que si $f$ es cóncava y $\lambda > 0$ entonces $\lambda f$ es cóncava.

(iii) Si $f$ y $g$ son funciones cóncavas entonces también lo es $f + g$.

(iv) Verificar que si $f$ es cóncava y $K : R \rightarrow R$ es cóncava entonces $K(f)$ no es necesariamente cóncava.

(v) Probar que las siguientes funciones son cóncavas:

$$f(x) = x^{\frac{1}{2}}, \quad f(x, y) = x^{\frac{1}{2}} - y^2, \quad f(x, y) = -\frac{x^2}{y}.$$

(vi) Probar que las siguientes funciones son convexas

$$f(x) = x^2, \quad f(x, y) = x^2 + y^2, \quad f(x, y, z) = x^2 + 3y^4 + 2z^2$$

(vii) La siguiente función es cóncava o convexa? $f(x, y) = x^2 + y^3 - x^{\frac{1}{2}} y^{\frac{1}{2}}$. Si una u otra propiedad se verifica, indique las regiones del plano donde ello sucede.

(viii) Muestre que si $f_i : X \rightarrow R,\ i = 1, \ldots, n$ son funciones cóncavas y si $\lambda_i \geq 0, i = 1, \ldots, n$ entonces $F = \sum_{i=1}^n \lambda_1 f_i : X \rightarrow R$ es cóncava.

EJERCICIO 4.25. Verifique que si $p = (p_1, \ldots, p_n)$ pertenece al simplex de $R^n$ es decir que $0 \leq p_i \leq 1; \forall i,\ \ y\ \sum_{i=1}^n p_i = 1$, entonces para todo $x \in R^n$ se verifica que $\langle p, x \rangle \geq \Pi_{i=1}^n (x_i)^{p_i}$.

*Ayuda:* Tome logaritmos de $\langle p, x \rangle$ use entonces la concavidad de la función logaritmo y las propiedades conocidas de esta función.

EJERCICIO 4.26. En teoría económica, el conjunto de posibilidades de producción se representa muchas veces por funciones reales. Dada una tecnología disponible, es posible producir una cantidad $y \geq 0$ de cierto producto a partir de las cantidades $x_1, \ldots, x_n$, donde $x_i \geq 0\ \forall i = 1, \ldots, n$, de ciertos bienes llamados insumos, si y solamente si el vector $(y, -x_1, \ldots, -x_n)$ es tecnológicamente posible. Es decir si $y \leq f(x_1, \ldots, x_n)$ donde $f : R^n \rightarrow y$ es la función que representa la tecnología.

(1) Muestre que si $f$ es cóncava entonces el conjunto de posibilidades de producción $Y = \{(y, -x_1, \ldots, -x_n), y \leq f(x_1, \ldots, x_n)\}$ es convexo.
(2) Considere el caso donde $f(x_1, x_2) = x_1^\alpha x_2^\beta$, $\alpha \geq 0, \beta \geq 0$ y considere los conjuntos de producción para los casos en que $\alpha + \beta$ es mayor, igual, o menor que 1. Indique los casos en que se puede definir un plan óptimo, es decir un plan maximizar de la función de beneficios $\pi(y, x) = py - wx$, siendo $w \in R^n$ el vector de precios unitarios de los insumos, y $p > 0$ el precio unitario del producto.

EJERCICIO 4.27. Considere el conjunto de tecnología

$$Y = \left\{(-x, y) \in R^{l-1} \times R_+ : y \leq f(x), x \geq 0\right\}.$$

Muestre que $Y$ es convexo si y solamente si $f$ es cóncava.

## 4.5. Derivadas direccionales y subgradientes

Una propiedad de gran utilidad de las funciones convexas es la de poseer derivadas direccionales universalmente. Estas derivadas están relacionadas con los subgradientes, vectores estos, que representan hiperplanos soportes del epígrafo de la función considerada. Un interesante resumen, con demostraciones fácilmente accesible al lector interesado, de las principales propiedades de las funciones convexas puede encontrarse en [Coruzeix, J.P.; Ocaña, E; Sosa, W.]. La referencia clásica es [Rockafellar, T.]. La posibilidad de utilizar el concepto de subgradiente en microeconomía para extender resultados conocidos a casos más generales puede verse en por ejemplo [Mas-Colell, A. (1985)]

Consideraremos en esta sección funciones reales $f : X \to R$ definidas en subconjuntos abiertos $X$ de $R^n$.

DEFINICIÓN 4.28. Sea $f : X \to [-\infty, \infty]$ finita en $a$ punto interior de $X$. Se llama **derivada direccional** de $f$ en $a$ en la dirección de $y$, lo que se denota como $f'(a; y)$ al siguiente límite si éste existe:

$$f'(a; y) = \lim_{\lambda \to 0} \frac{f(a + \lambda y) - f(a)}{\lambda}.$$

Nótese que $f(x + \lambda y)$ está definida para todo $\lambda > 0$ y tal que $x + \lambda y \in X$.

Los valores $+\infty$ y $-\infty$ son aceptados como posibles valores del límite. Fácilmente puede comprobarse que la igualdad,

$$f'(x; y) = \langle grad\ f(x), y \rangle,$$

se verifica.

TEOREMA 4.29. *Sea $X \subset R^n$ abierto y convexo, $f : X \longrightarrow R$ una función convexa y sea $x \in X$ tal que $f(x)$ es finita. Para cada $y \in R^n$, el cociente en la defínción de derivada direccional es una función no decreciente de $\lambda > 0$ y por lo tanto $f'(x; y)$ existe y es igual al*

$$inf \left\{ \frac{f(x + \lambda y) - f(x)}{\lambda}, \quad \lambda > 0, : x + \lambda h \in X \right\}.$$

*Más aún, $f'(x; y)$ es una función convexa positivamente homogénea en y, con $f'(x; 0) = 0$.*

Decimos que una función $f : X \longrightarrow R$ es positivamente homogénea (u homogénea de grado 1) si para todo $k$ positivo y para todo $x \in X$ se verifica que $f(kx) = kf(x)$.

*Demostracón:* Debido a que la función

$$\phi(\lambda) = \frac{f(x + \lambda y) - f(x)}{\lambda}$$

es creciente, (decrece, cuando $\lambda$ decrece), entonces el límite de $\phi$ cuando $\lambda \longrightarrow 0$ existe y es igual al ínfimo.
*Para ver que la función $\phi : R \longrightarrow R$ es decreciente considere $\lambda_2 > \lambda_1$ tales que $x+\lambda_1 y \in X$ y $x+\lambda_2 y \in X$. Defina ahora $z_1 = x+\lambda_1 y$ y $z_2 = x+\lambda_2 y$. Sea ahora $z_2 = (1-\alpha)x+\alpha z_2$ por la convexidad de $f$ se sigue que: $f(z_2) \leq (1-\alpha)f(x)+\alpha f(z_2)$ de donde se concluye que $f(z_2) - f(x) \leq \alpha\,[f(z_2) - f(x)]$. Pero como puede corroborarse $\alpha = \frac{\lambda_1}{\lambda_2}$. Por lo que se obtiene que $\phi(\lambda_1) \leq \phi(\lambda_2)$.*

La homogeneidad sigue de la identidad

$$\frac{f(x + \lambda(ky)) - f(x)}{\lambda} = k\frac{f(x + (k\lambda)y)) - f(x)}{k\lambda}$$

para todo $k > 0$. Luego tomamos límites en ambos miembros con $\lambda \longrightarrow 0$. □

EJERCICIO 4.30. Enuncie y demuestre el teorema correspondiente para funciones cóncavas.

DEFINICIÓN 4.31. Decimos que un vector $x^* \in R^n$ es un subgradiente[6] de una función convexa $f$ en $x$ si

$$f(z) \geq f(x) + \; < x^*, z - x > \quad \forall z \in \; dom(f). \tag{12}$$

[6]En general, para el caso en que el dominio de $f$ sea un subconjunto convexo de un espacio vectorial $X$, el subgradiente es un elemento del espacio dual de $X$ para el que las propiedades aquí enunciadas se verifican. En el caso particular de $R^n$, su dual, es el mismo $R^n$. El concepto de espacio dual será introducido en la sección 5.

La desigualdad (12) que define al subgradiente, es llamada *desigualdad subdiferencial* y admite una interpretación geométrica sencilla: Es fácil ver que la función afín

$$h(z) = f(x) + \langle x^*, z - x \rangle$$

define un hiperplano no vertical que pasa por el punto $(x, f(x))$.

El conjunto de subgradientes de $f$ en $x$ es llamado **subdiferencial** de $f$ en $x$ y es representado por $\partial f(x)$. El mapa multivaluado $x \to \partial f(x)$ es llamado subdiferencial de $f$ en $x$. Obsérvese que el conjunto $\partial f(x)$ es convexo y cerrado. Si $\partial f(x) \neq \emptyset$ decimos que $f$ es subdiferenciable en $x$.

Un caso importante en la teoría de subgradientes es el caso en el que $f$ es la función indicadora (ver ecuación (2)). Por definición $x^* \in \partial\delta(\cdot/C)$ si y sólo si:

$$\delta(z/C) \geq \delta(x/C) + \langle x^*, z - x \rangle, \quad \forall z.$$

Esta condición implica para $x \in C$ que $0 \geq \langle x^*, z - x \rangle$ para todo $z \in C$, eso significa que $x^*$ es normal con $C$. En el caso particular en que $x$ es interior a $C$ entonces $x^* = 0$. Luego $\partial\delta(x/C)$ representa el *cono normal a C en x*, el que es vacío si $x \notin C$. Por cono normal a $C$ se entiende el conjunto de todos los vectores que son normales a dicho conjunto[7].

Consecuentemente para una función cóncava $g$ definimos **supergradientes** y **superdiferenciales.** De esta forma $x^*$ es un supergradiente para $g$ si:

$$g(z) \leq g(x) + \langle x^*, z - x \rangle, \quad \forall z.$$

EJEMPLO 4.32. Para $f : R \to R$ el subdiferencial es el conjunto de todas las pendientes $x^* \in R$ de las rectas que pasan por $(x, f(x))$ abajo de la curva $f$ en $x$.

Como ejemplo de función subdiferenciable en todo punto pero no siempre diferenciable, considere la función $f(x) = \|x\|$. Es diferenciable en $x \neq 0$, pero es subdiferenciable para todo $x \in R^n$.

$$\partial f(0) = \{x^* \in R^n : \|z\| \geq \langle x^*, z \rangle, \forall z\}.$$

Es decir que $\partial f(0)$ está formado por todos los vectores en la bola unitaria. En efecto $x^* \in \partial f(0)$ si y solamante si, $1 \geq \langle x^*, \frac{z}{\|z\|} \rangle$ $\forall z$. Este producto es máximo para $z = x^*$. Se sigue entonces que $1 \geq \frac{\|x\|^2}{\|x\|}$, es decir que, $x^* \in \partial f(0)$ si y solamente si $\|x^*\| \leq 1$.

[7] Recuerde que un vector $x^*$ se dice normal a un conjunto convexo $C$ en un punto $a$ donde $a \in C$, si $x^*$ no hace un ángulo agudo con ningún segmento de recta interior a $C$ con vértice en $a$, esto es si $\langle x^*, x - a \rangle \leq 0$ para todo $x \in C$.

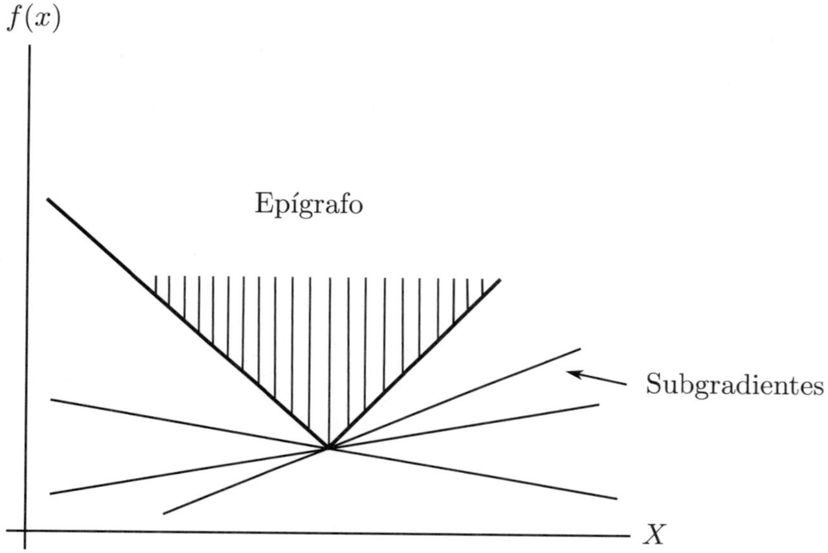


FIGURA 12. Subgradientes en puntos angulosos

Mientras que $\partial f(x) = \frac{x}{\|x\|}$ para todo $x \neq 0$. Para ver esto considere que si $x^* \in \partial f(x)$ debe verificarse que: $\|x + \lambda h\| - \|x\| \geq \lambda\langle x^*, h\rangle$. Luego debe ser $\langle grad\ f(x), h\rangle \geq \langle x^*, h\rangle\ \ \forall h \in X$, de donde se deduce que $x^* = grad\ f(x)$.

La figura 12 representa gráficamente un caso como el del ejemplo.

TEOREMA 4.33. *Sea $X \subset R^n$ subconjunto convexo y abierto. Sea $f : X \to R$ convexa y $x$ un punto del dominio donde $f(x)$ es finito. Entonces $x^*$ es un subgradiente si y solamente si, para todo $y \in R^n$ se verifica la desigualdad, $f'(x; y) \geq \langle x^*, y\rangle$.*

*Demostración:* A partir de la desigualdad

$$\frac{f(x + \lambda y) - f(x)}{\lambda} \geq \langle x^*, y\rangle,\ \forall\ \lambda > 0 \text{ y tal que } x + \lambda y \in X$$

y teniendo en cuenta la definición de $f'(x, y)$. □

COROLARIO 4.34. **(Principio del mínimo)** *Sea $f : X \to (-\infty, \infty]$, $f \not\equiv \infty$ donde $X$ es un subconjunto abierto y conexo de $R^n$. Entonces $\bar{x}$ es solución del problema de* $\min_{x \in X} f(x)$ *si y solamente si* $0 \in \partial f(\bar{x})$.

*Demostración:* Sigue inmediatamente a partir de la desigualdad del teorema (4.33). □

La continuidad de una función $f : R^n \to R$ en $x$ no implica la diferenciabilidad en $x$ ver por ejemplo [Lima, L.]. No obstante para funciones convexas tal afirmación se cumple para subgradientes.

TEOREMA 4.35. *Sea $f : X \to (-\infty, \infty]$, $f \neq \infty$ donde $X$ es un subconjunto abierto y conexo de $R^n$ entonces:*

(1) *$\partial f(x)$ es convexo.*
(2) *Sea $f$ convexa, finita y continua en $x$ entonces $\partial f(x)$ es no vacío.*
(3) *$\partial f(x)$ es compacto.*

*Demostración:* Es posible que $\partial f(x) = \emptyset$ este es el caso si $f(x) = \pm\infty$. La convexidad de $\partial f(x)$ sigue de la definición. Probaremos ahora el inciso (2). Sabemos que $epi_f$ es convexo, además $(x, f((x))$ pertenece a $fr[epi_f]$, es decir a la frontera del epígrafo de $f$. Luego por el teorema de separación (3) (ver definición 3.3), existe $(w^*, a^*) \in R^n \times R$ y $\alpha \in R$ tales que $\langle w^*, x\rangle + a^* f(x) \geq \alpha \geq \langle w^*, y\rangle + a^* a$ para todo $(y, a) \in epi_f$ (ver definición 4.6.) Luego como $(y, f(y)) \in epi_f f$ y $a^* \neq 0$ se sigue que:

$$\langle x^*, x\rangle + f(x) \geq \alpha \geq \langle x^*, y\rangle + f(y)$$

siendo $x^* = w^*(a)^{-1}$. Supongamos que $a^* = 0$, entonces $\langle w^*, x - y\rangle \geq 0$, $\forall y \in dom(f)$. Como el producto interno es una función continua y $x$ es un punto en el interior del dominio de la función, es decir $x \in int[dom(f)]$ entonces $w^* = 0$. En contradicción con $(w^*, a^*) \neq 0$. Demostración de (3.): Sea $U = \{h \in X : f(x + h) - f(x) \leq 1\}$. Luego para todo $h \in U$ se tiene que

$$\langle x^* h\rangle \leq f(x + h) - f(x) \leq 1.$$

Por lo que $\partial f(x)$ es acotado. Que es también cerrado se sigue de la continuidad del producto interno considerando una sucesión convergente $u_n^* \in \partial f(x)$. □

Sea $X \subset R^n$ y $f : X \to \bar{R}$ y sea $a \in X$. Se dice que $f$ **es Fréchet diferenciable**[8] en $a$ si existe $x^* \in R^n$ tal que

$$\frac{f(a + h) - f(a) - \langle x^*, h\rangle}{\|h\|} \to 0 \tag{13}$$

cuando $h \to 0$. □

[8]El concepto de diferencial de Fréchet, corresponde al concepto de función diferenciable para $R^n$. Recuerde que $f : U \to R$ con $U \subset R^n$ abierto, se dice diferenciable en $a$ si existe una transformación lineal $L_a$ tal que para todo $v \in R^n$ $f(a + v) - f(a) = L_a(v) + r(v)$ donde $\lim_{t\to 0} \frac{r(v)}{\|v\|} = 0$. Donde $L_a(v) = df(a)v = \sum_{i=1}^n f'_{x_i} v_i$. A veces la transformación lineal $L_a$ se escribe como: $L_a = df(a) = \sum_{i=1}^n f'_{x_i} dx_i$ entendiendo por $dx_i$ una transformación lineal, tal que $dx_i : R^n \to R$ definida como $dx_i(v) = v_i$, por lo que: $L_a(v) = df(a)(v) = \sum_{i=1}^n f'_{x_i} dx_i(v) = \sum_{i=1}^n f'_{x_i} v_i$, ver [Lima, L.].

Observe que la definición no depende de la norma elegida. Si $x^*$ existe y es único, escribimos entonces $x^* = grad\ f(a)$. Trivialmente se deduce que $\langle grad\ f(a), h\rangle = f'(a; h)$. No es suficiente la existencia de las derivadas parciales en $a$ para asegurar la diferenciabilidad de la función $f$ en $a$.

TEOREMA 4.36. *Sea $f$ una función convexa propia, y sea $a \in dom(f)$. Entonces $f$ es Fréchet diferenciable en $a$ si y solamente si existe un único $x^* \in \partial f(a)$. En este caso $x^* = grad\ f(a)$.*

*Demostración:* (Directo:) Sea $f$ Fréchet diferenciable en $a$. Si $x^* \in \partial f$ se tiene que $\langle x^*, h\rangle \leq f'(x; h) = \langle grad\ f(a), h\rangle$. Entonces $\langle x^* - grad\ f(a), h\rangle \leq 0 \forall h$. Haciendo $h = x^* - grad\ f(a)$ se tiene que $x^* = grad\ f(a)$.

(Recíprocamente:) Considere la función auxiliar

$$g(x) = f(x) - f(a) - \langle x - a, x^*\rangle$$

puede verse que $g(a) = 0$ y que $g(a+h) \geq 0, \forall h$. Además como existe un único subgradiente de $f$ en $a$, se verifica que $f'^*\rangle$ y por lo tanto

$$g'(a; h) = 0. \tag{14}$$

Mostraremos luego que para todo $h \in R^n$ es posible elegir unos vectores $d_i \in R^n$, $i = 1, 2, \ldots, 2n$ y $2n$ números reales $t_i$, tales que: $\sum_{i=1}^{2n} t_i = 1$, $t_i \geq 0 \forall i = 1, 2, \ldots, 2n$ de forma tal que se cumpla la igualdad $h = \|h\|_1 \sum_{i=1}^{2n} d_i t_i$. Por lo que $0 \leq g(a + h) = g(a + \sum_{i=1}^{2n} t_i \|h\|_1 d_i) \leq \sum_{i=1}^{2n} t_i g(a + \|h\|_1 d_i)$. La primera desigualdad se sigue de que $g(a) = 0$ y $g(a + h) \geq 0$ la segunda por la convexidad de $g$. Entonces $0 \leq \frac{g(a+h)-g(a)}{\|h\|_1} \leq \sum_{i=1}^{2n} t_i \frac{g(a+\|h\|_1 d_i)-g(a)}{\|h\|_1} \leq \sum_{i=1}^{2n} t_i \frac{g(a+\|h\|_1 d_i)-g(a)}{\|h\|_1}$. Donde $\|h\|_1 = \sum_{i=1}^{n} |h_i|$.

Tomando límites cuando $h \to 0$, y teniendo en cuenta (14) obtenemos que $\frac{g(a+h)-g(a)}{\|h\|_1} \to 0$ y por lo tanto $grad\ g(a) = 0$ y por lo tanto $grad\ f(a) = x^*$

*Elección de los $d_i$ y de los $t_i$* : Sean $e_i, i = 1, 2, \ldots, n$ los elementos de la base canónica de $R^n$. Definamos $d_i = e_i$, $y$ $d_{n+i} = -e_i$ $i = 1, 2, \ldots, n$. Luego $t_i = \frac{\xi_i}{\|h\|_1}$ con $\xi_i = 0$, $y$ $\xi_{n+i} = -h_i$ si $h_i < 0$ mientras que si $h_i > 0$ hacemos $\xi_i = h_i$, $y$ $\xi_{n+i} = 0$. Se sigue entonces que $h = \sum_{i=1}^{2n} d_i \xi_i$. □

Veremos en el siguiente teorema que el grafo de una función convexa o cóncava puede ser considerado como la envolvente de funciones afines.

TEOREMA 4.37. *Sea $f : X \to \bar{R}$ una función convexa s.c.i. con dominio efectivo cerrado. Para cada $x$ en el dominio efectivo definamos*

$$G(x) = sup\,\{g(x) : g \leq f, \forall g \text{ afín}\}$$

*entonces $f(x) = G(x)$.*

*Demostración:* Fijamos $x$ en $C$ dominio efectivo de $f$. Es suficiente probar que si $\alpha < f(x)$ entonces existe una función afín tal que $g < f$ y $g(x) = \alpha$. Como $f$ es convexa y semicontinua inferior, el epígrafo de $f$, definido por $E = \{(y, r) \in C \times R : r \geq f(x)\}$, es un subconjunto no vacío, convexo y cerrado en $R^n \times R$. Consideremos entonces $(x, \alpha) \notin E$. Por el teorema de separación de convexos (3.20) sabemos que existe un vector de $R^n \times R$, definido como $(p, \lambda)$ tal que $\langle p, x\rangle + \lambda\alpha < \langle p, x\rangle + \lambda f(x)$ lo que implica $\lambda > 0$. Definamos ahora la función afín $g$ como $g(y) = \frac{1}{\lambda}[-l(y) + l(x)] + \alpha$. Como puede verse $g(y) < f(y)\ \forall y \in C$ y además $g(x) = \alpha$. □

EJERCICIO 4.38. Reescriba el teorema anterior y su demostración para funciones cóncavas.

## 4.6. Funciones cuasi-cóncavas y cuasi-convexas

En muchas aplicaciones a la teoría económica una generalización de los conceptos de función cóncava y convexa se hace necesaria. Los conceptos de función cuasi-cóncava y cuasiconvexa dan más generalidad a las conclusiones que la teoría económica puede obtener. Una muestra de su importancia es el hecho de que curvas de indiferencia convexas provienen de relaciones de preferencia representadas por funciones cuasi-cóncavas y generalmente las funciones de producción o de tecnología son también consideradas como cuasicóncavas, lo que ciertamente incluye el caso cóncavo.

El teorema de Kuhn-Tucker se extiende a funciones cuasi-cóncavas. El teorema de Arrow-Enthoven de 1961, muestra esta posibilidad, el mismo será presentado más adelante en estas notas.

NOTACIÓN 4.39. En lo que sigue, a los efectos de simplificar la notación escribiremos cuando sea necesario $xy$ para representar el producto interno $\langle x, y\rangle$.

La siguiente definición es como veremos, equivalente a la definición (4.5).

DEFINICIÓN 4.40. Sea $f : X \to R$, siendo $X$ un conjunto convexo de $R^n$, decimos que $f$ es **cuasi-cóncava** si para todo $a \in R$ se verifica que $X_a = \{x \in X : f(x) \geq a\}$ es convexo. Diremos que $f$ es cuasiconvexa si y solamente si $-f$ es cuasi-cóncava.

TEOREMA 4.41. *Sea $f : X \to R$ siendo $X$ un conjunto convexo entonces, las siguientes afirmaciones son equivalentes:*

(1) $f$ es cuasi-cóncava.

(2) Para todo $x, y \in X$ y $\theta \in [0, 1]$ se verifica que:
$f(\theta x + (1 - \theta)y) \geq min\{f(x), f(y)\}$.
(3) Si $f(x) \geq f(y)$ entonces $f(\theta x + (1 - \theta)y) \geq f(y)$.

*Demostración:*

(1) $\rightarrow$ (2) Supongamos que $f(y) = min\{f(x), f(y)\}$. Por ser $f$ una función cuasi-cóncava el subconjunto de $R^n$
definido como $\{x \in X : f(x) \geq f(y)\}$ es convexo, de donde se sigue que $f(\theta x + (1 - \theta)y) \geq f(y)$.

(2) $\rightarrow$ (3) Es inmediato.

(3) $\rightarrow$ (1) Sea $c \in R$ si existe $x \in X$ tal que $f(x) \geq c$ entonces sea $y \neq x \in X_c$. Sin pérdida de generalidad asumimos que $f(y) \geq f(x)$, por (3) $f(\theta x + (1 - \theta)y) \geq f(x)$ por lo tanto $\theta x + (1 - \theta)y \in X_c$. Es decir que $X_c$ es conexo. En otro caso $X_c = \emptyset$ por lo tanto $X_c$ es también convexo. □

Ejemplos de funciones cuasi-cóncavas que no son cóncavas son los siguientes:

(1) $f(x) = x^2, \ x \in R_+$.
(2) $f(L, K) = L^\alpha K^\beta$, con $\alpha + \beta > 1, \ \alpha > 0, \ \beta > 0, \ L \geq 0, \ K \geq 0$.

Puede ser probado que toda función cuasi-cóncava, homogénea de grado menor o igual que 1, es decir tal que $\forall k > 0$ se verifica $f(kx) = k^\alpha f(x)$ $0 < \alpha \leq 1$ es cóncava.

Un hecho no muy agradable es que a diferencia de lo que sucede con la combinación lineal positiva de funciones cóncavas, la combinación lineal positiva de funciones cuasi-cóncavas no es necesariamente cuasi-cóncava.

## 4.7. Conjuntos extremos

Estudiaremos en esta sección los conjuntos extremos, a los que luego relacionaremos con los conjuntos de maximizadores de funciones cuasi-cóncavas.

DEFINICIÓN 4.42. Un **subconjunto extremo** de un conjunto $C$ es un subconjunto no vacío $E$ de $C$ con la propiedad de que si $x = \alpha y + (1 - \alpha)z \in E$, donde $0 < \alpha < 1$ y con $y, z \in C$ entonces $y, z \in E$. En el caso en que un conjunto extremo $E$, contenga un único elemento, este punto es llamado **punto extremo** de $C$ y los notaremos como $E(C)$.

De esta forma un punto extremo de $C$ no puede ser escrito como combinación convexa de dos puntos diferentes de $C$. Puede verse que un punto $e$ de un conjunto convexo $C$ es extremo si y solamente si $C \setminus \{e\}$ es convexo.

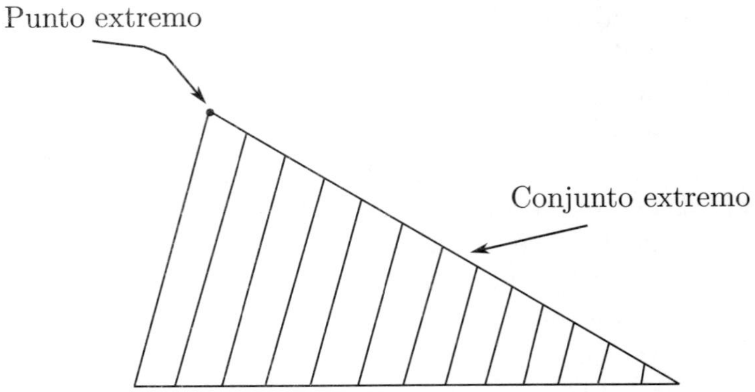


FIGURA 13. Puntos y conjuntos extremos

Ejemplos de conjuntos extremos son:

- Las caras de un conjunto convexo.
- Vértices y aristas de un poliedro son puntos extremos.
- Cada uno de los puntos de la cáscara esférica que limita a una esfera, son puntos extremos.
- La cáscara esférica no es un conjunto extremo.

Se representan en la figura 13, un punto extremo y un conjunto extremo.

Existen conjuntos convexos cuyos conjuntos extremos no tienen puntos extremos. Ejemplo de este es el subconjunto convexo $C$ de $R^2$

$$C = \left\{(x, y) \in R^2 : y \geq 0\right\}.$$

El conjunto extremo es $E = \left\{(x, y) \in R^2 : y = 0\right\}$ el que claramente no tiene puntos extremos. No obstante, para conjuntos extremos compactos se tiene el siguiente lema:

LEMA 4.43. *Sea $C$ subconjunto de $R^n$ entonces todo subconjunto $E$ extremo y compacto de $C$ contiene al menos un punto extremo.*

*Demostración:* Considere el conjunto de todos los subconjuntos compactos extremos de $C$ incluidos en $E$, ordenémoslos por inclusión. La intersección de los elementos de cada cadena es no vacía y compacta. Por el lema de Zorn, existe un conjunto $G$ minimal extremo de $C$ en $F$, (ver apéndice IV). Si este conjunto tuviera más de un elemento tendríamos una contradicción. Para ver esta contradicción, alcanza con suponer que existen dos elementos diferentes $a$ y $b$ en el minimal. Considere luego un funcional lineal $f$ tal que $f(a) > f(b)$. El conjunto $M$ de maximizadores de este funcional restringido a $G$ es un conjunto extremo que no contiene a $b$, luego $G$ no sería minimal. □

TEOREMA 4.44. *Todo subconjunto K compacto y convexo de $R^n$ está incluido en la cápsula convexa de sus puntos extremos* [9].

*Demostración:* Suponga que existe $a \in K$ tal que $a \notin co(E(K))$. Luego por el teorema de separación 3.20, existe $p$ funcional lineal en $R^n$ tal que $p(a) > p(x)$, $\forall\ x \in co(E(K))$. Sea $A$ el conjunto de los maximizadores de $p$ en $K$. $A \subset K \cap [co(E(K))]^c$ es un subconjunto extremo no vacío y compacto. Por el lema anterior contiene un punto extremo de $K$, por lo tanto $A \cap co(E(K)) \neq \emptyset$, lo que contradice la definición de $A$. □

## 4.8. Maximizadores de funciones cuasi-convexas y cuasi-cóncavas

Nos introduciremos en esta sección en la problemática de la maximización de funciones cuasi-cóncavas. Este punto será desarrollado también más adelante, ver sección 8.1. Veremos propiedades de los conjuntos maximizadores de funciones cuasi-cóncavas y cuasi-convexas, y algunas características sobre la forma en que crecen estas funciones.

DEFINICIÓN 4.45. Sea $f : X \to R$ siendo $x \subset R^n$ decimos que $x^*$ es un elemento maximizador de $f$ si es un máximo global para $f$ en $X$. El conjunto de estos elementos es llamado **conjunto maximizador** de $f$.

TEOREMA 4.46. **(Principio del máximo de Bauer)** *Si C es un conjunto compacto y convexo de $R^n$, entonces toda función s.c.s, cuasi-convexa alcanza su máximo (global) en un punto extremo.*

*Idea de la demostración:* La demostración es consecuencia de la extensión del teorema de Weierstrass para funciones s.c.s. y de que la cuasiconvexidad de $f$ asegura que el conjunto de los maximizadores es un subconjunto extremo. La afirmación del teorema se obtiene ahora a partir del hecho de que todo subconjunto extremo tiene un punto extremo [10]. □

EJERCICIO 4.47.

(i) Demuestre que el conjunto de maximizadores de una función cuasi-convexa es o bien vacío o bien un conjunto extremo y que
(ii) el conjunto de minimizadores de una función cuasi-cóncava es o bien vacío o bien un conjunto extremo
(iii) Complete la demostración del teorema de Bauer.

---

[9] Este teorema vale en espacios de Hausdorff localmente convexos. Es conocida como teorema de Krein-Milman.

[10] Este teorema vale en todo espacio de Hausdorff localmente convexo.

(iv) Demuestre que el conjunto de minimizadores de una función cuasi-cóncava es un conjunto extremo.
(v) Demuestre que el conjunto de maximizadores de una función cuasi-cóncava no es necesariamente un subconjunto extremo.

TEOREMA 4.48. *Sea $X \subset R^n$, convexo. Si $f : X \to R$ es una función diferenciable con jacobiano en $x^*$ definido por $f'(x^*) = grad\ f(x^*)$. Entonces una condición necesaria y suficiente para que $f$ sea cuasi-cóncava en $X$ es que la desigualdad*

$$(15) \qquad f(x) \geq f(x^*) \text{ implique } grad\ f(x^*)(x - x^*) \geq 0 \quad \forall\, x^*, x \in X.$$

NOTA 4.49. Este teorema afirma que una condición necesaria y suficiente para que una función real sea cuasi-cóncava, es que para todo $x^* \in X$ para el que existe $x \in X$ tal que $f(x) \geq f(x^*)$ entonces $f(y) \geq f(x^*)$ para todo $y$ perteneciente al segmento de recta que une $x$ con $x^*$. Es decir que la derivada direccional evaluada en cualquier punto de su dominio, sea positiva en la dirección del crecimiento [11]

NOTA 4.50. Obsérvese que si $f$ es derivable, entonces es cóncava si y solamente si $f(y) - f(x) \leq f'(x)(y - x)$ para todo $x$ en su dominio.

*Demostración:* Siendo $f(x) \geq f(x^*)$ la cuasi-concavidad de $f$ implica que $\frac{f(x^*+\theta(x-x^*))-f(x^*)}{\theta} \geq 0$; por lo tanto tomando límites cuando $\theta \to 0$ se obtiene: $grad\ f(x^*)(x - x^*) \geq 0$ de donde se obtiene la afirmación.

(Recíprocamente) Sea $\phi(\lambda) = f(\lambda y + (1 - \lambda)z)$ por lo tanto $\phi(1) = f(y)$; $\phi(0) = f(z)$. Supongamos que $f(y) \geq f(z)$ y que se cumple (15) pero no obstante que $f$ no es cuasi-cóncava. Esto es, que existe $\bar{\lambda} \in (0, 1)$ tal que, $\phi(\bar{\lambda}) < \phi(0)$. En estas condiciones, existe $\lambda_0 \in (0, 1)$ tal que $\phi(\lambda_0) < \phi(0)$ tal que $\phi'(\lambda_0) > 0$. Sea $x_0 = \lambda_0 y + (1 - \lambda_0)z = z + \lambda_0(y - z)$, usando la regla de la cadena se sigue que:

$$\phi'(\lambda_0) = grad\ f(x_0)(y - z) > 0 \quad (A).$$

Como $f(z) \geq f(x_0)$ se tiene que $grad\ f(x_0)(z - x_0) \geq 0$ $(B)$, y por ser $f(y) \geq f(x_0)$ se tiene que $grad\ f(x_0)(y - x_0) \geq 0$ $(C)$. Como además $z - x_0 = -\lambda_0(y - z)$ se sigue de $(B)$ que $-\lambda_0 grad\ f(x_0)(y - z) \geq 0$. Análogamente, como $y - x_0 = (1 - \lambda_0)(y - z)$ se sigue de $(C)$ que $(1 - \lambda_0)grad\ f(x_0)(y - z) \geq 0$. Por lo tanto $grad\ f(x_0)(y - z) = 0$ lo que contradice la desigualdad $(A)$. □

[11] Obsérvese que para $v = x - x^*$ se tiene que $grad\ f(x^*)(x - x^*) = \frac{\partial f}{\partial v}(x^*) = f'(x^*, v)$.

DEFINICIÓN 4.51. Sea $f : C \to R$ y $C_{x^*} = \{x \in C : f(x) \geq f(x^*)\}$. Decimos que un vector $p \in E$ espacio vectorial topológico define un **soporte** para $C_{x^*}$ en $x^* \in X$ si se verifica que $p(x - x^*) \geq 0$ para todo $x \in C_{x^*}$.

DEFINICIÓN 4.52. Decimos que un semiespacio $E \subset R^n$ es un **semiespacio soporte** para $X$ si $X$ está totalmente contenido en $E$ y existe al menos un punto $x^* \in \bar{X}$ en la frontera de $E$.

De esta forma todo hiperplano soporte de $X$, define un semiespacio soporte de $X$. En otras palabras los hiperplanos soporte para $X$, son los hiperplanos que pueden ser representados en la forma $H = \{x : \langle x, b\rangle = \beta, \}$ con $b \neq 0$ con $\langle x, b\rangle \leq \beta$ para todo $x \in X$ y $\langle x, b\rangle = \beta$ para al menos un punto en $fr(X)$. De acuerdo al teorema de separación (2), si $C$ es un subconjunto convexo de $R^n$ entonces para todo $x^*$ en su frontera, existe un hiperplano soporte $H$ para $C$ que contiene a $x^*$. Definiendo a la vez este $H$ un semiespacio soporte para $C$.

TEOREMA 4.53. *Sea $f : X \to R$ una función cuasi-cóncava diferenciable en $x^*$, siendo $X \subset R^n$ convexo, entonces el gradiente de $f$ evaluado en $x^*$, representado por grad $f(x^*)$, define un hiperplano soporte para $x^*$.*

*Demostración:* En efecto si $x \in C_{x^*}$ entonces por el teorema 4.48 se verifica la desigualdad, $grad\ f(x^*)(x - x^*) \geq 0$ y por lo tanto $grad\ f(x^*)$ es un soporte para $x^*$. □

COROLARIO 4.54. *Sea $f : X \to R$ diferenciable en $x^*$, y $X \subset R^n$ convexo. Supongamos que $x^*$ pueda ser considerado como combinación convexa de dos elementos de $X$ y que grad $f(x^*) \neq 0$. Entonces $f$ es cuasi-cóncava en $X$ si y solamente si $x^*$, es la solución del siguiente programa de maximización no lineal:* $\max_{x \in X} f(x)$ *s.a.* $grad\ f(x^*)x \leq grad\ f(x^*)x^*$.

*Demostración:* Sea $f$ cuasi-cóncava. Supongamos que existe $y \neq x^*$ que verifica las condiciones del programa no lineal y que a la vez verifica que $f(y) > f(x^*)$. Por el teorema anterior sabemos que $grad\ f(x^*)$ define un soporte para $C_{x^*}$ por lo tanto debe verificarse la igualdad $grad\ f(x^*)(y - x^*) = 0$. Por la continuidad de $f$ y el hecho de ser $f(y) > f(x^*)$ existe $\epsilon > 0$ tal que para todo $z \in B_y(\epsilon)$ se verifica que: $f(z) > f(x^*)$. A la vez, este $z$ puede elegirse de forma tal que verifique $grad\ f(x^*)(z - x^*) < 0$ contradiciendo la cuasi-concavidad de $f$.
(Recíprocamente) Supongamos que $x^*$ puede ser considerado como la combinación convexa de dos puntos $y, z \in C$. Entonces debe suceder que $grad\ f(x^*)x^* \geq min\{grad\ f(x^*)y, grad\ f(x^*)z\}$ Por lo tanto $y$ o $z$ pertenecerán a la restricción del programa de maximización. Se deduce entonces que $f(x^*) \geq min\ \{f(y), f(z)\}$ . □

EJERCICIO 4.55. El **segundo teorema del bienestar** económico, dice que si los agentes tienen preferencias convexas, entonces todo óptimo de Pareto[12] puede ser alcanzado como equilibrio walrasiano con transferencias, es decir reasignando las dotaciones iniciales de la economía. Relacione el lector, el teorema y corolario anterior, con el segundo teorema del bienestar económico. Para esto suponga que la asignación de recursos $x^*$ es óptimo de Pareto, y suponga que las preferencias son convexas. Luego aplique el teorema de separación de convexos y reasigne las dotaciones iniciales. Nótese que la necesidad de preferencias convexas, hacen que este teorema tenga menos generalidad que el llamado primer teorema del bienestar, según el cual toda asignación correspondiente a un equilibrio walrasiano es un óptimo de Pareto. El lector encontrará una demostración de este teorema en la sección 9.4.

Muchas veces en economía se utilizan funciones que son cuasi-cóncavas y que son a la vez homogéneas de grado uno [13]. Estas dos condiciones juntas implican la concavidad de la función. Se tiene el siguiente teorema que relaciona cuasi-concavidad y concavidad.

TEOREMA 4.56. *Sea $f : X \to R$ homogénea de grado uno, siendo $X$ un subconjunto convexo de $R^n$, supongamos que para todo $x \in X; x \neq 0$ se verifica que $f(x) > 0$. Entonces $f$ es cuasi-cóncava (respectivamente cuasi-convexa) si y solamente si es cóncava (resp. convexa).*

*Demostración:* La suficiencia es obvia. Sea ahora $f$ cuasi-cóncava. Sean $x, y \in X - \{0\}$, y definamos $x^* = [1/f(x)]x$ e $y^* = [1/f(y)]y$. Entonces $f(x^*) = f(y^*) = 1$. La cuasi-concavidad de $f$ hace que

$$f(\lambda x^* + (1-\lambda)y^*) \geq min\,\{f(x^*), f(y^*)\} = 1. \qquad (16)$$

En particular esto vale para $\lambda = \frac{f(x)}{f(x)+f(y)}$ se tiene entonces, a partir de la ecuación (16) y la homogeneidad de $f$, que $f(x+y) \geq f(x) + f(y)$, es decir $f$ es superaditiva. Por ser entonces $f$ función super aditiva y homogénea de grado uno es cóncava. □

En la sección 8.2 mostraremos algunas relaciones entre funciones cuasi-cóncavas y el hessiano orlado (ver definición 8.5).

---

[12]Entendemos como óptimo de Pareto una asignación de los recursos económicos, tal que no es posible, mediante reasignaciones de estos recursos, mejorar a algún agente, sin empeorar al menos a otro.

[13]Recuerde que una función se dice homogénea de grado uno, cuando para todo $\lambda > 0$ verifica $f(\lambda x) = \lambda f(x)$ para todo $x$ en el dominio de $f$.

## 4.9. Ejercicios

EJERCICIO 4.57. Pruebe la última afirmación de la demostración del teorema (4.56).

EJERCICIO 4.58. Muestre que si la relación de preferencias $\succeq$ es convexa y representable por una función de utilidad, entonces ésta es cuasi-cóncava y recíprocamente.

EJERCICIO 4.59. Sea $f : X \to R$ siendo $X$ un subconjunto convexo de $R^n$.

(1) Muestre que el conjunto de maximizadores para $f$ cuasi-cóncava es un subconjunto convexo.
(2) Muestre que si la función $f$ es estrictamente cuasi-cóncava entonces si el conjunto de maximizadores es no vacío, tiene un único elemento.
(3) Considere ahora $f$ cuasiconvexa, y muestre los análogos a los ítemes anteriores para el conjunto de minimizadores.

## 4.10. Aplicaciones

EJERCICIO 4.60. En teoría económica se define la demanda del consumidor, como el conjunto de maximizadores de una cierta función de utilidad $u$, restringido a un cierta región presupuestaria, (obsérvese que la demanda no tiene por que ser única). Sea $u : R^n \to R$ continua y cuasi-cóncava dicha función de utilidad. Sea $P = \{x \in R^n : px \leq I\}$ la restricción presupuestaria del consumidor. El vector $p = (p_1, \ldots, p_n)$ representa los precios, $p_i$ es el precio unitario del bien $i$, el número $I > 0$ representa el ingreso del consumidor. Sea $x(p)$ la demanda del consumidor.

(1) Muestre que si $p_i > 0$ para todo $i = 1, \ldots, n$ entonces $x(p)$ es no vacía.
(2) ¿Se puede afirmar lo mismo si algún $p_i = 0$?
(3) ¿Bajo qué condiciones se $u$ se puede asegurar que $x(p)$ es una función?

EJERCICIO 4.61. Sea $f : R \to R$, cóncava y tal que $f(0) = 0$. Construya un conjunto de producción $Y = \{(-x, y) \in R \times R,\ y \leq f(x),\ x \geq 0\}$, para el que exista un plan eficiente $(x, f(x))$ para $P = (1, w)$ con $w_1 \leq w \leq w_2$ para $w_1$ y $w_2$ fijos y positivos. Sean $m_1 = -\frac{1}{w_2}$ y $m_2 = -\frac{1}{w_1}$. Muestre que $\partial f(x) = \{m : m_1 \leq m \leq_2\}$.

EJERCICIO 4.62. Sea $f : X \to R$ siendo $X \subset R^n$ y $f$ una función $C^1$, cóncava. Muestre que entonces que si:

(1) Las derivadas parciales de $f$ se anulan en $x^*$, entonces $x^*$ es un máximo relativo de $f$. Por lo tanto $f'(x^*) = 0$ es necesario y suficiente para que $x^*$ sea máximo relativo.
(2) El punto $x^*$ es un máximo relativo entonces es un máximo global.

EJERCICIO 4.63. Considere una economía con dos agentes y dos bienes. Las dotaciones iniciales de los agentes están dadas por $w_A = (4, 6)$, $w_B = (2, 8)$ y las funciones de utilidad son respectivamente: $u_A(x_1, x_2) = x_1 x_2$ y $u_B = x_1^{\frac{1}{2}} x_2^{\frac{1}{2}}$.

(1) Muestre que ambas funciones de utilidad son estrictamente cuasi-cóncavas en $R^2_+$.
(2) Obtenga las curvas de nivel y los respectivos gradientes, muestre que los gradientes son ortogonales a las curvas de nivel respectivas.
(3) Calcule la demanda de cada agente para precios $p = (p_1, p_2)$.
(4) Muestre que se verifica la ley de Walras, es decir que $pz(p) = 0$, $\forall\ p$ tal que $p_i > 0, \forall i \in \{1, 2\}$ siendo $z : R^2_+ \to R^2$ la función exceso de demanda.
(5) Obtenga precios y asignación de equilibrio.

EJERCICIO 4.64. Considere una economía con dos agentes y tres bienes. Las dotaciones iniciales de los agentes están dadas por $w_A = (4, 6, 3)$, $w_B = (2, 8, 2)$ y las funciones de utilidad son respectivamente:

$$u_A(x_1, x_2, x_3) = x_1^{\frac{1}{4}} + x_2^{\frac{1}{3}} + x_3^{\frac{1}{2}}$$

y

$$u_B = x_1^{\frac{1}{2}} + x_2^{\frac{1}{2}} + 2x_3^{\frac{1}{2}}.$$

(1) Muestre que ambas funciones de utilidad son estrictamente cóncavas en $R^2_+$.
(2) Indique las superficies de nivel[14] y los respectivos gradientes, muestre que los gradientes son ortogonales a las curvas de nivel respectivas[15].
(3) Calcule la demanda de cada agente para precios $p = (1, 2, 3)$. Esto corresponde a maximizar las funciones de utilidad de cada agente en sus respectivas restriccines presupuestarias, siendo la demanda el punto en el que se alcanza el máximo.
(4) Muestre que se verifica la ley de Walras, es decir que $pz(p) = 0$, $\forall\ p$ : $p_i > 0\ i \in \{1, 2\}$, siendo $z : R^2_+ \to R^2$ la función exceso de demanda.

[14]Es decir: grafique los conjuntos $\mathcal{S}_{ik} = \left\{x \in R^2_+ :\ u_i(x) = k\right\}\ i = 1, 2\ \forall k \in R$.

[15]Es decir que $\frac{\partial u_i(x)}{\partial x_1} 1 + \frac{\partial u_i(x)}{\partial x_2} \frac{dx_2}{dx_1} = 0$.

EJERCICIO 4.65. Sea $u(x_1, x_2) = x_1^{1/2} x_2$ la función de utilidad de un agente cuyas dotaciones iniciales están dadas por $w = (1, 2)$. Suponga que $p = (p_1, p_2) \in R^2_{++}$.

(1) Muestre que la función de utilidad es cóncava.
(2) Muestre que la demanda existe y se alcanza sobre la recta $p_1 x_i + p_2 x_2 = p_1 + 2p_2$.
(3) Muestre que si $z(p)$ representa el exceso de demanda del agente[16], entonces $pz(p) = 0$.
(4) Muestre que la recta definida por $p_1 x_i + p_2 x_2 = p_1 + 2p_2$ es perpendicular a la dirección definida por el gradiente de la función de utilidad, evaluado en la demanda del consumidor.
(5) Concluya que $(p_1, p_2) = \alpha grad\ u(x_1(p), x_2(p))$, siendo $\alpha > 0$ y $x(p) = (x_1(p), x_2(p))$ la demanda del consumidor a precios $p$.
(6) Calcule a partir del item anterior la demanda del consunidor.
(7) ¿Qué sucedería si alguno de los precios fuese cero con la demanda del consumidor? Justifique su respuesta.

## 4.11. Apéndice: Funciones mitcóncavas

Introduciremos en esta sección las llamadas funciones mitcóncavas, la mitconcavidad resulta a veces más sencilla de verificar que la convexidad, y si además es una función continua, entonces la mitconcavidad es equivalente a la concavidad de la función.

Definiremos mitconcavidad y diremos que una función $f$ es mitconvexa si y solamente si $-f$ es mitcóncava.

DEFINICIÓN 4.66. Sea $f : X \to R$ definida en $X \subset R^n$, convexo, decimos que $f$ es mitcóncava si para todo $x, y \in X$ se verifica que

$$f\left(\frac{x+y}{2}\right) \geq \frac{1}{2}\left[f(x) + f(y)\right].$$

TEOREMA 4.67. *Sea $X$ un subconjunto convexo de $R^n$. Una función $f : X \to R$ es mitcóncava si y solamente si: para toda combinación convexa racional se verifica que:*

$$f\left(\sum_{i=1}^{n} \alpha_i x_i\right) \geq \sum_{i=1}^{n} \alpha_i f(x_i). \tag{17}$$

[16] El exceso de demanda es la diferencia entre demanda y oferta agregada es decir que: $z_i(p) = x_i^*(p) - w_i$ donde $x_i^*(p)$ representa la demandas del $i$-ésimo agente.

NOTA 4.68. Resulta inmediato entonces, verificar que una función mitcóncava continua, es cóncava. En efecto, la continuidad de la función obliga a que la desigualdad (17) se verifique también para $\alpha_i$ irracional. No obstante es posible construir, aún para el caso de variable real, funciones mitcóncavas no continuas. La condición de continuidad para mitcóncavas es la misma ya vista para funciones cóncavas, esto es la acotación de $f$ en un entorno de algún punto de su dominio.

*Demostración:* Es claro que si una función es cóncava entonces es mitcóncava. Veamos ahora el recíproco. Facilmente puede probarse que si $f$ es mitcóncava entonces, para $n = 2^k$ debe verificar que:

$$f\left(\frac{x_1 + x_2 + \cdots + x_n}{n}\right) \geq \frac{1}{n}\left[f(x_1) + f(x_2) + \cdots + f(x_n)\right].$$

Para $n = 3$ se tiene que:

$$\begin{aligned} f\left(\tfrac{x_1+x_2+x_3}{3}\right) &= f\left\{\tfrac{1}{2^2}\left[(x_1 + x_2 + x_3) + (2^2 - 3)\left(\tfrac{x_1+x_2+x_3}{3}\right)\right]\right\} \geq \\ &\geq \tfrac{1}{2^2}\left[f(x_1) + f(x_2) + f(x_3) + (2^2 - 3)f\left(\tfrac{x_1+x_2+x_3}{3}\right)\right]. \end{aligned} \tag{18}$$

Para ver la igualdad en (18), elija $x_4$ tal que

$$\frac{1}{2^2}(x_1 + x_2 + x_3 + x_4) = \frac{1}{3}(x_1 + x_2 + x_3),$$

esto implica que $x_4 = (x_1 + x_2 + x_3)\left(\frac{2^2}{3} - 1\right)$.

Luego para $f[\frac{1}{2^2}(x_1 + x_2 + x_3 + x_4)]$ sustituyendo $x_4$ por el valor hallado, y aplicando la conclusión obtenida para $n = 2^2$ se obtiene la desigualdad de (18). Entonces:

$$\left(1 - \frac{2^3 - 3}{2^2}\right) f\left(\frac{x_1 + x_2 + x_3}{3}\right) \geq \frac{1}{2^2}\left[f(x_1) + f(x_2) + f(x_3)\right],$$

o equivalentemente,

$$\frac{3}{2^2} f\left(\frac{x_1 + x_2 + x_3}{3}\right) \geq \frac{1}{2^2}\left[f(x_1) + f(x_2) + f(x_3)\right].$$

Para $n$ cualquiera elegimos $m$ tal que $2^{m-1} \leq n \leq 2^m$ y procedemos de manera análoga al caso $n = 3$, entonces podemos escribir:

$$\begin{aligned} f\left(\frac{x_1 + x_2 + \cdots + x_n}{n}\right) &= \\ &= f\left[\frac{1}{2^m}(x_1 + x_2 + \cdots + x_n) + (2^m - n)\frac{x_1 + x_2 + \cdots + x_n)}{n})\right] \\ &\geq \frac{1}{2^m}\left[f(x_1) + f(x_2) + \cdots + f(x_n) + (2^m - n)f\left(\frac{x_1 + x_2 + \cdots + x_n}{n}\right)\right]. \end{aligned}$$

Operando análogamente a lo hecho para el caso $n = 3$ obtenemos:

$$f\left(\frac{x_1 + x_1 + \cdots + x_n}{n}\right) \geq \frac{1}{n}\left[f(x_1) + f(x_2) + \cdots + f(x_n)\right].$$

Ahora para cualquier conjunto de $n$ racionales $\alpha_i = p_i/q_i$, $i = 1, 3, \ldots, n$ tales que $\sum_{i=1}^n \alpha_i = 1$, escribiendo ahora $\alpha_i = u_i/d$ donde $d$ el denominador común de los $\alpha_i$ se tiene que $\sum_{i=1}^n u_i = d$ luego:

$$\begin{aligned} f\left(\frac{u_1}{d}x_1 + \frac{u_2}{d}x_2 + \cdots + \frac{u_n}{d}x_n\right) &= \\ &= f\left(\frac{1}{d}[(x_1 + \cdots + x_1) + (x_2 + \cdots + x_2) + \cdots + (x_n + \cdots + x_n)]\right) \end{aligned}$$

habiendo $u_i$ sumandos en el paréntesis que ocupa el lugar $i$. El resultado se obtiene apelando al caso ya probado. □

Capítulo 5

# Dualidad y optimización

*Es cierto que un matemático que no es un poco poeta, no será nunca un perfecto matemático.*
K. Weierstrass.

En esta sección introduciremos el concepto de funcional como elemento del espacio dual de un espacio vectorial dado, y daremos la demostración del teorema de dualidad de Fenchel. Un rico desarrollo de estos conceptos con interesantes aplicaciones a la economía el lector puede encontrar en [Aubin, J.P.].

DEFINICIÓN 5.1. Se denomina **funcional** a una función $f : X \to R$ lineal y real, con dominio en un espacio vectorial $X$.

Un ejemplo de funcional ampliamente utilizado en economía, es el sistema de precios. Precisamente, podemos considerar a un sistema de precios, simbolizado por $p$, como una función lineal real (o funcional), que actúa en un espacio vectorial $X$ en el que está definido el conjunto de consumo de cada agente de la economía, de forma tal que, $p : X \to R$ define para cada cesta $x$ el valor $v$ de la cesta mediante la expresión: $px = v$. Por lo que dicho número $v$ representará el valor de la cesta de consumo $x$, a precios $p$.

DEFINICIÓN 5.2. El conjunto de los funcionales definidos en un espacio vectorial $X$ se denomina **espacio dual** o simplemente el dual de $X$, y se denota por $X^*$. Dicho espacio es a su vez un espacio vectorial. Es decir que $x^* \in X^*$ si y solamente si $x^* : X \to R$ y es lineal.

El teorema de representación de Riesz dice que todo funcional lineal en $R^n$ puede ser representado por un vector de $R^n$ en el sentido de que, para cada $x^* : R^n \to R$ lineal, existe $\bar{x} \in R^n$ tal que $x^*(x) = \langle \bar{x}, x \rangle$, $\forall x \in R^n$. Esto es, siendo $X = R^n$ entonces, $X^* = R^n$. Es decir que *el dual de* $R^n$ *es* *él mismo*[1]. En términos del teorema de Riesz, esto es equivalemte a afirmar que para todo $\bar{x}^*$ en el dual de $R^n$, existe $\bar{x} \in R^n$ que lo representa, esto es $x^*(x) = \langle \bar{x}, x \rangle \ \forall x \in R^n$.

El lector puede encontrar la demostración del teorema de Riesz, en cualquier texto de análisis funcional. Una generalización de dicho teorema con importantes aplicaciones en economía puede encontrarse en [Luenberger, D. (a)].

Usaremos la siguiente notación:

(1) Para $f$ funcional convexo, con dominio en $C$ subconjunto convexo de un espacio vectorial $X$, usaremos la notación $epi[f, C]$ para referirnos al epígrafo de $f$. Es decir que

$$epi[f, C] = \{(s, x) : x \in C : s \geq f(x)\}.$$

(2) Mientras que, para un funcional cóncavo $g$, definido en un conjunto convexo $D$, representamos por $sub[g, D]$ el de $g$. Es decir definimos

$$sub[g, D] = \{(r, x) : x \in D : r \leq f(x)\}.$$

La demostración de la siguiente proposición queda a cargo del lector.

TEOREMA 5.3. *El funcional $f$, definido en un conjunto convexo $C$ es convexo, si y solamente si, $[f, C]$ es convexo. Obsérvese que $epi[f, C] \subseteq R \times X$.*

EJERCICIO 5.4. Enuncie y demuestre el teorema corespondiente, para un funcional cóncavo.

## 5.1. Dualidad en problemas de distancias mínimas

El principio básico de la dualidad (el que se ilustra en la figura 14) es que: *La distancia mínima de un punto $x \notin K$ a un conjunto convexo $K$ es igual al máximo de las distancias desde el punto a los hiperplanos separadores del punto y el conjunto, al que representaremos por $\mathcal{P}$.*

Este principio intuitivamente simple nos permite llegar a un importante principio de dualidad. Hagamos previamente la siguiente definición:

DEFINICIÓN 5.5. Sea $K$ un conjunto convexo en un espacio normado $X$. Llamamos **funcional soporte** de $K$ al funcional $h : X^* \to R$ definido como $h(x^*) = sup_{x \in K} \langle x, x^* \rangle$. En general, $h(x^*)$ puede ser infinito.

---

[1]La demostración de este teorema para el caso de $R^n$ es sencilla. Sea $x^* : R^n \to R$ un funcional lineal de $R^n$. Consideremos ahora una base de $R^n$, sea esta $\{e_1, \ldots, e_n\}$. Para $x = (x_1, \ldots, x_n)$ se obtiene, $x^*(x) = \sum_{i=1}^n x_i x^*(e_i)$ es decir que para todo $x \in R^n$ se sigue que $x^*(x) = \langle \bar{x}, x \rangle$ siendo $\bar{x} = (x^*(e_1), \ldots, x^*(e_n))$.

Como puede fácilmente convencerse el lector, se verifica que el conjunto $K$ para todo $x^*$, pertenece al semiespacio

$$\mathcal{S}E_{x^*} = \{x \in X : \langle x, x^* \rangle \leq h(x^*)\}.$$

Por lo que $K \subseteq \bigcap_{x^* \in X^*} \mathcal{S}E_{x^*}$.

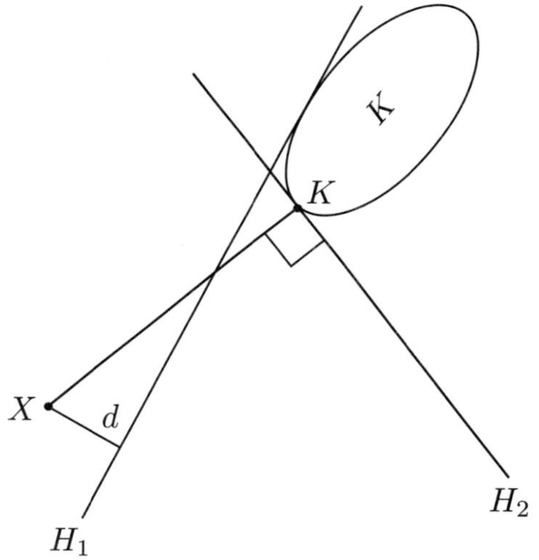


$\text{dist}\,(x, k) = \max_{H \in P} \text{dist}\,(x, H)$

El principio de la dualidad

FIGURA 14. Distancia de un punto a un convexo

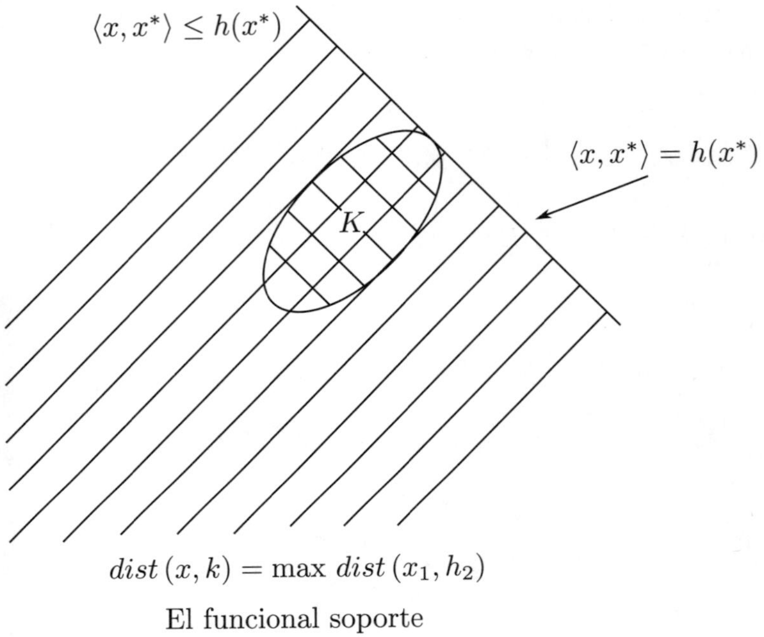


FIGURA 15. Conjunto convexo como intersección de semiespacios

La figura 15, representa dicho funcional, y puede ser interpretado geométricamente de la siguiente forma: Dado un elemento $x^* \in X^*$, consideremos la familia de todos los semi-espacios $\{x : \langle x, x^* \rangle \leq c\}$. Cuando la constante $c$ crece, los semiespacios se agrandan. Entonces $h(x^*)$ queda definido como el mínimo de los $c$ tales que el semiespacio que define, contiene a $K$.

A partir de esta observación concluimos en que

$$K = \bigcap_{x^* \in X^*} \{x : \langle x, x^* \rangle \leq h(x^*)\}.$$

Obsérvese que si $K$ es una esfera con centro en el origen, entonces $h(x^*)$ es igual al radio de la esfera al cuadrado.

En el siguiente teorema expresa analíticamente la interpretación geométrica del funcional soporte.

Sea $K$ un conjunto convexo, cuya distancia al cero es finita (ver 3.20). Sea $x^* \in X^*$ tal que $\|x^*\| = 1$ y supongamos que el hiperplano $H_{x^*} = \{x : \langle x, x^* \rangle \leq h(x^*)\}$ es un hiperplano soporte para $K$ que separa el cero de $K$. Entonces la distancia del origen a $H$ es igual $-h(x^*)$ ver figura 16.

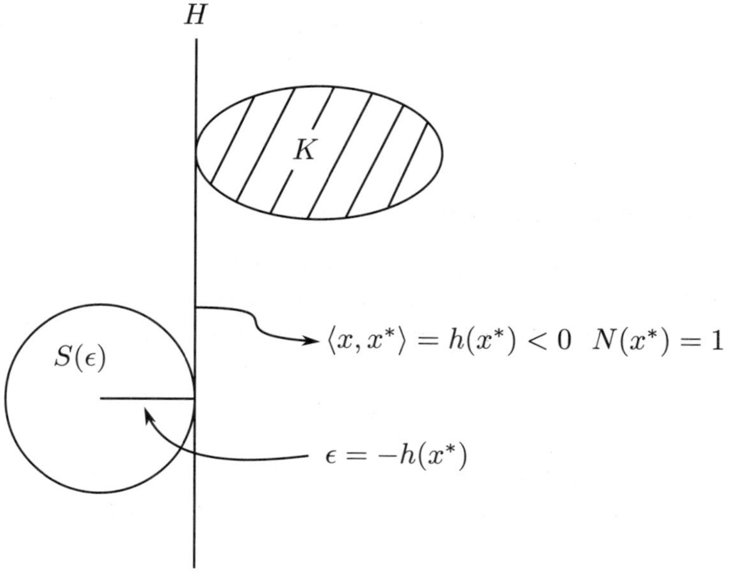


FIGURA 16. Distancia a un hiperplano soporte y la dualidad

TEOREMA 5.6. **(El problema dual de la norma mínima)** *Sea $x_1$ un punto en un espacio de Hilbert $X$ y sea $d$ su distancia a un conjunto convexo $K$ con un funcional soporte $h$, entonces:*

$$d = \inf_{x \in K} \|x - x_1\| = \max_{\|x^*\| \leq 1} \{\langle x_1, x^* \rangle - h(x^*)\},$$

*donde el máximo en la expresión de la derecha es alcanzado en $x_0^* \in X^*$.*

*Demostración:* Sin pérdida de generalidad consideremos $x_1 = 0$. Entonces debemos mostrar que:

$$d = \inf_{x \in K} \|x\| = \max_{\|x^*\| \leq 1} -h(x^*).$$

Obsérvese que solamente debemos preocuparnos por aquellos elementos de $x^*$ que hacen que $h(x^*) \leq 0$. Pues en otro caso se sigue inmediatamente que $d \geq -h(x^*)$. Si $x^*$ es tal que $h(x^*) < 0$ entonces $K$ está contenido en el semiespacio $C_{x^*} = \{x \in X : \langle x, x^* \rangle \leq h(x^*)\}$. Como $\langle 0, x^* \rangle = 0$ este semiespacio no contiene al 0. El hiperplano $H_{x^*} = \{x \in X : \langle x, x^* \rangle = h(x^*)\}$ separa $K$ de 0. Sea $B_\epsilon(0)$ una bola de radio $\epsilon$ centrada en 0, tal que $B_\epsilon(0) \cap C_{x^*} = \emptyset$. Para cada $x^* \in X^*$ tal que $h(x^*) < 0$ y $\|x^*\| = 1$ sea $\epsilon^*(x^*)$ el supremo de los $\epsilon > 0$ para el que $B_\epsilon(0) \cap C_{x^*} = \emptyset$. Obviamente $0 \leq \epsilon^*(x^*) \leq d$. Se tiene que $h(x^*) = \inf_{\|x\| < \epsilon^*} \langle x, x^* \rangle = -\epsilon^*$. Entonces para todo $x^* \in X^*$ y $\|x^*\| = 1$

se tiene que $-h(x^*) \leq d$. Por otra parte $K$ no contiene puntos interiores de $B_d(0)$, por lo que existe un hiperplano separando $K$ y $S(d)$. Es decir, existe $x^* : \|x^*\| = 1$ tal que $h(x^*) = d$. □

## 5.2. Funcionales y conjuntos conjugados

Para un espacio vectorial $X$ representaremos por $X^*$ el espacio vectorial formado por todos los funcionales lineales acotados en él definidos. Denominamos a este espacio vectorial, **dual topológico** de $X$. Un funcional lineal $L$ en $X$ se dice acotado si

$$\|L\| = \sup_{\|x\|\leq 1} |L(x)| < \infty.$$

(1) *Sea $f$ un funcional convexo definido en un subconjunto convexo $C$* de un espacio normado $X$, el conjugado **de** $C$ respecto de $f$ se define como:

$$C_f^* = \left\{ x^* \in X^* : \sup_{x\in C}[\langle x, x^*\rangle - f(x)] < \infty \right\}$$

y el *funcional $f^*$ con dominio en $C_f^*$* y definido como

$$f^*(x^*) = \sup_{x\in C}[\langle x, x^*\rangle - f(x)],$$

se denomina **funcional conjugado** de $f$ en $C$.

(2) *Para $g$ funcional cóncavo* definido en $D$ suconjunto convexo de un espacio normado $X$, se define el **conjunto $D^*$ conjugado** del subconjunto $D$ respecto de $g$ como:

$$D_g^* = \left\{ x^* \in X^* : \inf_{x\in D}\langle x^*, x\rangle - g(x)] > -\infty \right\}$$

y el **funcional** $g^*$ **conjugado** de $g$ como:

$$g^*(x^*) = \inf_{x\in D}[\langle x, x^*\rangle - g(x)].$$

Nótese que si $f = 0$ entonces $f^*$ define el funcional soporte para $C$, (ver definición 5.5). Análogamente para $g = 0$.

TEOREMA 5.7. *El funcional conjugado $f^*$ de un funcional convexo, es convexo, el conjunto conjugado $C^*$ es convexo y epi$[f^*, C^*]$ es un conjunto convexo y cerrado en $R \times X^*$. En el caso de ser $g$ un funcional cóncavo, se verifica que su conjugado es cóncavo, $D^*$ es convexo y $[g^*, D^*]$ es un conjunto convexo y cerrado en $R \times X^*$.*

*Demostración:* Probemos primeramente que $f^*$ es convexo. Considere $x_1^*$ y $x_2^*$ elementos duales. Sea $x^* = \alpha x_1^* + (1-\alpha)x_2^*$, entonces:

$$\begin{aligned} f^*(x^*) &= f^*(\alpha x_1^* + (1-\alpha)x_2^*) = \\ &= \sup_{x\in C}\{\alpha[\langle x, x_1^*\rangle - f(x)] + (1-\alpha)[\langle x, x_2^*\rangle - f(x)]\} \leq \\ &\leq \alpha \sup_{x\in C}[\langle x, x_1^*\rangle - f(x)] + (1-\alpha)\sup_{x\in C}[\langle x, x_2^*\rangle - f(x)] = \\ &= \alpha f^*(x_1^*) + (1-\alpha)f^*(x_2^*). \end{aligned}$$

Veamos ahora que $epi[f^*, C^*]$ es cerrado. Para esto consideremos una sucesión $\{(s_i, x_i^*)\}$ de elementos de $epi[f^*, C^*]$ convergente a $(s, x^*)$ y probemos que este punto pertenece a $epi[f^*, C^*]$. Se tiene que

$$s_i \geq f^*(x_i^*) \geq \langle x, x_i^*\rangle - f(x) \quad \forall x \in C.$$

Tomando límites para $i \to \infty$ concluimos en que

$$s \geq \langle x, x^*\rangle - f(x) \; \forall x \in C.$$

Luego

$$s \geq sup_{x\in C}[\langle x, x^*\rangle - f(x)] = f^*(x^*)$$

por lo que $[s, x^*] \in [f^*, C^*]$. □

Es posible definir el funcional **conjugado del conjugado** o doble conjugado, $f^{**} = (f^*)^*$.

$$f^{**} = \sup_{x^*}\{\langle x, x^*\rangle - f^*(x^*)\}.$$

Las siguientes propiedades son consecuencias inmediatas de las definiciones:

(1) $f^{**} = \sup_{x^*} \text{ínf}_y \{\langle x - y, x^*\rangle f(y)\}$.

(2) $f^{**}(x) \leq f(x) \; \forall x$.

Se tiene el siguiente teorema sin demostración, ésta puede consultarse en [Rockafellar, T.].

TEOREMA 5.8. *Sea $f$ una función convexa, semicontinua inferior y propia, entonces $f^*$ es convexa y semicontinua inferior y $f^{**} = f$.*

## 5.3. Interpretación geométrica del conjugado

Esta interpretación geométrica es debida a [Luenberger, D. (a)]. Por otra parte, en [Araujo, A. and Monteiro P.K.(90)] puede encontrarse una interesante aplicación a la teoría económica para el caso de economías definidas en espacios tales que su cono positivo es de interior vacío.

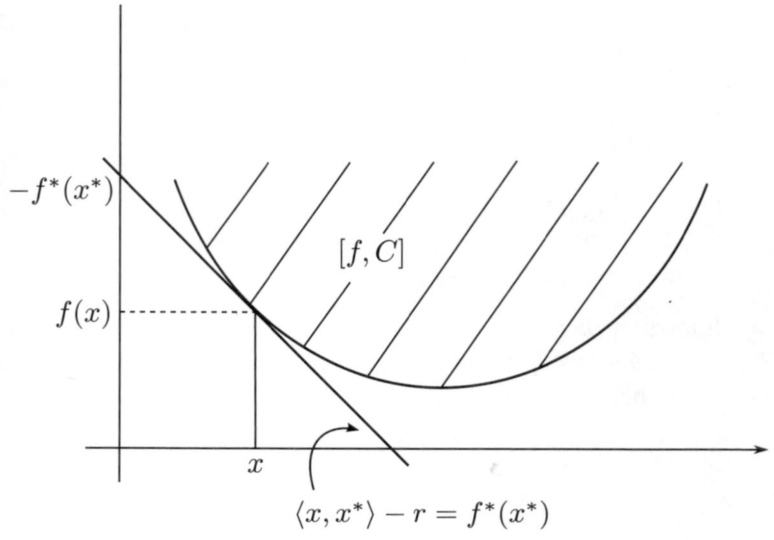


FIGURA 17. interpretación geométrica del conjugado

En el espacio $R \times X$ los hiperplanos cerrados quedan representados por la ecuación:

$$sr + \langle x, x^* \rangle = k,$$

de forma tal que $s$, $k$ y $x^*$ determinan un hiperplano. Representamos a $R$ en el eje vertical, por lo cual el hiperplano es no vertical si intersecta a $R$ en un sólo punto. Esto es equivalente a considerar hiperplanos definidos por $k$ y $(-1, x^*)$, pues cualquier hiperplano no vertical queda definido por una elección adecuada de $x^*$ y $k$. Las soluciones $(r, x)$ de la siguiente ecuación para $x^*$ fijo, dependen de $k$

$$\langle x, x^* \rangle - r = k$$

y describen, al modificarse $k$, hiperplanos paralelos en $R \times X$. Nótese que el número $f^*(x^*)$ es el supremo de los valores de $k$ para el cual el convexo $epi[f, C]$ queda comprendido en el semiespacio $\langle x, x^* \rangle - r \geq k$. Es decir que $\langle x, x^* \rangle - r = f^*(x^*)$ es un hiperplano soporte para el conjunto convexo $epi[f, C]$. Es decir que $f^*(x^*)$ es el funcional soporte $h$ definido en el dual $(-1, x^*)$, (ver definición 5.5). Se sigue que $f^*(x^*) = h(-1, x^*)$. Ahora bien, el hiperplano

$$\langle x, x^* \rangle - r = f^*(x^*)$$

intersecta el eje vertical, $R$, (es decir para $x = 0$) en en $r = -f^*(x^*)$. Por lo que $-f^*(x^*)$ es la altura del hiperplano sobre el origen, ver figura 17.

## 5.4. Ejercicios y Aplicaciones

Demuestre que el conjunto $\mathcal{P}$ definido en la sección 3.4 es convexo. Asuma que la función de tecnología es cóncava. Conisdere $x^* \in R^l$ definido por $x_i^* = w_i/p$, siendo $w_i$ el precio unitario del insumo $i$-ésimo y $p$ el precio unitario del producto.

(1) Interprete en términos económicos $h(x^*)$.

(2) Muestre que el beneficio máximo para los precios anteriormente establecidos, queda definido por el punto de corte del hiperplano tangente en $\bar{x}$ tal que $h(x^*) = \langle x, x^* \rangle$. Es decir que $\pi(w,p) = -f^*(x^*)$.

(3) Resuelva completamente los puntos anteriores para el caso en que hay un único insumo y un único producto estando la tecnología definida por $f(x) = x^{\frac{1}{2}}$.

## 5.5. Problemas duales de optimización

Consideraremos una aplicación de la conjugación al problema de optimización, que consiste en resolver. $\inf_{C\cap D}[f(x) - g(x)]$, donde $f$ es un funcional convexo definido en $C$ y $g$ es cóncavo con dominio $D$. Ambos dominios son subconjuntos convexos de un espacio vectorial $X$. Análogamente se puede considerar el problema de resolver $\sup_{C\cap D}[f(x) - g(x)]$, donde $f$ es un funcional cóncavo definido en $C$ y $g$ es convexo con dominio $D$, siendo $C$ y $D$ subconjuntos convexos de un espacio vectorial $X$. En las aplicaciones más frecuentes se considera $g = 0$.

TEOREMA 5.9. **(De dualidad de Fenchel)** *Sean $f$ y $g$ funcionales respectivamente, convexo y cóncavo definidos en $C$ y $D$ subconjuntos convexos de un espacio vectorial normado. Supongamos que $C \cap D$ contiene puntos en el interior relativo y además que tanto $[f, C]$ como $[g, D]$ tienen interior no vacío. Supongamos además que*

$$\mu = \inf_{x\in C\cap D} \{f(x) - g(x)\}$$

*es finito. Entonces*

$$\mu = \inf_{x\in C\cap D} \{f(x) - g(x)\} = \max_{x^*\in C^*\cap D^*} \{g^*(x^*) - f^*(x^*)\},$$

*donde el máximo de la derecha es alcanzado por algún $x_0^* \in C^* \cap D^*$. Si el ínfimo a la izquierda de la igualdad anterior, es alcanzado por algún $x_0 \in C \cap D$. Entonces:*

$$\max_{x\in C}[\langle x, x_0^*\rangle - f(x)] = [\langle x_0, x_0^*\rangle - f(x_0)]$$

y

$$\min_{x\in C}[\langle x, x_0^*\rangle - g(x)] = [\langle x_0, x_0^*\rangle - g(x_0)].$$

*Demostración:* Por definición, para todo $x^* \in C^* \cap D^*$ y $x \in C \cap D$ se obtiene:

$$(19) \qquad \begin{aligned} f^*(x^*) &\geq \langle x, x^*\rangle - f(x) \\ g^*(x^*) &\leq \langle x, x^*\rangle - g(x) \end{aligned}$$

De donde:

$$(20) \qquad f(x) - g(x) \geq g^*(x^*) - f^*(x^*)$$

Se obtiene que

$$(21) \qquad \inf_{C\cap D}[f(x) - g(x)] \geq \sup_{C^*\cap D^*}[g^*(x^*) - f^*(x^*)]$$

Ahora la igualdad de la hipótesis puede obtenerse, encontrando $x_0^* \in C^* \cap D^*$ que verifique que: $\inf_{C\cap D}[f(x)-g(x)] = [g^*(x_0^*)-f^*(x_0^*)]$. Para esto considere el desplazamiento vertical de $[f, C]$ definido por $[f-\mu, C]$. Los conjuntos $[f-\mu, C]$ y $[g, D]$ están arbitrariamente próximos, pero sus interiores respectivos son no vacíos y tienen intersección vacía. Podemos entonces aplicar el teorema de separación de convexos para definir un hiperplano en $R \times X$ que los separa el que podemos representar por $(1, x_0^*, c) \in R \times X^* \times R$. Este hiperplano puede ser descrito como

$$H = \{(r, x) \in R \times X : \langle x, x_0^*\rangle - r = c\}.$$

Siendo que $[g, D]$ está por debajo de $H$ pero arbitrariamente próximo, y $[f - \mu, C]$ por encima se tiene que

$$c = \inf_{x\in D}[\langle x, x_0^*\rangle - g(x)] = g^*(x_0^*)$$

y que

$$c = \sup_{x\in C}[\langle x, x_0^*\rangle - f(x) + \mu] = f^*(x_0^*) + \mu.$$

Luego $\mu = g^*(x_0^*) - f^*(x_0^*)$ basta entonces que el ínfimo $\mu$ sea alcanzado en alguún $x_0 \in C \cap D$. □

En las aplicaciones clásicas se trata, generalmente, de minimizar un funcional convexo restringido a un conjunto convexo $C$, o bien de maximizar un funcional cóncavo en un conjunto $D$ convexo. Estos conjuntos $C$ o $D$ forman el conjunto de restricciones o factible para el problema de optimización correspondiente. Llamaremos a estos problemas **problemas primales**. Para resolver cualquiera de los dos problemas mencionados de acuerdo al teorema de Fenchel elegimos $C = X$ y $g(x) = 0, \ \forall x \in D$, y resolvemos los correspondientes problemas duales. Por ser $g(x) \equiv 0$, se tiene que

$$g^*(x^*) = \inf_{x \in D} \{\langle x, x^* \rangle\}$$

De esta forma para el problema primal, de minimización del funcional convexo, obtenemos el problema dual, de maximización:

$$\inf_{x \in D} \{f(x)\} = \sup_{x^* \in D^*} \{\langle x, x^* \rangle - f^*(x^*)\}.$$

En el caso de maximizar el funcional cóncavo el teorema de dualidad toma la forma

$$\sup_{x \in D} \{f(x)\} = \inf_{x^* \in D^*} \{\langle x, x^* \rangle - f^*(x^*)\}.$$

Estos son los llamados **problemas duales.** El cálculo de $f^*$ es en si mismo un problema de optimización, no obstante, sin restricciones, pues consideramos $X = C$. El cálculo de $g^*$ es también un problema de optimización, en el que como elegimos $g = 0$, se transforma en un problema de optimización con objetivo lineal. Para una aplicación a la teoría económica del teorema de dualidad de Fenchel, ver por ejemplo [Accinelli, E.; Brida, G. Plata, L.; Puchet, M.].

## 5.6. Optimización lineal

Como otra aplicación de las funciones conjugadas, consideremos la dualidad en la optimización lineal. Sea $B$ una matriz de $m$ filas por $n$ columnas, $a$ y $x$ pertenecientes a $R^n$ y $b \in R^m$. Definimos:

$$\alpha = \inf_{x \geq 0} \{\langle a, x \rangle : Bx \geq b\} \tag{22}$$

Con la hipótesis de que existe $\bar{x}$ tal que $B\bar{x} \geq b$ siendo $\bar{x} \geq 0$. Podemos asegurar entonces que $\alpha < +\infty$. Definimos $f : R^n \to R$ como

$$f(x) = \begin{cases} \langle a, x \rangle & \text{si } Bx \geq b, \ x \geq 0, \\ +\infty & \text{en caso contrario.} \end{cases}$$

Sea ahora $\phi : R^n \times R^m$ definida por

$$\phi(x, u) = \begin{cases} \langle a, x \rangle & \text{si } Bx \geq b + u, \ x \geq 0, \\ +\infty & \text{en caso contrario} \end{cases}$$

Se puede probar fácilmente que $f$ y $\phi$ son funciones convexas, semicontinuas inferiormente y propias. Se tiene además que $f(x) = \phi(x, 0)$ $\forall x$ Sea ahora, $h(u) = \inf_x \phi(x, u)$, entonces $\alpha = h(0)$ siendo $h$ convexa.

El subnivel $\lambda$ de $\phi(x, u)$ se define como el conjunto $S_\lambda(\phi) = \{(x, u) \leq \lambda\}$, en este caso

$$S_\lambda(\phi) = \{\phi(x, u) : \langle a, x\rangle \leq \lambda,\ Bx - u \geq b,\ x \geq 0\}.$$

El conjunto $S_\lambda(\phi)$ es un poliedro convexo. Se tiene que $u \in S_\lambda(h)$ si y solamente si, para todo $\mu > \lambda$ existe $x$ tal que $\phi(x, u) \leq \mu$. Se tiene entonces que

$$S_\lambda(h) = \bigcap_{\mu>\lambda} proj_u S_\mu(\phi),$$

donde la función $proj_u : R^n \times R^m \to R^m$ queda definida por $proj_u(x, u) = u$, es decir que $proj_u$ representa la proyección natural del espacio producto $R^n \times R^m$ en su segunda componente. Por ser $S_\lambda(h)$ intersección de cerrados, es el mismo cerrado, luego $h$ es semicontinua inferior, y por lo tanto $h^{**} = h$ ver teorema 5.8. Por lo tanto $h^{**}(0) = \alpha = h(0)$. Calculemos a continuación la conjugada de $h$.

$$h^*(u^*) = \sup_u \{\langle u, u^*\rangle - h(u)\} = \sup_u \left\{\langle u, u^*\rangle - \inf_x \phi(x, u)\right\}.$$

Luego

$$h^*(u^*) = \sup_{x,u} \{\langle u, u^*\rangle + \langle 0, x^*\rangle - \phi(x, u)\}$$

Llegamos a que $h^*(u^*) = \phi^*(0, x^*)$. Finalmente:

$$h^*(u^*) = \phi^*(0, x^*) = \sup_{u,x} \{\langle u, u^*\rangle - \langle a, x^*\rangle :\ Bx - u \geq 0,\ x \geq 0.\}.$$

(1) Si $u^*$ tiene una componente negativa, por ejemplo la $i_0$ elegimos $u_i = -(Bx)_i - b_i$, y $u_{i_0} \to -\infty$. Entonces $h^*(u^*) = \infty$

(2) Si $u^* > 0$ entonces

$$h^*(u^*) = \sup_{x\geq 0} \{\langle -b + Bx, u^*\rangle - \langle a, x\rangle\} = \langle b, u^*\rangle + \sup_{x\geq o} \langle \{x, B^t u^* - a\rangle.$$

Concluimos en que

$$h^*(u^*) = \begin{cases} \langle -b, u^*\rangle & \text{si } B^t u^* - a \leq 0 \\ +\infty & \text{en caso contrario.} \end{cases} \tag{23}$$

Por lo tanto

$$\begin{aligned} h^{**}(0) &= \sup_{u^*} \left\{ \langle 0, u^* \rangle - \langle b, u^* \rangle : \ u^* > 0, \ B^t u^* \leq a \right\} = \\ &= \inf_x \left\{ \langle a, x \rangle : \ x > 0, \ Bx \leq b \right\} = h(0). \end{aligned}$$

Para una demostración de la dualidad en el caso lineal, usando directamente el teorema de Fenchel ver [Rockafellar, T.].

## 5.7. Dualidad y teoría de juegos

Consideremos un juego estratégico de dos jugadores, estrictamente competitivo, también llamado de suma cero (es decir cada jugador gana o pierde lo que el otro pierde o gana). Dos jugadores se encuentran enfrentados en un conflicto cuya resolución depende de lo que cada uno de ellos decida hacer. El jugador 1 al que representaremos como $J1$ puede escoger en un conjunto de acciones (o estrategias puras) que llamaremos $A_1$ finito, la acciones posibles de ser elegidas por este jugador, son representadas por $a_i \in A_1, , i = 1, \ldots, n$. Análogamente para el jugador 2, lo denotaremos como $J2$ y al conjunto de sus acciones posibles por $A_2 = \{b_1, \ldots, b_m\}$. Representamos por $u_1(a_i, b_j)$ el retorno que obtendrá $J1$ si el elige $a_i$ y su oponente $b_j$. Por $u_2(a_i, b_j)$ representaremos los retornos correspondientes a $J2$. La particularidad del juego es, como ya fue dicho que lo que uno gana el otro lo pierde, esto es $u_1(a_i, b_j) + u_2(a_i, b_j) = 0$.

Supongamos que cada jugador elige sus acciones en forma aleatoria, es decir mediante distribuciones de probabilidad, $x = (x_1, \ldots, x_n)$ por parte del jugador 1, e $y = (y_1, \ldots, y_m)$ para el jugador 2. El número $x_i, \ i = 1, \ldots, n$ representa la probabilidad de que $J1$ elija su acción $a_i$. Análogamente $y_i, \ i = 1, \ldots, m$, representa la probabilidad con que $J2$ elige su $i$-ésima acción. Las coordenadas de los vectores $x$ e $y$ suman respectivamente 1, y son positivas. El conjunto de todas las distribuciones posibles de ser elegidas las representaremos por $P_1$ y $P_2$, en teoría de juegos se denomina estrategias mixtas. Cada jugador elegirá la mejor distribución de probabilidades, considerando que su oponente hace lo mismo. En una matriz $M$ de entradas $g_{ij}$ representamos lo que el jugador 1 gana (o pierde) en el caso de de que él juegue de acuerdo a la estrategia $a_i$ y su oponente de acuerdo a la estrategia $b_j$. Respectivamente, el jugador 2 ganará $h_{ij}$ en este caso, por ser el juego estrictamente competitivo, se tiene $h_{ij} = -g_{ij}$.

El retorno esperado para el jugador 1 asociado al par estratégico $(x, y)$ será

$$u_1(x, y) = \sum_{ij} x_i g_{ij} y_j = \langle x M_1, y \rangle$$

donde $M_1$ representa una matriz de $n$ filas por $m$ columnas, cuyas entradas son los premios correspondientes al jugador 1. Análogamente el retorno esperado del jugador 2,

$$u_2(x,y) = \sum_{ij} x_i h_{ij} y_j = \langle xM_2, y\rangle$$

siendo $M_2$ una matriz de $n$ filas por $m$ columnas.

Si, por ejemplo, $J1$ elige $x$ no perderá más que $\text{máx}_{y\in P_2} \sum_{ij} x_i g_{ij} y_j$. Análogamente la mayor pérdida que puede sufrir $J_2$ si elige $y$, será igual al $\text{máx}_{x\in P_1} \sum_{ij} x_i g_{ij} y$. De esta forma si las siguientes cantidades existen,

$$\mu^0 = \text{mín}_{x\in P_1} \text{máx}_{y\in P_2} \sum_{ij} x_i g_{ij} y_j$$

$$\mu_0 = \text{máx}_{y\in P_2} \text{mín}_{x\in P_1} \sum_{ij} x_i g_{ij} y_j$$

$\mu^0$ representará la máxima pérdida a que $J1$ puede exponerse, mientras que $\mu_0$ representará el menor beneficio que $J2$ puede obtener.

De las definiciones se deduce que $\mu_0 \leq \sum_{ij} x_{0i} g_{ij} y_{0j} \leq \mu^0$. El problema fudamental es el de la existencia de la posibilidad para la que se verifica que $\mu_0 = \mu^0$. Como puede verse si esta posibilidad existe, la solución es precisamente un equilibrio de Nash. Consideraremos el caso en que $n = m$, (en forma más general podemos aplicar este teorema a espacios reflexivos) recuerde que el dual de $R^n$ es el propio $R^n$ (teorema de representación de Riesz). Resolveremos esta cuestión mediante el teorema de Fenchel.

TEOREMA 5.10. **(Del min-max)** *(Si los conjuntos de estrategias posibles de ser elegidas $P_1$ y $P_2$ forman conjuntos compactos y convexos, entonces:*

$$\text{mín}_{x\in P_1} \text{máx}_{y\in P_2} \sum_{ij} x_i g_{ij} y_j = \text{máx}_{y\in P_2} \text{mín}_{x\in P_1} \sum_{ij} x_i g_{ij} y_j.$$

Nótese que para el caso considerado se verifica el teorema pues tanto $P_1$ como $P_2$ son conjuntos compactos y convexos como subconjuntos de $R^n$.

*Demostración.* Definamos el funcional $f$ con dominio en $R^n$:

$$f(x) = \text{máx}_{y\in P_2} \sum_{ij} x_i g_{ij} y_j. \tag{24}$$

Una vez que $P_2$ es compacto, para cada $x \in R^n$ existe $y \in P_2$ solución del problema 24. El funcional $f$ es convexo y continuo en $P_1$; queremos ahora encontrar un expresión para $\text{mín}_{x\in P_1} f(x)$.

Usando el teorema de dualidad de Fenchel, partimos del funcional $f$ definido en $C = R^n$, definimos $g(x) = 0\ \forall x \in P_1$. Se ve inmediatamente que

$P_1^* = R^n$, se sigue entonces que

$$g^*(x^*) = min_{x \in P_1} \langle x, x^* \rangle. \tag{25}$$

Además observemos que $C^* = P_2$. En efecto, supongamos que $x_1^* \in C^*$ pero que $x_1^* \notin P_2$, entonces, por el teorema de separación de convexos se sigue que existen $\alpha$ y $\bar{x} \in R^n$ tales que $\langle \bar{x}, x_1^* \rangle - \langle \bar{x}, x^* \rangle > \alpha > 0$ para todo $x^* \in P_2$. Luego $\langle x, x_1^* \rangle - \text{máx}_{x^* \in P_2} \sum_{ij} x_{1i} g_{ij} x_j^*$ puede hacerse arbitrariamente grande, basta con elegir $x = k\bar{x}$ con $k$ suficientemente grande. Finalmente

$$sup[\langle x, x_1^* \rangle - f(x)] = \infty$$

y por lo tanto $x_1^* \notin C^*$.

Recíprocamente si: $x_1^* \in B$ entonces la expresión:

$$\langle x, x_1^* \rangle - \max_{x^* \in P_2} \sum_{x_i} g_{ij} x_j^*,$$

que puede escribirse como

$$\langle x, x_1^* \rangle - \max_{x^* \in P_2} \langle xM, x^* \rangle = \langle x, x_1^* \rangle - \max_{x^* \in P_2} \langle x, M^{tr} x^* \rangle,$$

alcanza su valor máximo, que es cero, en $x = 0$. Por lo que $f^*(x^*) = 0$. Finalmente se obtiene:

$$\min_{x \in P_1} f(x) = \max_{x^* \in P_2 \cap R^n} g^*(x^*) = \max_{x^* \in P_2} \min_{x \in P_1} \sum_{ij} x_i g_{ij} x_j^*. \square$$

Capítulo 6

# La programación no lineal

*El punto de partida de la definición de punto crítico es la fórmula:* $\frac{d}{dt}F(u(t))|_{t=0} = 0$.
E. Zeidler.

Es esta la sección central de este trabajo. Precisamente aquí demostraremos el teorema de Kuhn-Tucker. Es este teorema clave para la teoría de la optimización y como veremos su demostración requiere, como herramienta central, del teorema de separación de convexos. Quedará
de esta forma en evidencia la importancia que dicho teorema tiene para la optimización y por extensión, para la teoría económica. Si bien en este trabajo, el teorema de separación de convexos, fue demostrado en $R^n$ su validez como ya se dijo enla sección 3.3 es mucho más amplia. En espacios de dimensión infinita es un corolario del teorema de Hahn-Banach y así se lo puede encontrar en muchos textos de análisis funcional, ver por ejemplo [Brézis, H.]. A pesar de lo dicho, muchas de las generalizaciones del teorema de separación de convexos requieren de atentos cuidados al cumplimiento de todas las hipótesis requeridas. Una hipótesis de gran importancia y difícilmente soslayable, para el cumplimiento de este teorema, es (como ya fue mencionado), la de que el convexo que se pretende separar debe ser de interior no vacío, hecho este que no siempre se cumple, en particular en espacios de dimesión infinita. Los llamados conos positivos de muchos espacios de dimensión infinita, como por ejemplo $L^2_+(\mu)$ (el cono positivo del espacio de las funciones $\mu-$medibles con cuadrado integrable), ampliamente utilizado en la teoría de finanzas, ver por ejemplo [Duffie, D.], son en general conjuntos convexos de interior vacío. Esto obliga a que para resolver algunos problemas propios de la teoría económica, se busquen alternativas a este teorema, véase por ejemplo el trabajo ya citado [Mas-Colell, A. (86)] o [Araujo, A. and Monteiro P.K. (93)]. Afortunadamente este no es el caso de $R^n$, cuyo cono positivo tiene, como es fácilmente verificable, interior no vacío.

En muchos problemas de la economía y de la ingeniería como en general de la ciencia es necesario maximizar o minimizar funciones reales definidas en subconjuntos $X \subseteq R^n$, bajo determinadas restricciones adicionales, como por ejemplo:

$$g_1(x) \geq 0, \quad g_2(x) \geq 0, \quad \cdots \quad , g_m(x) \geq 0$$

donde cada $g_j$ es una función real. Por ejemplo en la teoría del consumidor $f : X \to R$ es la función de utilidad, evaluada en cestas de consumo $x$ con $n$ bienes, $X$ el ortante positivo de $R^n$, y las restricciones, las determinadas por la región presupuestaria, $M - \langle p, x \rangle \geq 0$, con $x \geq 0$. $M$ es el nivel de ingresos del consumidor. En muchos otros casos, no sólo en las aplicaciones a la economía, las restricciones comprenden las llamadas restricciones de no negatividad, esto es que $x_i \geq 0$ para todas las variables involucradas en el problema. La existencia de este tipo de restricción da lugar a una forma particular para la resolución del problema a la que nos referiremos en la observación (6.13).

Si las funciones que intervienen en el problema son lineales, entonces estamos frente a un problema de programación lineal. Este problema fue formulado por el matemático ruso Kantorovich, y luego desarrollado en los Estados Unidos por Dantzig y otros. En cuanto a la programación no lineal el trabajo seminal es [Kuhn,H.W.; Tucker, A. W.].

Nos restringiremos en el texto generalmente, al problema de maximizar funciones cóncavas o minimizar funciones convexas con restricciones convexas, pues así se presentan las aplicaciones más frecuentes en teoría económica, por lo que las llamadas condiciones de primer orden serán necesarias y suficientes para resolver el problema. No obstante en la sección 7.2, analizaremos brevemente, las llamadas condiciones de segundo orden, suficientes para problemas con funciones objetivo que no son cóncavas ni convexas.

La relación funcional $g_j(x) = 0$, lineal o no, define (bajo condiciones bastante generales, [Lima, L.]) una superficie en $R^n$. Suponga además que, esta superficie (o curva si $n = 1$), divide al espacio en dos regiones, una región que representaremos por $\mathcal{A}_j = \{x \in R^n : g_j(x) \geq 0\}$, otra definida como $\mathcal{B}_j = \{x \in R^n : g_j(x) \leq 0\}$ y una frontera común a la que llamaremos $\mathcal{F}r = \{x \in R^n : g_j(x) = 0\}$. El llamado **conjunto factible,** el que matemáticamente se representa como: $\mathcal{C} = \{x : x \in X, \ g_j(x) \geq 0, j = 1, 2, \ldots, m\}$, representa las restricciones impuestas al programa, donde $X$ es un subconjunto del espacio vectorial en el que se está trabajando, en nuestro caso de $R^n$. Nótese que $\mathcal{C} = \cap_{j=1}^{n} A_j \cap X$. En general las técnicas de optimización transforman problemas con un cierto número de variables y restricciones, en problemas de optimización con menos restricciones pero más variables. Es este punto de vista el que hace que el concepto de punto de ensilladura sea fundamental en la programación convexa.

En principio, puede suceder que el conjunto $\mathcal{C}$ fuese vacío, esto es que no exista $x \in X$ que satisfaga a la vez a todas las condiciones de factibilidad. Suponga que $\mathcal{C} \neq \emptyset$, entonces el programa no lineal, consiste en maximizar la función objetivo: $f(x)$ sobre el conjunto no vacío $\mathcal{C}$. Si el punto $\bar{x}$, que resuelve el programa pertenece al interior de la región $\mathcal{A}_h$ decimos que la restricción $h$ es **inactiva,** contrariamente las restricciones $\mathcal{A}_i$ se dicen **activas,** si se verifica que $g_i(\bar{x}) = 0$.

El conocido problema de Lagrange o Euler, que consiste en maximizar una cierta función real, con restricciones siempre activas $g_j(x) = 0,\ \ j = 1, 2, \ldots, m$; no puede considerarse como un caso particular del programa no lineal expuesto sustituyendo las restricciones $g_j(x) = 0$ por $g_j(x) \geq 0$ y $-g_j(x) \geq 0$. Veremos que esto inhabilita la mayoría de las llamadas condiciones de cualificación. Las siguientes preguntas son las que aparecen naturalmente en un programa de maximización no lineal:

(1) ¿Es el conjunto $\mathcal{C}$ no vacío ? Esto es, ¿existe un punto factible?
(2) ¿Existe una solución $\bar{x}$? Es decir, ¿existe al menos un punto en el conjunto factible, que maximice a la función objetivo?
(3) En caso de existir solución, ¿es ésta única?
(4) ¿Existen algoritmos que permitan hallar la solución?

En todo lo que sigue asumiremos que las funciones que aparecen son propias. (Ver definción 4.9).

## 6.1. Programación cóncava. Punto silla

En esta sección caracterizaremos la solución del programa de maximización no lineal, cuando se trata de maximizar una función objetivo cóncava sujeto a restricciones que definen un conjunto factible convexo. Sea $X$ un subconjunto convexo de $R^n$. Observe que si $g : X \longrightarrow R$ define una función cóncava, entonces el conjunto $S_u = \{x \in X : g(x) \geq u\}$ define un conjunto convexo. Por lo que para $n$ funciones $g_i : X \to R,\ i = 1, \ldots, n$ cóncavas, se tiene que, el conjunto $S$, definido por la intersección de todos los $S^i_{u_i}$, $S = \cap_{i=1}^n S^i_{u_i}$, es un conjunto convexo, siendo $S^i_{u_i} = \{x \in X : g_i(x) \geq u_i\},\ i = 1, \ldots, n$. En la mayoría de los problemas que analizaremos, el conjunto factible aparecerá definido de esta forma.

Comenzaremos analizando el comportamiento de **punto silla,** el que caracterizará a la solución de nuestro problema. Su característica principal es la de

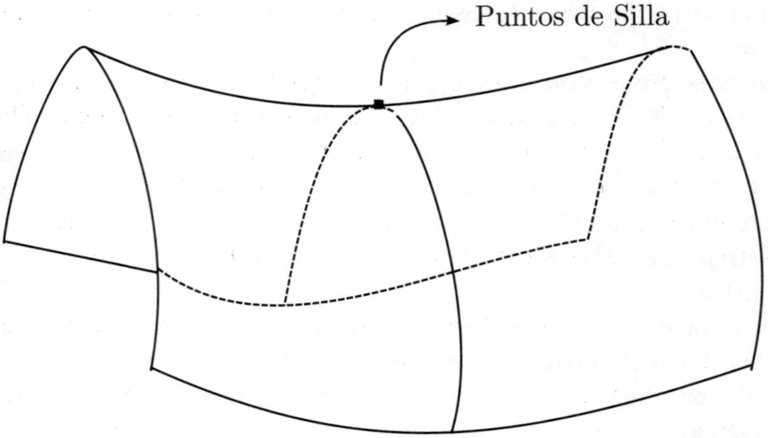


FIGURA 18. La silla de montar

definir un máximo relativo de una determinada función restringido a una determinada dirección y ser a la vez un mínimo de la misma función en otra dirección.

DEFINICIÓN 6.1. Sea $\Phi(x, y)$ una función a valores reales definida en $X \times Y$ donde $x \in X$ e $y \in Y$. Un punto $(\bar{x}, \bar{y})$ en $X \times Y$ se llama **punto de silla** de $\Phi(x, y)$ si:

$$\Phi(x, \bar{y}) \leq \Phi(\bar{x}, \bar{y}) \leq \Phi(\bar{x}, y), \ \forall x \in X, y \in Y$$

Es conocida la imagen que representa al punto silla a través del dibujo de una silla de montar, figura 18, pero no es esta la única posibilidad como se demuestra en el ejemplo 6.2.

EJEMPLO 6.2. La siguiente descripción corresponde a la figura 19. donde el $(0, 0)$ es un punto de silla:

$$\Phi(x, y) = 1 - x + y, \ \ 0 \leq x \leq 1, 0 \leq y \leq 1.$$

EJERCICIO 6.3. Suponga que el punto $S = (\bar{x}, \bar{y})$ es un punto de silla de la función dos veces derivable[1] $\Phi : R^2 \to R$. ¿Qué propiedades deben verificar las derivadas parciales en el punto $S$? ¿Es la matriz hessiana definida positiva o negativa?

---

[1]Entendemos que la función es dos veces derivable en un punto, si existen en el punto todas las derivadas hasta el segundo orden.

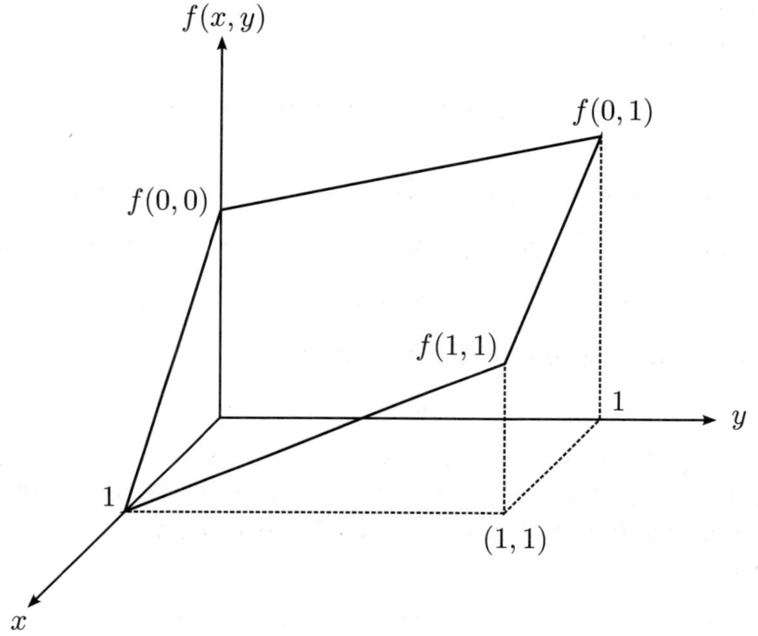


FIGURA 19. Punto de silla

## 6.2. Un teorema previo al de Kuhn-Tucker

El objetivo de esta sección y la siguiente es la demostración rigurosa del teorema de Kuhn-Tucker, de forma tal de comprender sus posibilidades y limitaciones para resolver diferentes tipos de problemas de optimización y comprender las características de las soluciones. Comenzaremos considerando un teorema previo, que nos permitirá demostrar el teorema de Kuhn-Tucker en forma directa.

Al siguiente teorema lo llamaremos *teorema fundamental* pues muchas de las técnicas que utilizaremos para resolver problemas de optimización que involucren funciones cóncavas o convexas se basan en él. En particular en la demostración del teorema de Kuhn-Tucker se utiliza fuertemente este teorema.

TEOREMA 6.4. **(Fundamental de optimización)** *Sea $X$ un conjunto convexo en $R^n$ y sean $f_1, f_2, \ldots, f_m$ funciones cóncavas, reales, definidas en $X$. Si el sistema:*

$$f_i(x) > 0, \ i = 1, 2, \ldots, m$$

*no admite soluciones $x \in X$, entonces existen coeficientes $p_1, p_2, \ldots, p_m$, no negativos y que no se anulan simultáneamente, para los que se verifica la* *desigualdad siguiente:*

$$pf(x) = \sum_{i=1}^{m} p_i f_i(x) \leq 0 \quad \forall x \in X. \tag{26}$$

*Siendo* $p = (p_1, p_2, \ldots, p_m)$, *y* $f(x) = (f_1(x), f_2(x), \ldots, f_m(x))$.

*Demostración:* Dado un punto $x \in X$ definimos el conjunto $Z_x$ como:

$$Z_x = \{(z_1, z_2, \ldots, z_m) \in R^m;\ z_i < f_i(x) \ \ i = 1, 2, \ldots, m\}$$

Consideremos ahora el conjunto $Z$ definido por:

$$Z = \cup_{x \in X} Z_x$$

El conjunto $Z$ no contiene al cero y es convexo. En efecto, si contuviera al cero el sistema $f_i(x) > 0$, $i = 1, 2, \ldots, m$, tendría solución, lo que es una contradicción. Para probar la convexidad, suponga que $z_1 \in Z_{x_1}$ y $z_2 \in Z_{x_2}$ entonces

$$\lambda z_1 + (1 - \lambda) z_2 \leq \lambda f(x_1) + (1 - \lambda) f(x_2) \leq f(\lambda x_1 + (1 - \lambda) x_2).$$

Entonces, haciendo uso el teorema de separación (3), sección 3.3, sabemos que existe $\bar{p}$ tal que $\langle \bar{p}, z \rangle \geq \langle \bar{p}, 0 \rangle = 0$ para todo $z \in Z$

Como $z_j$ puede tomarse tan negativo como se quiera, obtenemos $\bar{p} \leq 0$. Consideramos a continuación $p = -\bar{p}$. Se sigue que $\langle p, z \rangle \leq 0$ para todo $z \in Z$. Finalmente consideremos $z_j = f_j(x) - \epsilon_j$. Obtenemos $\sum_{i=1}^{m} p_j [f_j(x) - \epsilon_j] \leq 0$, esto supone que $\sum_{i=1}^{m} p_j f_j(x) < \epsilon$, donde $\epsilon = \sum_{i=1}^{m} p_j \epsilon_j$. Como esta relación vale para cualquiera sea $\epsilon$ concluimos con que $\sum_{i=1}^{m} p_j f_j(x) \leq 0$. □

## 6.3. El teorema de Kuhn-Tucker

TEOREMA 6.5. **(De Kuhn-Tucker, Uzawa)** *Sean* $f, g_1, g_2, \ldots, g_m$ *funciones reales y cóncavas definidas en un conjunto convexo* $X \subset R^n$. *Supongamos que en* $\bar{x}, f$ *alcanza su máximo, sujeto a las restricciones* $g_i(x) \geq 0$, $i = 1, 2, \ldots, m$. *Entonces, existen coeficientes,* $\bar{p}_0, \bar{p}_1, \ldots, \bar{p}_m$, *ninguno de ellos negativo y no todos iguales a cero, tales que:*

$$\bar{p}_0 f(x) + \bar{p} g(x) \leq \bar{p}_0 f(\bar{x}) \ \ \forall x \in X$$

*donde* $\bar{p} = (\bar{p}_0, \bar{p}_1, \ldots, \bar{p}_n)$ *y* $g(x) = (g_1(x), g_2(x), \ldots, g_m(x))$.

*Además* $\bar{p} g(\bar{x}) = 0$. *Pudiéndose elegir los coeficientes* $\bar{p}_i$ *tales que* $\sum_{i=0}^{m} \bar{p}_i = 1$.

*Demostración:* La prueba de este teorema, sigue de aplicar el teorema fundamental al sistema:

$$g_i(x) \geq 0, \; i = 1, 2, \ldots, m$$

$$f(x) - f(\bar{x}) > 0$$

para $\bar{x} \in X$ que maximiza a $f$. Este sistema no tiene solución, por lo tanto, tampoco lo tendrá el sistema que resulta del anterior sustituyendo desigualdades por desigualdades estrictas. La primera afirmación resulta entonces de aplicar ahora el teorema fundamental a este último sistema.

Para probar la segunda afirmación, considere la desigualdad:

$$\bar{p}_0[f(x) - f(\bar{x})] + \sum_{i=1}^{m} \bar{p}_i g_i(x) \leq 0, \quad \forall x \in X$$

o lo que es lo mismo:

$$\bar{p}_0 f(x) + \bar{p}g(x) \leq \bar{p}_0 f(\bar{x}), \; \forall x \in X$$

sustituya ahora $x$ por $\bar{x}$ en la desigualdad anterior. La afirmación sigue del hecho de que $\bar{p} \geq 0$ y $g(\bar{x}) \geq 0$. □

Llamaremos en lo que sigue, a los coeficientes $\bar{p}_0, \bar{p}_1, \ldots, \bar{p}_m$, **multiplicadores de Kuhn-Tucker.**

COROLARIO 6.6. *Supongamos que se satisfacen además de las condiciones del teorema anterior las siguientes:*

- **(S)** **(de Slater)** *Existe $\tilde{x} \in X$ tal que $g_i(\tilde{x}) > 0, \; i = 1, 2, \ldots, m$. Entonces tenemos que $\bar{p}_0 > 0$.*
- **(SP)** *Si se satisface* **(S)** *así como las condiciones del teorema, entonces existen coeficientes $\bar{\lambda} = (\bar{\lambda}_1, \bar{\lambda}_2, \ldots, \bar{\lambda}_m)$ tales que: $\Phi(x, \bar{\lambda}) \leq \Phi(\bar{x}, \bar{\lambda}) \leq \Phi(\bar{x}, \lambda)$, para todo $x \in X$ y $\lambda \geq 0$, donde $\Phi(x, \lambda) = f(x) + \lambda g(x)$, con $\lambda = (\lambda_1, \lambda_2, \ldots, \lambda_m)$, siendo $\lambda_j = \frac{\bar{p}_j}{\bar{p}_0}$.*

*En otras palabras, $(\bar{x}, \bar{\lambda})$ es un punto de silla para $\Phi(x, \lambda)$.*

*Demostración:* La demostración se hace por el absurdo, suponga que $\bar{p}_0 = 0$, obtenemos $\bar{p}g(x) \leq 0, \quad \forall \quad x \in X$, en particular $\bar{p}g(\tilde{x}) \leq 0$, lo que obviamente contradice el supuesto de ser $\tilde{x}$ un punto interior de la región factible.

La segunda parte se sigue inmediatamente de que: $\bar{p}g(\bar{x}) = 0, \quad g(\bar{x}) \geq 0$ y $p \geq 0$. □

NOTA 6.7. La condición **S** es conocida como **condición de Slater.** Si esta condición no se verifica, entonces el corolario no necesariamente se cumple.

Considere el siguiente problema: Maximizar $f(x) = x, x \in R$ sujeto a: $g(x) = -x^2 \geq 0$. Claramente $\bar{x} = 0$ es la solución, no obstante puede observarse que, $(0, \bar{\lambda})$ no es punto de silla de $\Phi(x, \lambda) = f(x) + \lambda g(x)$ para ningún $\lambda$ no negativo. (Obsérvese que $\frac{\partial \Phi}{\partial x}$ evaluada en $x = 0$ es positiva, para cualquier valor de $\lambda$).

La función $\Phi(x, \lambda) = f(x)+\lambda g(x)$, o la no tan usual $\Phi(x, p) = p_0 f(x)+pg(x)$ definida en $X \times R^m_+$, es llamada **el lagrangiano** de $f$.

Se tiene el recíproco del corolario recién probado:

TEOREMA 6.8. *Sean $f$, $g_1$, $g_2$, $\ldots, g_m$, funciones reales definidas en $X \subset R^n$. Si existe un punto $(\bar{x}, \bar{\lambda}) \in X \times R^m_+$ punto de silla para el lagrangiano del problema de maximizar $f$, sujeto a $g_j(x) \geq 0$, $j = 1, 2, \ldots, m$ entonces:*

(i) *El punto $\bar{x}$ maximiza $f$ sujeto a las restricciones.*

(ii) $\bar{\lambda} g(\bar{x}) = 0$. *Nótese que esta condición implica $\bar{\lambda}_i g_i(\bar{x}) = 0$ $\forall\, i \in (1, 2, \ldots, m)$.*

*Demostración:* La desigualdad $\Phi(\bar{x}, \bar{\lambda}) \leq \Phi(\bar{x}, \lambda), \forall \lambda \in R^m_+$ implica $\bar{\lambda} g(\bar{x}) \leq \lambda g(\bar{x}), \forall \lambda \in R^m_+$, por lo tanto (basta elegir $\lambda = 0$) $\bar{\lambda} g(\bar{x}) \leq 0$, como $\bar{\lambda} \in R^m_+$ y $\bar{x}$ verifica las restricciones, se sigue *(ii)*.

Luego, $g_j(\bar{x}) \geq 0$, $j = 1, 2, \ldots, m$, tomando $\lambda = 0$ en la desigualdad de arriba, obtenemos $\bar{\lambda} g(\bar{x}) = 0$. Esto es *(ii)* se cumple.

Ahora de la desigualdad $\Phi(x, \bar{\lambda}) \leq \Phi(\bar{x}, \bar{\lambda}), \forall x$ y de *(ii)* se sigue que $f(\bar{x}) - f(x) \geq 0$ para toda $x \in X$ tal que $g_j(x) \geq 0$, $j = 1, 2, \ldots, m$. □

NOTA 6.9. Nótese que los multiplicadores de Kuhn-Tucker, correspondientes a restricciones inactivas, son ceros. La condiciones (ii) del teorema (6.8), suelen llamarse *condiciones de complementariedad.*

Combinando este teorema y el corolario anterior, obtenemos el siguiente resultado:

TEOREMA 6.10. *Sean $f, g_1, g_2, \ldots, g_m$, funciones cóncavas definidas sobre un conjunto convexo $X \subset R^n$. Suponga además que se cumple la condición de Slater (S). Entonces $\bar{x}$ maximiza a $f$ sujeto a $g_j(x) \geq 0$, $j = 1, 2, \ldots, m$, si y sólo si existe $\bar{\lambda} \geq 0$ tal que $(\bar{x}, \bar{\lambda})$ que es un punto silla del lagrangiano $\Phi(x, \lambda)$ para $x \in X$ y $\lambda \geq 0$ y tal que $\bar{\lambda} g(\bar{x}) = 0$.*

## 6.4. Caracterización por las condiciones de primer orden

En esta sección asumiremos que las funciones $f, g_1, g_2, \ldots, g_m$; reales, tienen dominio en un conjunto $X \subset R^n$, y que son diferenciables[2] en $X$.

[2]Esto es derivables, con derivadas parciales continuas.

Discutiremos sobre las siguientes condiciones llamadas de primer orden:

**(M)** *(Condición de Máximo)* Existe $\bar{x} \in X$ que maximiza a $f$ sujeto a: $g_j(x) \geq 0, j = 1, 2, \ldots, m$; con $x \in X$.

**(SP)** *(Condición de Punto de Silla)* Existe $(\bar{x}, \bar{\lambda})$ en $X \times R_+^m$, punto de silla de $\Phi(x, \lambda) = f(x) + \lambda g(x)$.

**(CPO)** *(Condiciones de Primer Orden)* Existe un $(\bar{x}, \bar{\lambda})$ en $X \times \Omega^n$ tal que $\bar{f}_x + \bar{\lambda}\bar{g}_x = 0,\ g(\bar{x}) \geq 0$ y $\bar{\lambda} g(\bar{x}) = 0$.

Obsérvese que la condición $\bar{f}_x + \bar{\lambda}\bar{g}_x = 0$ puede escribirse como:

$$\frac{\partial f}{\partial x_i}(\bar{x}) + \sum_{j=1}^{m} \bar{\lambda}_j \frac{\partial g_j}{\partial x_i}(\bar{x}) = 0, i = 1, 2, \ldots, n$$

donde las derivadas parciales se evaluan en $x = \bar{x}$.

TEOREMA 6.11. *Sean $f, g_1, g_2, \ldots, g_m$, funciones reales y diferenciables en un subconjunto abierto $X \subset R^n$.*

(i) *La condición (SP) implica las (CPO)*

(ii) *Si además las funciones son todas cóncavas, y $X$ convexo entonces se cumple el recíproco, esto es (CPO) implica (SP).*

*Demostración:*

(i) Por hipótesis $\Phi(x, \bar{\lambda}) \leq \Phi(\bar{x}, \bar{\lambda})$ para todo $x \in X$. Se sigue que $\Phi_x(\bar{x}, \bar{\lambda}) = \bar{f}_x + \bar{\lambda}\bar{g}_x = 0$. Además por el teorema 6.8, se sigue que $\bar{\lambda}\bar{g}_x = 0$. Finalmente de $\Phi(\bar{x}, \bar{\lambda}) \leq \Phi_x(\bar{x}, \lambda)$, para todo $\lambda \geq 0$ se sigue que $g(\bar{x}) \geq 0$.

(ii) Por ser $\Phi(x, \lambda)$ combinación lineal no negativa de funciones cóncavas, ella misma es cóncava, luego como $\Phi_x(\bar{x}, \bar{\lambda}) = 0$ se sigue que $\Phi(x, \bar{\lambda}) \leq \Phi(\bar{x}, \bar{\lambda})$ para todo $x \in X$. Por último, por ser $\bar{\lambda}.g(\bar{x}) = 0$, obtenemos $\Phi(\bar{x}, \bar{\lambda}) \leq \Phi(\bar{x}, \lambda)$ para todo $\lambda \geq 0$, y $g(\bar{x}) \geq 0$. □

Combinando este teorema con el corolario del teorema de Kuhn-Tucker Uzawa obtenemos el siguiente resultado:

TEOREMA 6.12. *Sean $f, g_1, g_2, \ldots, g_m$, funciones cóncavas y diferenciables en un conjunto convexo abierto, $X \subset R^n$. Asuma que se cumpla la condición de Slater, entonces se verifica (M) si y sólo si se verifican (CPO).*

Las relaciones entre, (M), (SP), (CPO) son representadas en la figura 20.

NOTA 6.13. En economía es frecuentemente necesario, usar la restricción $x \geq 0$, junto a otras como $g_j(x) \geq 0$, $j = 1, 2, \ldots, m$, en este caso la condición (CPO) se presenta de la siguiente manera:

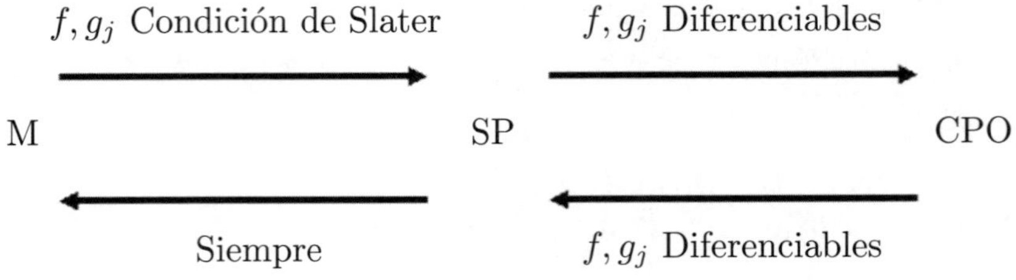


FIGURA 20. Las relaciones entre, (M), (SP), (CPO)

Existen $\bar{x}, \bar{\lambda}$ y $\bar{\mu}$ tales que:

$$\frac{\partial f(\bar{x})}{\partial x_i} + \bar{\lambda}\frac{\partial g(\bar{x})}{\partial x_i} + \mu = 0, \forall i = 1, 2, \ldots, n,$$

$$\bar{\lambda} g(\bar{x}) + \bar{\mu}\bar{x} = 0$$

y además:

$$g(\bar{x}) \geq 0, \quad \bar{x} \geq 0,$$
$$\bar{\lambda} \geq 0, \quad \bar{\mu} \geq 0.$$

Esta condición puede transformarse en la expresión equivalente:
Existen $\bar{x} \geq 0, \bar{\lambda} \geq 0$ tales que:

$$\tfrac{\partial f(\bar{x})}{\partial x_i} + \bar{\lambda}\tfrac{\partial g(\bar{x})}{\partial x_i} \leq 0, \quad [\tfrac{\partial f(\bar{x})}{\partial x_i} + \bar{\lambda}\tfrac{\partial g(\bar{x})}{\partial x_i}]\bar{x}_i = 0 \quad i = 1, 2, \ldots, n$$

$$\bar{\mu}_i \bar{x}_i = 0 \quad \bar{\lambda}_i g_i(\bar{x}) = 0, \qquad g(\bar{x}) \geq 0.$$

EJEMPLO 6.14. Un caso sencillo común en la teoría del consumidor se presenta cuando se trata de encontrar la demanda de un agente, que maximiza una función de utilidad $u : R^n_+ \to R$ en su restricción presupuestaria. Considere el lector los siguientes casos:

(1) $u : R^2 \to R$ definida como $u(x_1, x_2) = ax_1 + bx_2$ con la restricción presupuestaria $B = \left\{x \in R^2_+ : 2x_1 + 3x_2 \leq 5\right\}$ obtenga la solución para el problema de maximizar

$$\max_{x_1, x_2} u(x_1, x_2), \quad \text{sujeto a la condición } (x_1, x_2) \in B,$$

discutiendo en función de $a$ y $b$.

(2) $u : R^2 \to R$ definida como $u(x_1, x_2) = x_1^a x_2^b$ para $0 \leq a, b \leq 1$ con la restricción presupuestaria anterior obtenga la solución al problema de maximizar $u(x_1, x_2)$, $s.a$ $(x_1, x_2) \in B$.

Como habitualmente, $R^n_+$ simboliza el cono positivo de $R^n$.

## 6.5. Condiciones de cualificación

En el teorema 6.12 se analiza la relación existente entre la existencia de un máximo y las condiciones de primer orden (CPO), pasando por la condición de Slater y la concavidad de las funciones involucradas. El trabajo original de Kuhn y Tucker relaciona, la existencia del máximo y las condiciones de primer orden directamente. Se buscan en este trabajo, condiciones necesarias para la optimalidad, es decir condiciones que aseguran que un óptimo verifica las llamadas CPO. Las condiciones que aseguran esto, son llamadas condiciones de cualificación. Sin que estas condiciones se verifiquen no es necesariamente cierto que si un punto $x^*$ resuelve un determinado programa de optimización las condiciones de primer orden (CPO),

$$f_x(x^*) + \lambda^* g_x(x^*) = 0, \quad (A)$$

(27)
$$\lambda^* g(x^*) = 0, \quad (B)$$

$$\lambda^* \in R^n_+, \quad (C')$$

deban verificarse. Es decir, la afirmación: *las condiciones de primer orden, son necesarias para un máximo restringido* no es necesariamente cierta. No obstante, sí es cierto, que si modificamos la expresión (27 (A)) y consideramos en lugar de (27), el sistema

$$\lambda_0 f_x(x^*) + \lambda^* g_x(x^*) = 0, \quad (A')$$

(28)
$$\lambda^* g(x^*) = 0, \quad (B)$$

$$\lambda_0 \in R, \ \lambda^* \in R^n_+, \quad (C')$$

siendo $(\lambda_0, \lambda^*) \in R^{n+1}$ los multiplicadores de Kuhn-Tucker, admitiendo la posibilidad de que $\lambda_0 = 0$, entonces la condición de máximo siempre implica estas CPO *modificadas*. En definitiva, las condiciones de calificación son las que garantizan que $\lambda_0^*$ sea positiva, lo que permite elegir $\lambda_0 = 1$. Obsérvese que basta la independencia lineal de los vectores compuestos por al derivadas parciales de las restricciones, es decir de los gradientes de las restricciones evaluadas en el punto, *grad* $g_i(x^*)$, $i = 1, 2, \ldots, n$, para que sea $\lambda_0^* \neq 0$.

Para seguir este camino precisamos definir **punto regular** o las llamadas condiciones de cualificación para un punto en el conjunto factible. Existen varios conjuntos de condiciones que permiten cumplir con este objetivo. Introduciremos primeramente los definidos por Kuhn-Tucker. A los efectos de no complicar excesivamente el lenguaje, nos limitaremos al caso en que las restricciones son funciones reales definidas en $X$. El lector interesado en estudiar casos más generales en los que se puede aplicar el teoram de Kuhn-Tucker puede referirse a [Luenberger, D. (a)]. Es importante remarcar que una condición necesaria para que el teorema de Kuhn-Tucker pueda aplicarse, es que el conjunto $Z$, codominio de $G$, sea un espacio normado cuyo cono positivo tenga interior no vacío. Entendiendo como $G$ la aplicación con dominio en $X$ y recorrido en $Z$ que define la restricción $G(x) \leq 0$. En nuestro caso $G$ está definida por las restricciones $g(x) = (g_1(x), \ldots, g_k(x))$. Esta condición se cumple automáticamente cuando $Z = R^k$.

DEFINICIÓN 6.15. **Condición de Kuhn-Tucker** K Sea $\mathcal{C}$ el conjunto factible, $\mathcal{C} = \{x : x \in X,\ g_j(x) \geq 0,\ j = 1, 2, \ldots, m\}$, siendo cada $g_j : X \to R$. Un punto $\bar{x} \in \mathcal{C}$ se dice **regular** para $C$ si $\bar{x} \in C$ y si existe $h \in X$ tal que $g(\bar{x}) + g'(\bar{x}, h) > 0$, donde $g'(\bar{x}, h) = (grad\ g_1(\bar{x})h, \ldots, grad\ g_k(\bar{x})h)$, representa, el vector formado por los valores de las derivadas direccionales de las restricciones activas, evaluadas en $\bar{x}$ en la dirección de $h$.

Esta condición es ilustrada en el ejemplo que sigue, ver figura 21.

EJEMPLO 6.16. Considere $g_1(x) = x_2$; $g_2(x) = x_1$; $g_3(x) = -x_2 - (x_1 - 1)^3$. El punto $(1, 0)$ no es regular, desde que los gradientes de $g_1$ y $g_3$ van en direcciones opuestas. La condición de regularidad es una condición de independencia lineal, elimina a los puntos donde los límites de la región factible forman cúspides.

Haremos uso, en esta sección y más adelante, del llamado Lema Farkas-Minkowski.

LEMA 6.17. **(Farkas-Minkowski)** *Sea $a^1, a^2, \ldots, a^m$ y $b \neq 0$, elementos de $R^n$. Supongamos que $bx \geq 0$ para todo $x$ tal que $a^i x \geq 0,\ i = 1, 2, \ldots, m$. Entonces existe $\bar{\lambda} \in R^m_+$ cuyas coordenadas no se anulan simultáneamente y tales que $b = \sum_{1=1}^n \bar{\lambda}_i a_i$.*

*Demostración:* Sea $K = \left\{\sum_{i=1}^n \alpha_i a^i,\ \alpha_i \in R_+, i = 1, 2, \ldots, n\right\}$, el cono poliédrico generado por $a^1, a^2, \ldots, a^n$. Entonces $K$ es un conjunto cerrado. Queremos ver que $b \in K$. Supongamos que no. Entonces existen $p$ y $\beta$ tales que $px \geq \beta$ y $pb < \beta$. Como $K$ es un cono se tiene que si $x \in K$ entonces $\theta x \in K$ para todo $\theta \in R_+$ luego $p(\theta x) \geq \beta$ luego $px \geq \beta/\theta$ haciendo $\theta \to \infty$ se concluye que $px \geq 0$ para todo $x \in K$ y $pb < 0$. Esto contradice el supuesto. Finalmente, $b \in K$. □

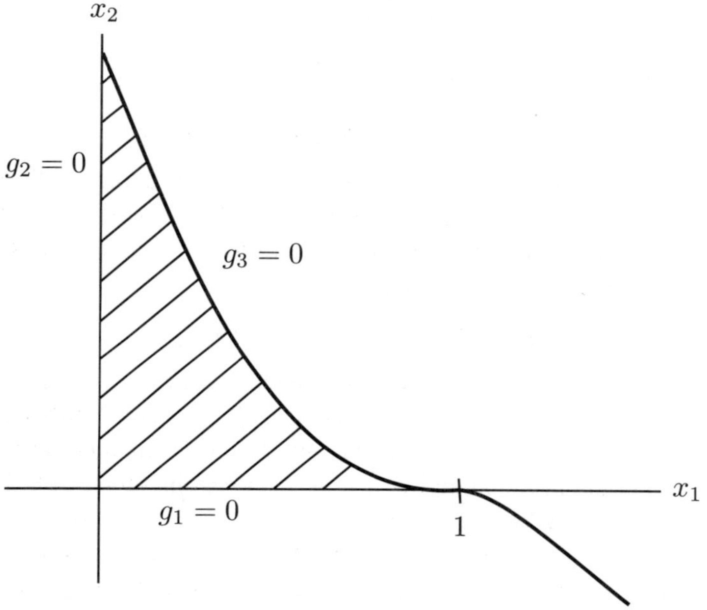


FIGURA 21. Un punto no regular

TEOREMA 6.18. **(De Kuhn-Tucker generalizado)** *Sean las funciones* $f, g_1, g_2, \ldots, g_m$ *diferenciables en un subconjunto* $X$ *de* $R^n$ *abierto y convexo. Supongamos que* $x_0$ *es regular, entonces, si* $x_0$ *verifica (M), existe* $\lambda_0^* \geq 0$ *tal que* $x_0$ *es un punto estacionario del lagrangiano:*

$$f(x) + \lambda_0^* g(x),$$

*más aún:* $\lambda_0^* g(x) = 0$.

*Demostración:* En el espacio $W = R \times R^m$ definimos los conjuntos:

$$A = \left\{(r, z) : r \leq grad\ f(x_0)h;\ z \geq g(x_0) + g'(x_0, h) \text{ para algún } h \in X\right\}$$

$$B = \left\{(r, z) : r \geq 0,\ z \geq 0\right\}.$$

Los conjuntos $A$ y $B$ son convexos, pero el conjunto $A$ no contiene nigún punto en su interior que sea interior de $B$. Pues si esto fuera posible, existiría un punto $\bar{x} = x_0 + \alpha h$ y por lo tanto en el interior de la región factible tal que $f(\bar{x}) > f(x_0)$, lo que contradice la optimalidad de $x_0$. De acuerdo al teorema de separación de convexos 3.23, existe un hiperplano cerrado que separa los conjuntos $A$ y $B$, es decir existen $r_0, \lambda_0^*$, y $c$ tales que:

$$r_0 r + \langle z, \lambda_0^* \rangle \leq c \quad \text{para todo } (r, z) \in A$$

$$r_0 r + \langle z, \lambda_0^* \rangle \geq c \quad \text{para todo } (r, z) \in B.$$

Como $(0, 0)$ está en $A$ y en $B$ se sigue que $c = 0$. Por las características de $B$ tenemos que $r_0 \geq 0$ y $z_0^* \geq 0$. Más aún como existe $h$ tal que $g(x_0) + g'(x_0, h) > 0$ entonces debe ser $r_0 \neq 0$. Por lo que no hay pérdida de generalidad si consideramos a $r_0 = 1$. Se sigue entonces que:

$$grad\ f(x_0)h + \langle g(x_0) + g'(x_0, h), \lambda_0^* \rangle \leq 0 \tag{29}$$

para todo $h \in X$. En particular si $h = 0$ tenemos que $\langle g(x_0), \lambda_0^* \rangle \leq 0$ como $g(x_0) \geq 0$ entonces $\lambda_0^* \geq 0$ implica que $\langle g(x_0), \lambda_0^* \rangle \geq 0$ por lo que se sigue que: $\langle g(x_0), \lambda_0^* \rangle = 0$. Luego como la inecuación (29) se verifica para todo $h \in X$, teniendo en cuenta la linealidad de las operaciones involucradas, llegamos a que: $grad\ f(x_0)h + \langle g(x_0) + g'(x_0, h), \lambda_0^* \rangle = 0$. □

Como puede verse a través de una serie de casos, (ver por ejemplo el caso citado a continuación, ejemplo 6.22), si no se cumple la condición de regularidad, no es posible en primera instancia, concluir que un punto que verifique la condición de ser un máximo para un programa de maximización sea un punto de silla del correspondiente lagrangiano.

En la búsqueda de condiciones de cualificación esto es de condiciones que impliquen que la solución de un programa de optimización verifique (CPO), la condición de regularidad de Kuhn-Tucker juega un papel importante. Pero no es particularmente fácil de verificar. Afortunadamente, no es la única que garantiza que en un máximo se satisfacen las condiciones de primer orden, obsérvese que del teorema 6.12 se concluye que la concavidad de las funciones $f$ y $g_j$, $j = 1, 2, \ldots, m$, y la condición de Slater, garantizan que en un máximo restringido se cumplen las condiciones de primer orden, esto es (M) implica (CPO). Demostraremos más adelante que la cuasi-concavidad de las funciones $g_i, i = 1, 2, \ldots, m$ sustituye a la condición de regularidad. Este es el teorema de Arrow-Enthoven 8.3. Condiciones alternativas pueden encontrarse en [Arrow, K.; Hurwicz, L,; Usawa, H.] y en [Takayama, A.].

Las siguientes condiciones introducidas por primera vez en el trabajo de [Arrow, K.; Hurwicz, L,; Usawa, H.] dispensan la utilización de las condiciones de regularidad en Kuhn-Tucker. Las llamaremos condiciones fuertes (AHUf). Como habitualmente, la notación $g_j'(x)$ representa el vector de derivadas parciales de la función $g_j$ evaluada en $x$.

(1) **Condición (CV).** Todas las $g_i(x)$, $i = 1, 2, \ldots, m$, son convexas y existe $\bar{x}$ tal que $\forall i$ severifica que $g_i(\bar{x}) < 0$.

(2) **Condición (CO).** Todas las $g_i(x)$, $i = 1, 2, \ldots, m$, son cóncavas y además se cumple la condición de Slater.

(3) **Condición (CI).** El conjunto $C = \{x\colon\ g(x) \geq 0, j = 1, 2, \ldots, m, x \in R^m\}$ es convexo y posee un punto interior, y además $g'_j(\bar{x}) \neq 0$ siendo para toda $j$ tal que $g_j$ sea efectiva, es decir $g_j(\bar{x}) = 0$.

(4) **Condición (R).** La matriz formada por los gradientes de las restricciones efectivas evaluadas en el óptimo, tiene rango máximo.

La demostración de que estas condiciones dispensan la verificación de la regularidad de Kuhn-Tucker, puede encontrarse en la obra citada y no la haremos acá.

No obstante, el lector puede intentar demostrar que las condiciones anteriores implican la condición (AHU), la que introduciremos a continuación. Esta condición es suficiente para que $M$ implique $(CPO)$. Es decir que, si $x^*$ resuelve el programa de optimización (esto es, es un máximo), entonces se verifican para este punto las condiciones de primer orden (CPO), esto es el contenido del teorema 6.20.

DEFINICIÓN 6.19. **(Condición AHU)** Definimos el conjunto de índices: $E = \{j \in \{1, 2, \ldots, m\} : g_j(x) = 0\}$. La condición AHU se verifica si existe un $h^* \in R^n$ tal que

$$grad\ g_j(x^*)h^* \geq 0 \ \ \forall j \in J \ \ y \ \ grad\ g_j(x^*)h^* > 0 \ \ \forall j \in J'$$

Donde $J \subset E$ representa el conjunto de las restricciones activas convexas, mientras que $J' \subset E$ representa el conjunto de las restricciones activas no convexas.

Como ya fue indicado, el siguiente teorema introduce esta condición como alternativa a la de regularidad dada en el teorema de Kuhn-Tucker, es de más fácil verificación y es implicada por cualquiera de las cuatro condiciones dadas anteriormente. Utilizaremos la notación $f_x^*$ para referirmos a las derivadas parciales de $f$ envaluadas en $x = x^*$, mientras que $f_x^* h$ indicará la derivada direccional, en la dirección $h$ evaluada en $x^*$.

TEOREMA 6.20. **(De Arrow-Hurwicz-Uzawa)** *Sean $f, g_1, \ldots, g_m$, funciones reales diferenciables definidas en $X \subset R^n$ abierto y convexo. Supongamos que la condición (AHU) se verifica. Entonces si en $x^*$ se alcanza el máximo del programa de maximización,*

$$max\ f(x);\ restringido\ a\colon\ g_i(x) \geq 0, \quad i = 1, 2, \ldots, m; \ \ x \in X,$$

*existe $\lambda^*$ tal que el par $(x^*, \lambda^*)$ verifica las (CPO).*

(La siguiente demostración es debida a L. Hurwicz) *Demostración:*

(i) Supongamos que $g_i(x) > 0, \ \forall i$. Se sigue que $\lambda_i = 0, \ \forall i$, y entonces $f_x^* = 0$ y CPO se verifica.

(ii) Admitamos entonces que $E \neq \emptyset$. Siendo $x^*$ un máximo para $f$ se sigue que $f(x^* + h^*t) - f(x^*) \leq 0$. Se sigue que, $f_x^* h^* \leq 0$. Ahora como $h^*$ verifica (AHU), usando el teorema Farkas-Minkowsky 6.17, se concluye en que existen $\lambda_j;\ j \in E$ tales que $-f_x^* = \sum_{j \in E} \lambda_j g_j'(x^*)$, Luego eligiendo $\lambda_j = 0$ para todo $j \notin E$ se concluye el teorema. □

NOTA 6.21. **Algunas relaciones entre las diferentes condiciones de cualificación.** Observe el lector que si la condición (CV) de las condiciones (AHUf) se verifica entonces basta considerar $h^* = 0$, y entonces (AHU) sigue. Si la condición (CO) se verifica, la función $f$ se comportará, en un entorno de $x^*$ como una función cóncava, la demostración se obtiene usando el teorema fundamental. La convexidad de $C$ en la condición (CI) implica que las funciones $g_i(x)$ sean cuasi-cóncavas, nuevamente el teorema fundamental termina la demostración. El hecho de que $(R)$ implica (AHU) se demuestra más abajo en el texto, ver teorema (6.23).

A los efectos de aclarar la relación entre las diferentes condiciones de regularidad, consideremos el siguiente ejemplo debido a Slater.

EJEMPLO 6.22. Considere el siguiente programa de optimización:

$$\text{máx}_{x \in R^2} f(x) = x_2$$

$$s.a: \ -x_2 - x_1^2 \geq 0.$$

Claramente $x^* = (0,0)$ es la solución de este problema, no obstante $x^* = (0,0)$ no es punto estacionario del lagrangiano, no obstante es cierto que $\lambda_0^* f_x(0,0) + \lambda^* g_x(0,0) = 0$ basta elegir $\bar{\lambda}^* = 0$.

El siguiente teorema muestra que la independencia lineal de los gradientes evaluados en el punto $x^*$, solución del programa de maximización, de las restricciones activas, es una condición suficiente para que $x^*$ verifique las (CPO).

TEOREMA 6.23. *Suponga que $x^*$ satisface las condiciones de máximo (M), para el problema de maximizar $f(x)$ con las condiciones $g_i(x) \geq 0$, $i = 1, 2, \ldots, m$. Suponga también que el rango de la matriz de m filas por n columnas, $\{\frac{\partial g_j}{\partial x_i}\}$ evaluada en $x = x^*$, es igual a $m_e$, estamos suponiendo $m_e \leq n$ donde $m_e$ es el número de las restricciones activas. Entonces para $\bar{x}$ se satisfacen las condiciones de primer orden.*

*Demostración:* Sea $E = \{j \in \{1, 2, \ldots, m\} : g_j(x^*) = 0\}$. El hecho de que el rango de la matriz $\mathcal{R}$, cuyas columnas son los gradientes de las restricciones evaluados en $x^*$, sea máximo, equivale a que se cumple la condición AHU y por lo tanto la demostración se concluye a partir del teorema (6.20). Basta ver que si ubicamos en los primeros lugares de $\mathcal{R}$ las columnas correspondientes a las restricciones efectivas, obtenemos una submatriz $\mathcal{S}R$ invertible de rango $m_e$. Luego el sistema $\mathcal{S}Rh = u$ donde $u$ es un vector de unos tiene solución. Formamos ahora el $h^*$ de la condición AHU, haciendo $h^* = (h, 0)$ es decir completamos las $n - m_e$ coordenadas con ceros. Luego se verifica trivialmente, para las restricciones efectivas las desigualdades $grad\ g_j(x^*)h^* > 0$. □

Terminemos esta sección con el siguiente comentario. Como el lector ya habrá percibido, las condiciones de cualificación son condiciones referidas a las restricciones únicamente, y no a las características de la función objetivo, de ahí que sean conocidas como condiciones de cualificación de las restricciones.

## 6.6. Aplicaciones

EJERCICIO 6.24. Considere una firma que produce un bien $z$, a partir de insumos $x$ e $y$. El bien $x$ es un recurso no renovable. Existe una ley que prohibe a la empresa utilizar de ese bien, más que una cierta cantidad $x_0$. La cantidad posible de ser producida del bien $z$ dada la tecnología existente es $z = x^\alpha y^\beta$. El precio del mercado de dicho bien puede suponerlo igual a 1 y el mercado consume todo lo que la firma produce. Mientras que $p_x$ y $p_y$ representarán los precios de los insumos $x$ e $y$ respectivamente.

(1) Plantee el problema de optimización del productor.
(2) Muestre que si $\alpha + \beta < 1$ entonces la función que representa la tecnología es estrictamente cóncava en $R^2_+ = \{(x, y) : x \geq 0, y \geq 0\}$.
(3) Discuta las soluciones posibles según sea $\alpha + \beta$ mayor, igual o menor que uno. Indicando en que casos el problema de maximizar el beneficio, puede ser resuelto a partir de las condiciones de primer orden.
(4) Suponga $\beta = 1 - \alpha$ con $0 < \alpha < 1$. Como se debería compensar al productor si se establece una ley mediante la cual se obliga a reducir la utilización del bien no renovable a una cantidad menor o igual a $x_0 - 1$.

EJERCICIO 6.25. Una firma produce un cierto producto $y$, a partir de dos insumos $i_1$ e $i_2$. La utilización del insumo $i_1$ produce contaminación, por lo que por su utilización se debe pagar una tasa. Sea $s$ el valor por unidad de contaminación producida. La contaminación producida es $c = ak^2$, siendo $a > 0$, y $k$ la cantidad utilizada del insumo. Los precios unitarios de los insumos son $w_1$ y $w_2$ respectivamente para $i_1$ e $i_2$. Suponga que la tecnología existente permite producir a lo más $z$ unidades del bien $y$, donde $z = k^\alpha + l^\beta$, a partir de $k$ unidades del insumo $k \geq 0$ y $l \geq 0$.

(1) Plantee el problema de optimización.
(2) Muestre que si $\alpha$ y $\beta$ son positivos y menores que uno, entonces las condiciones de primer orden son suficientes.
(3) Plantee la solución en función de la tasa $s$. Analice como varía la cantidad de $z$ producida y la utilización $k$ y $l$ de los insumos, en función de $s$.
(4) Analice la diferencia entre los beneficios del capitalista sin tasa, y los beneficios obtenidos cuando hay una tasa $s$, pero si ésta no se le cobrara y el valor total recaudado al aplicar la tasa. Defina entonces una política óptima de gravamen.

**La función valor** o función máximo valor. Sea $f : X \to R$ y $g_i : X \to R$; $i = 1, ...n$ siendo $X \subset R^l$ convexo. Para el problema de optimización:

$$\max_{x \in X} f(x) \quad s.a, \; g_i(x) \leq a_i, \; i = 1, \ldots, n,$$

se define la función valor,

$$V(a_1, \ldots, a_n) = f(x(a_1, ..., a_n)) = \max_{x \in X} f(x)$$

sujeto a las restricciones del problema. Bajo condiciones muy generales, la función valor, depende continuamente de los parámetros[3]. Como el lector puede verificar, el coeficiente $\lambda_i^*$, correspondiente al par $(x^*, \lambda^*)$ punto silla de la función $\phi(\lambda, x) = f(x) + \sum_{i=1}^n \lambda_i g_i(x)$, representará la tasa a la que la función de valor crece cuando $a_i$ crece. Cada $a_i$ puede interpretarse como una restricción de recursos, por lo que los coeficientes de Kuhn-Tucker, ilustran cuanto se incrementará el valor óptimo de la función objetivo si los recursos disponibles crecen. Este problema será estudiado en forma más general en el capítulo 10.

EJERCICIO 6.26. Considere el caso de un individuo que maximiza su función de utilidad $u : R_+^l \to R$ en su restricción presupuestaria, definida como $\mathcal{RP} = \left\{x \in R_+^l : px \leq I\right\}$ en el caso en que $p$ representa los precios de la economía fijos, e $I$ el ingreso del agente. La función de valor, para precios $p$ dados, será entonces $v(I) = u(x(p, I))$, donde $x(p, I)$ representa la demanda a precios $p$ e ingreso $I$. Interprete el multiplicador asociado a la restricción

[3]Este es el contenido principal del llamado teorema del máximo, el que no incluimos en este trabajo. El lector puede encontrar una demostración de este teorema en [Accinelli, E. (07)].

presupuestaria, desde el punto de vista económico, justifique su denominación de precio sombra del ingreso.

Considere una economía con $n$ agentes y $l$ bienes. Los agentes serán indexados por $i \in \{1, ..., n\}$. Representamos por $w_i \in R^l_+$ las dotaciones iniciales del $i-$ésimo agente. Sea $x_i(w_i, p)$ la solución del problema de maximizar la utilidad $u_i : X \to R$ del $i-$ésimo agente en su restricción presupuestaria, dadas las dotaciones $w_i$ y los precios $p$ (es decir que $x_i(p, w_i)$ representa la demanda del $i-$ésimo agente). Por $X$ representamos el conjunto de consumo (por ejemplo el cono positivo de $R^l$), el que asumimos el mismo para todos los agentes. Simbolizamos por $x(p, w) = (x_1(p, w_1), ..., x_n(p, w_n))$ la correspondiente asignación de recursos maximizdora. Definimos como **equilibrio walrasiano** al par $(p, x) \in R^l \times R^{ln}$ tal que, a precios $p$, la asignación de recursos $x$, resuelve el problema de maximización de cada agente en su restricción presupuestaria, esto es verifica la igualdad,

$$u_i(x_i(p, w_i)) = max_{x_i \in X} u_i(x_i), \;\; s.a : x_i : px_i \leq pw_i, \;\; i = 1, ..., n$$

y hace que $\sum_{i=1}^n x_i(p, w_i) = \sum_{i=1}^n w_i$, es decir verifica la ecuación, demanda agregada igual a oferta agregada. El análisis de las condiciones que garantizan la existencia y la unicidad del equilibrio walrasiano, es un capítulo de gran interés de la teoría económica. Aconsejamos la lectura de [Debreu, G. (a)], es una exposición rigurosa, seminal y apasionante, del equilibrio walrasiano y sus propiedades que utiliza solamente elementos del análisis en $R^n$.

EJERCICIO 6.27. Analice las características de la CPO para la asignación de recursos que corresponde al equilibrio walrasiano.

Capítulo 7

# Teorema de Lagrange

*Genralizando el método de Euler, Lagrange tuvo la idea de estas notables fórmulas, donde la solución de todos los problemas de la mecánica analítica están contenidas en una sóla línea.*
C.G.J. Jacobi.

El problema clásico de Lagrange hace referencia a restricciones de igualdad, esto es, se trata de hallar un $\bar{x} \in X$ abierto, que maximice a una cierta función objetivo, $f(x)$ bajo ciertas condiciones representadas por $g_j(x) = 0, \quad j = 1, 2, \ldots, m$. Discutiremos en esta sección la relación entre las (CPO) y la solución del problema de Lagrange. Este problema puede reducirse al anterior, considerando el cumplimiento simultáneo de las condiciones: $g_j(x) \geq 0$ y $-g_j(x) \leq 0, \ j = 1, 2, \ldots, m$, pero esto no resuelve el problema. Obsérvese que no pueden aplicarse las condiciones de regularidad, pues ningún punto satisfaciendo a todas las restricciones será regular, tampoco estamos en las condiciones consideradas en la sección anterior, a menos que las restricciones de igualdad correspondan a funciones afines, pues si $g_j$ es cóncava, $-g_j$ es convexa. Obsérvese también que aunque aparezcan $2m$ restricciones, solamente existen $m$ diferentes. Por otra parte las condiciones de cualificación no pueden ser las mismas, pues el hecho de que un punto $x^*$ resuelva el programa de maximización supone restricciones de igualdad, es decir que maximiza la función objetivo pero bajo condiciones más restrictivas que las de un programa con desigualdades.

El siguiente teorema muestra no obstante que, bajo condiciones de cuasiconcavidad, condiciones análogas a las (CPO) para el problema con restricciones de desigualdad, son también suficientes para la optimalidad del punto $x^*$. Estas condiciones están dadas por la existencia un vector $\lambda \in R^m_+$, siendo $m$ el número de restricciones $g_i(x) = 0$ del programa de maximizar $f$ tal que verifica $grad\ f(x^*) + \sum_{i=1}^{m} \lambda_i grad\ g_i(x^*) = 0$.

Teorema 7.1. **(De Lagrange)** *Sean $f, g_1, g_2, \dots, g_m$ funciones cuasi-cóncavas y diferenciables en $X \in R^n$. Considere el siguiente programa de maximización, al que denotaremos por $(P)$:*

$$\max_{x \in R^n} f(x), \quad s.a. \ g_i(x) = 0, \quad i = 1, 2, \dots, m.$$

*Suponga que $x^*$ verifica las siguientes condiciones (llamadas de primer orden, CPO), existen escalares $\lambda_1^*, \dots, \lambda_m^*$ no negativos, tales que $f'(x^*) + \lambda^* g'(x^*) = 0$. y además que $g_i(x^*) = 0$ entonces $x^*$ resuelve el problema $(P)$.*

*Demostración:* Para todo $x \in X$ tal que $g_i(x) \leq g_i(x^*)$ se verifica que $\langle grad \ g(x^*), (x^* - x) \rangle \leq 0$. A partir de las condiciones de Kuhn-Tucker, se llega a:

$$\langle grad \ f(x^*), (x^* - x) \rangle = \sum_{i=1}^{m} \lambda_i^* \langle grad \ g_i(x^*), (x^* - x) \rangle \leq 0.$$

Finalmente la cuasi-concavidad de $f$ implica que $f(x^*) \geq f(x)$. □

Nota 7.2. Obsérvese que la condición requerida para que el teorema se aplique es que de la condición $\langle grad \ f(x_0), (x - x_0) \rangle$ puede obtenerse la condición $f(x) \geq f(x_0)$. Esta propiedad la tienen las funciones cuasi-cóncavas, y por lo tanto las cóncavas, pero hay una clase de funciones que no son cuasi-cóncavas que también la verifican, son las llamadas funciones pseudocóncavas. Las que se definen precisamente por satisfacer esta propiedad. Ejemplo de este tipo de funciones es $f(x) = -x^3 - x$, pues $\langle (x_1 - x_2), -(3x_2^2 + 1) \rangle \geq 0$ implica $x_2 \geq x_1$ y por lo tanto $f(x_2) \geq f(x_1)$.

Un problema importante que aparece en la maximización con restricciones de igualdad, es que de antemano, no sabemos el signo de los multiplicadores correspondientes a estas restricciones en el lagrangiano. Considere el problema de maximizar una determinada función sujeto a condiciones de igualdad. Admitamos que estas condiciones están dadas por funciones $g_i$; $i = 1, 2, \dots, n$, afines. Podemos entonces *desdoblar* las restricciones, reemplazando cada restricción $g_j(x) = 0$ por las siguientes dos condiciones de desigualdad: $g_j(x) \geq 0, \quad -g_j(x) \geq 0$. El lagrangiano para este problema es

$$\Phi(x, \lambda) = f(x) + \sum_{j=1}^{m} (\mu_j - \nu_j) g_j(x) = f(x) + \sum_{j=1}^{m} \lambda_j g_j(x)$$

donde $\lambda_j = \mu_j - \nu_j$, $j = i, 2, \dots, m$. Aunque las condiciones de primer orden, conllevan a la no negatividad de los multiplicadores $\mu_j$ y $\nu_j$, no podemos afirmar nada sobre el signo de $\lambda_j$.

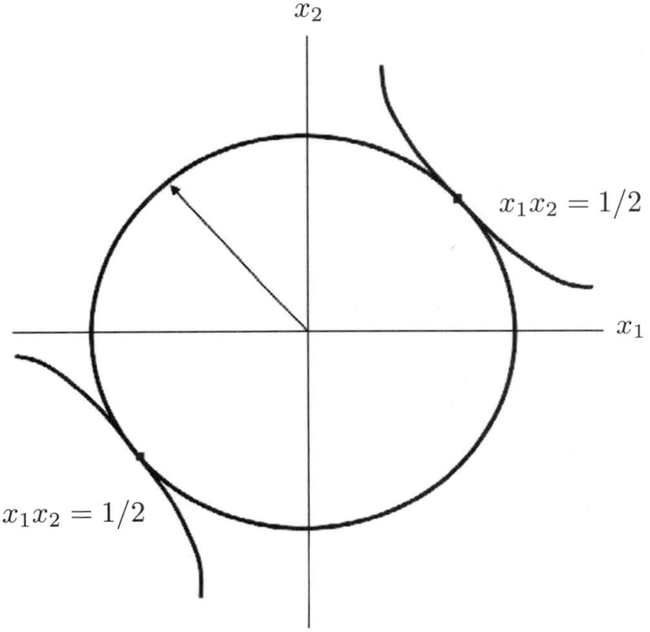


FIGURA 22. Soluciones para el ejemplo 7.3

EJEMPLO 7.3. Considere el problema:

$$\text{máx}_{x\in R^2}\ x_1x_2$$

$$s.a:\ x_1^2 + x_2^2 - 1 = 0$$

El lagrangiano para este problema es: $\phi(x, \lambda) = x_1x_2 + \lambda(x_1^2 + x_2^2 - 1)$, de donde se obtienen las (CPO):

$$\frac{\partial\Phi}{\partial x_1} = \bar{x}_2 + 2\bar{\lambda}\bar{x}_1 = 0, \quad \frac{\partial\Phi}{\partial x_2} = \bar{x}_1 + 2\bar{\lambda}\bar{x}_2 = 0 \ \ (\bar{x}_1^2 + \bar{x}_2^2 - 1) = 0$$

Resolviendo este sistema obtenemos la solución: $\bar{x}_1 = \bar{x}_2 =^{+}_{-} 1/\sqrt{2}$ y $\lambda = \frac{1}{2}$. Evaluada en este punto la matriz $\{\frac{\partial g_j}{\partial x_i}\} = (2\bar{x}_1, 2\bar{x}_2)$ tiene rango 1, por lo que la condición del teorema se cumple. Ver figura 22.

Como en la sección anterior, también aquí nos interesa encontrar condiciones que hagan que la solución de un problema de Lagrange verifique las (CPO), en este caso no ponemos condiciones en el signo de los multiplicadores.

TEOREMA 7.4. **(Condición de cualificación para el problema de Lagrange)** *La independencia lineal de los gradientes de las restricciones es una condición suficiente para que si* $x^*$ *resuelve el problema de maximizar* $f(x)$ *s.a* $h_i(x) = 0,\ i = 1, 2, \ldots, m,$ *verifique las (CPO) correspondientes.*

La siguiente demostración de este teorema es sencilla pero se basa en las propiedades de las superficies regulares, una exposición de la teoría correspondiente y de este teorema puede verse en [Lima, L.]. No obstante daremos una breve demostración del teorema sin entrar mayormente en la discusión de los temas propios de la teoría de superficies.

*Demostración:* Comenzamos con la definición de **punto crítico** de una función diferenciable. $M$ representa una superficie, y por $f/M$ representamos la función restringida a $M$. Un **punto crítico** de la función $f : M \to R$ es un punto $p$ tal que $df(p) = 0$, es decir, tal que se verifica $\langle grad\ \ f(p), v\rangle = 0$ para todo $v \in T_pM$. Esto es que el gradiente de $f$ en $p$ es ortogonal al plano tangente en dicho punto. Entre los puntos críticos de $f : M \to R$ se encuentran los máximos y los mínimos locales de $f$ pues si $p$ es uno de esos puntos entonces para todo camino $\lambda : (-\epsilon, \epsilon) \to M$ con $\lambda(0) = p$ se debe verificar que $(f(\lambda))'(0) = 0$, equivalentemente $\langle grad\ \ f(p), \lambda'(0)\rangle = 0$. Es decir que el vector $grad\ \ f(p)$ evaluado en un punto crítico $p \in M$ es perpendicular a todo vector en el plano tangente a $M$ en $p$.

Supongamos ahora que la superficie $M \subset R^{m+n}$ está dada por la imagen inversa de $\phi : U \to R^n$ de clase $C^1$ de un valor regular $c = (c_1, c_2, \ldots, c_n)$, con $U \subset R^{m+n}$, es decir $M = \phi^{-1}(c)$. Si las funciones coordenadas son $\phi_1, \phi_2, \ldots, \phi_n$ entonces la condición de ser $c$ un **valor regular,** significa que los vectores $grad\ \phi_1, grad\ \phi_2, \ldots, grad\ \phi_n$ son linealmente independientes[1], y por lo tanto constituyen una base del espacio vectorial perpendicular a $T_pM$. De aquí que el punto $p \in M$ es un punto crítico de $f/M$ si y solamente si el vector $grad\ f(p)$ es una combinación lineal de los vectores $grad\ \phi_(p)$, es decir si y solamente si existen números reals $\lambda_1, \ldots, \lambda_n$ tales que

$$grad\ f(p) = \lambda_1 grad\ \phi_1(p) + \lambda_2 grad\ \phi_2(p) + \cdots + \lambda_n grad\ \phi_n(p). \ \square$$

A continuación mostraremos un ejemplo (tomado de [Lima, L.]) , en el que se pide encontrar los puntos críticos de una función $f : R^m \times R^n \to R^2$

[1] El contraejemplo siguiente mostrará la importancia de esta condición.

restringida a una superficie $M$ igual al producto cartesiano de las esferas en $R^m$ y $R^n$ de radio 1.

EJEMPLO 7.5. Sea $A : R^m \to R^n$ una transformación lineal. Representaremos por $A^{tr}$, su traspuesta. Sabemos que $\langle Ax, y\rangle = \langle x, A^{tr}y\rangle$. Consideremos la función bilineal $f : R^m \times R^n \to R^2$, definida como $f(x,y) = \langle Ax, y\rangle = \sum_{ij} a_{ij}x_i y_j$. Considere la superficie $M = S^{m-1} \times S^{n-1}$ siendo $M = \phi^{-1}(1,1)$, donde $c = (1,1)$ y $\phi(x,y) = (|x|^2, |y|^2)$. Se tiene que; $\phi(x,y) = (\phi_1(x,y), \phi_2(x,y))$ con $\phi_1(x,y) = |x|^2$ y $\phi_2(x,y) = |y|^2$. Vamos a encontrar a continuación, los puntos críticos de la función $f$ restringida a $M$. Se tiene que $grad\ \ f(x,y) = \langle A^{tr}y, Ax\rangle, \forall(x,y) \in R^m \times R^n$, mientras que $grad\ \ \phi_1(x,y) = (2x, 0)$, y $grad\ \ \phi_2(y) = (0, 2y)$. Entonces $p = (x,y)$ es punto crítico de $f/M$ si y solamente si:

$$grad\ f(x,y) = \frac{\lambda}{2} grad\ \ \phi_1(x,y) + \frac{\mu}{2} grad\ \ \phi_2(x,y)$$

Es decir: $\left(A^{tr}x, Ay\right) = (\lambda x, \mu y)$. Por lo que los puntos críticos de $f/M$ son los puntos $p = (x,y) \in S^{m-1} \times S^{n-1}$, que verifican $Ax = \mu y \quad A^*y = \lambda x$. Como fácilmente puede verse, los valores $\lambda^2, \mu^2$ son los valores críticos de la transformación lineal $A^*A : R^m \to R^m$.

NOTA 7.6. **(Contraejemplo)** Considere el problema:

$$\text{mín}\, F(\xi, \eta), \quad s.a : G(\xi, \eta) = 0$$

donde $F(\xi, \eta) = exp(\xi + \eta)$ y $G(\xi, \eta) = \xi^2 + \eta^2$.

La solución del problema es obviamente $u_0 = (0,0)$, pues $u_0$ es el único punto que verifica la condición $G(\xi, \eta) = 0$. La aplicación formal del método de Lagrange supone que:

$$F_\xi(0,0) + \lambda G_\xi(0,0) = 0, \qquad F_\eta(0,0) + \lambda G_\eta(0,0) = 0.$$

No obstante esto es una contradicción pues $G_\xi(0,0) = 0$ y $F_\xi(0,0) = 1$. Obsérvese que $grad\ \ G(0,0) = (0,0)$ por lo que la condición de independencia lineal de los gradientes no se cumple. No obstante no habría contradicción, si como en el caso del teorema de Kuhn-Tucker hubiéramos considerado las condiciones:

$$\lambda_0 F_\xi(0,0) + \lambda G_\xi(0,0) = 0, \qquad \lambda_0 F_\eta(0,0) + \lambda G_\eta(0,0) = 0,$$

con $\lambda_0^2 + \lambda \neq 0$.

## 7.1. Restricciones de igualdad y desigualdad

Un caso interesante es aquel en que aparecen restricciones de igualdad y de desigualdad.

$$\text{máx}_{x\in X} f(x)$$

$$\text{sujeto a:} \quad g_j(x) \geq 0, \quad j = 1, 2, \ldots, m,$$

$$h_k(x) = 0, \quad k = 1, 2, \ldots, l.$$

Sea $\bar{x}$ una solución para este problema, y sea $E$ el conjunto de índices tales que $g_j(\bar{x}) = 0$ (es decir las restricciones efectivas), sea $m_e$ ese número. Para $m_e + l \leq n$ tenemos el siguiente resultado:

TEOREMA 7.7. *Sea $\bar{x} \in (M)$. Supongamos que el rango de la matriz $(m_e + l) \times n$*

$$\begin{bmatrix} \frac{\partial g_j}{\partial x_i} \\ \\ \frac{\partial h_k}{\partial x_i} \end{bmatrix} \quad j \in E, k = 1, 2, \ldots, l$$

*evaluada en $\bar{x}$ es $m_e + l$. Entonces se tiene que $\bar{x}$ es un punto estacionario para el lagrangiano:*

$$\Phi(x, \lambda, \mu,) = f(x) + \lambda g(x) + \mu h(x)$$

*Es decir, en $\bar{x}$ se cumplen las condiciones de primer orden, con $\bar{\lambda} \geq 0$ mientras que $\bar{\mu}$ puede ser positivo o negativo.*

Una demostración directa de este teorema puede encontrarse en la obra [Bazaraa, M.S.; Shetty, C.M.]. No obstante puede hacerse una demostración utilizando el teorema anterior. Basta para esto, considerar como restricciones de igualdad también a todas las restricciones efectivas, y repetir el razonamiento hecho en la demostración del teorema (7.4). □

## 7.2. Condiciones de segundo orden

Si bien el objetivo de nuestro trabajo es la optimización con funciones objetivos cóncavas (o convexas) y restricciones definidas por conjuntos convexos por ser estas las características generales de los problemas que aparecen en teoría económica es posible generalizar estos resultados casos más generales, esto supone introducir las llamadas condiciones de segundo orden.

Si limitamos nuestra atención a funciones $f : D \to R$ y $g : D \to R$ cóncavas en la vecindad de $x^*$, entonces las condiciones de primer orden vistas en el teorema 7.1, son necesarias y suficientes para la solución local del problema. Alternativamente se pueden encontrar, merced al desarrollo de Taylor, condiciones alternativas de *segundo orden*. Definamos

$$\phi(x, \lambda) = f(x) + \lambda g(x).$$

Estas condiciones se definen a partir de la siguiente matriz

$$M(x^*, \lambda^*) = \begin{bmatrix} f''_{11}(x^*) & \dots & f''_{1n}(x^*) & g'_1(x^*) \\ f''_{21}(x^*) & \dots & f''_{2n}(x^*) & g'_2(x^*) \\ \dots & \dots & \dots & \dots \\ f''_{n1}(x^*) & \dots & f''_{nn}(x^*) & g'_n(x^*) \\ g'_1(x^*) & \dots & g'_n(x^*) & 0 \end{bmatrix}$$

donde $f''_{ij}(x^*)$ representa la derivada segunda de $f(x)$ respecto a las variables $i, j$ evaluada en $x^*$, análogamente $g'_i(x^*)$ representa la derivada primera de $g$ respecto a la i-ésima variable evaluada en $x^*$. Puede probarse el siguiente teorema:

TEOREMA 7.8. *Sea $D$ un conjunto abierto de $R^n$ y $f : D \to R$ y $f : D \to R$ funciones $C^2$. Si en un punto $x^* \in D$ se verifican las condiciones*

(a) $g(x^*) = 0$.
(b) $(x^*, \lambda^*)$ *verifica las condiciones de primer orden.*
(c) *La matriz $M(x^*, \lambda^*)$ es definida negativa.*

*Entonces $x^*$ es un máximo local de $f$ condicionado a $g(x) = 0$. Recíprocamente: Si $x^*$ es un máximo local de $f$ en $D$ condicionado a $g(x) = 0$ entonces*

(a) $g(x^*) = 0$.
(b) $(x^*, \lambda^*)$ *verifica las condiciones de primer orden.*
(c) *La matriz $M(x^*, \lambda^*)$ es semidefinida negativa.*

Para demostrar el teorema, basta desarollar de acuerdo a la fórmula de Taylor la función $\phi(x, \lambda^*)$ en $x = x^*$.

## 7.3. Ejercicios

Presentaremos a continuación algunas aplicaciones y ejercicios ilustrativos.

EJEMPLO 7.9. Se trata de elegir $(x_1, x_2) \in R^2$ en el problema:

$$\begin{aligned} \text{Maximizar} \quad & x_1 x_2 \\ \text{sujeto a:} \quad & g(x) = x_1 + 8x_2 - 4 \quad \geq 0 \\ & h(x) = x^2 - 1 + x_2^2 - 1 \quad = 0 \end{aligned}$$

El lagrangiano para este problema es:

$$\Phi(x, \lambda, \mu) = x_1 x_2 + \lambda(x_1 + 8x_2 - 4) + \mu(x^2 - 1 + x_2^2 - 1)$$

y las (CPO):

$$\begin{aligned} & \frac{\partial \bar{\Phi}}{\partial x_1} = \bar{x}_2 + \bar{\lambda} + 2\bar{\mu}\bar{x}_1 = 0 \\ & \frac{\partial \bar{\Phi}}{\partial x_2} = \bar{x}_1 + 8\bar{\lambda} + 2\bar{\mu}\bar{x}_2 = 0 \\ & \bar{x}_1^2 + \bar{x}_2^2 - 1 = 0 \\ & \bar{\lambda}(\bar{x}_1 + 8\bar{x}_2 - 4) = 0 \\ & \bar{\lambda} \geq 0 \end{aligned}$$

Resolviendo este sistema obtenemos: $\bar{x}_1 = \bar{x}_2 = \frac{1}{\sqrt{2}}, \bar{\lambda} = 0$ y $\mu = -\frac{1}{2}$. Nótese que el multiplicador $\bar{\mu}$ que corresponde a la restricción de igualdad es negativo. Puede verse fácilmente que la restricción $g(x)$ está inactiva en $(\bar{x}_1, \bar{x}_2)$. Luego la condición sobre el rango se verifica en la matriz $(\frac{\partial h}{\partial x_1}, \frac{\partial h}{\partial x_1}) = (2x_1, 2x_2)$ que es igual a 1 en $\bar{x}_1 = \bar{x}_2 = \frac{1}{\sqrt{2}}$, por lo tanto es satisfecha.

EJEMPLO 7.10.

(a) Observe que si bien el punto $(2, 0)$ resuelve el problema de

$$max\ x_1 \quad s.a.: \quad x_1 \geq 0; \quad x_2 = (2 - x_1)^2,$$

no es un punto de silla del correspondiente lagrangiano.

(b) Considere ahora el siguiente problema:

$$max\ x_1 \quad s.a.: \quad x_1 \geq 0; \quad 0 \leq x_2 \leq 1; \quad x_2 = -1 + (2 - x_1)^2$$

Observe que para este caso el punto $(2, 0)$ resuelve el problema y satisface la condición SP.

¿Cuál es la diferencia entre el problema (a) y el (b) ?.

EJERCICIO 7.11. Un turista debe decidir entre pasar sus vacaciones en Venecia y / o en Milán. Supongamos que dispone de cierto presupuesto $I$ para los gastos y sus vacaciones serán de $h$ días. El gasto diario promedio en Milán es $p_m$ mientras que el gasto promedio diario en Venecia es $p_v$. La función de utilidad del turista está dada por $u(M, V) = M^\alpha V^\beta$, donde $M$ y $V$ representan los días pasados en Milán y en Venecia respectivamente, además $0 < \alpha, 0 < \beta$ y $\alpha + \beta < 1$.

(1) Obtenga el tiempo óptimo que el turista pasará en cada ciudad.
(2) Dado el creciente flujo de turistas a Venecia, y las correspondientes pérdidas en bienestar que este flujo implica para la población local, las autoridades locales deciden poner una tasa por día a los turistas que permanecen en la ciudad. Sea esta $I_v$. Calcule en función de esta tasa la nueva distribución de las vacaciones del turista.

EJERCICIO 7.12. Se desea construir una caja en forma de paralelepípedo con aristas $x, y, z$, de volumen máximo con una chapa de superficie igual a $2a$.

(1) Plantee el problema de maximización correspondiente.
(2) Muestre que las CPO son necesarias y suficientes.
(3) Muestre que la caja debe ser un cubo de aristas $x = y = z = \sqrt{\frac{a}{3}}$.

EJERCICIO 7.13. Encuentre el valor máximo de la raíz enésima del producto de $n$ números $x_1, \dots, x_n$ positivos si su suma es igual a un número $a$. Es decir se tratra de resolver:

$$\max_{x \in R^n_+} (x_1 \dots x_n)^{\frac{1}{n}}, \quad s.a: \; x_1 + \dots + x_n = a.$$

(1) Verifique que la solución es: $x_1 = \dots = x_n = \frac{a}{n}$.
(2) Muestre que la media geométrica es siempre menor que la media aritmética, es decir que:

$$(x_1 \dots x_n)^{\frac{1}{n}} \leq \frac{x_1 + \dots + x_n}{n}.$$

EJERCICIO 7.14. **(Condiciones de segundo orden)** Considere el siguiente programa de optimización:

$$\max_{x \in R^2} x_1^3 + x_2^3 - \frac{1}{2}x_1^2 - \frac{1}{2}x_2^2 \quad s.a. \;\; x_1 + x_2 + 1 = 0.$$

(1) Muestre que el punto $x_1 = x_2 = \frac{1}{2}$, con $\lambda = -\frac{5}{4}$ es un candidato a solución.
(2) Muestre que $x_1 = x_2 = \frac{1}{2}$, cumple las condiciones suficientes, y por lo tanto, es un máximo local de $x_1^3 + x_2^3 - \frac{1}{2}x_1^2 - \frac{1}{2}x_2^2$, condicionado a: $x_1 + x_2 + 1 = 0$.

Capítulo **8**

# Desarrollos de la programación no lineal

*Una función de utilidad cuasi-cóncava del consumidor, corresponde a una función de utilidad ordinaria cuyas curvas de indiferencia son convexas hacia el origen, y la cuasi-concavidad de la función de producción da lugar a retornos crecientes a escala. Estas observaciones deberían ser suficientes para motivar el estudio de la programación cuasi-cóncava.*
A. Takayama.

Presentaremos en esta sección dos temas de interés que dan a la teoría aquí presentada mayor generalidad y, consecuentemente, nuevas posibilidades de aplicaciones a la compleja realidad a la que ella se refiera. Ambos tienen interés en economía. El primero se refiere a la programación cuasi-cóncava. Es decir se trata de resolver programas con restricciones convexas y funciones objetivo cuasi-cóncavas. El interés por resolver este tipo de programa en teoría económica parte de que preferencias convexas son representables por funciones de utilidad cuasi-cóncavas, (ver ejercicio 4.58) por lo que el problema del consumidor se refiere entonces al problema de optimizar funciones cuasi-cóncavas en conjuntos convexos.

El segundo tema se refiere a problemas de optimización multi-objetivo. Es decir se pretende encontrar un vector $\hat{x}$ tal que resuelva un sistema de inecuaciones del tipo $f_i(\hat{x}) \geq f_i(x),\ i = 1, \ldots, k; \forall x : g_j(x) \geq 0\ j = 1, \ldots, m$ siendo las $f_i$ y las $g_j$ funciones cuasi-cóncavas. Como motivación para el estudio de este tema, puede pensarse en el problema de $n$ agentes maximizando sus funciones de utilidad en sus restricciones presupuestarias con un conjunto de dotaciones iniciales definido previamente.

## 8.1. Programación cuasi-cóncava

En la mayoría de los problemas de la teoría económica relacionados con programas de maximización, las funciones objetivos son cuasi-cóncavas y se agrega la condición de que el resultado debe pertenecer al ortante positivo del espacio en el que se modela la economía, por ejemplo $R^n_+$. Por ejemplo, casos en los que se maximizan funciones de utilidad o beneficios. También suele aparecer programas de minimización, estos pueden presentarse como programas de maximización cambiando los signos de las respectivas funciones objetivos. Así el problema de minimizar el costo $C(y, w)$ para producir una determinada cantidad de producto $y$ a precio de los factores $w$ fijos, puede transformarse en el problema equivalente de maximizar $-C(y, w)$.

En estas sección probaremos dos teoremas de Arrow-Enthoven de 1961, que extiende las condiciones suficientes para que $x^* \in R^n$ definidas en el teorema de Kuhn Tucker, al caso donde la función objetivo es cuasi-cóncava y restricciones de convexidad también definidas por funciones cuasi-cóncavas. Veremos también como corolario de este teorema una caracterización de la cuasi-concavidad para funciones reales definidas en subconjuntos convexos de $R^n$ que hace uso del llamado hessiano orlado de $f$ evaluado en $x^*$. Naturalmente que los resultado válidos para programas cuasicóncavos, lo son para cóncavos.

- Usaremos la siguiente notación:
- La función $G : X \to R^m$, queda definida por

  $$G(x) = (g_1(x), \ldots, g_m(x))$$

  para todo $x \in X$ subconjunto convexo de $R^n$.
- Siendo $\lambda$ un vector en $R^n$ la notación $\lambda G(x)$ representa el producto interno de estos dos vectores.
- $G'(x) = (grad\ g_1(x), \ldots, grad\ g_m(x))$ y para $\lambda \in R^m$ escribiremos $\lambda G'(x) = \sum_{i=1}^m \lambda_i grad\ g_i(x)$.
- Sea $X \subset R^n$ diremos que $h \in R^n$ es una dirección admisible para $x \in X$ si existe $\epsilon > 0$ y $x + vh \in X$ para $v$ $0 \leq v \leq \epsilon$.

Haremos uso en lo que sigue de los siguientes teoremas:

TEOREMA 8.1. *Sea $f$ una función real diferenciable en $X \subset R^n$. Si $f$ tiene un máximo en $x^* \in X$ entonces la derivada de $f$ en $x^*$ se anula en toda dirección admisible.*

*Demostración:* Definimos $\phi : [0, \epsilon] \to R$ como $\phi(v) = f(x + vh)$. Esta es una función real de una variable real, que alcanza su extremo en $v = 0$, luego $\phi'(0) = \frac{d}{dv} f(x^* + vh)h|_{v=0} = 0$. Es decir $\frac{d}{dv} f(x^*)h = 0$ $\forall h$ admisible. □

TEOREMA 8.2. *Supongamos ahora que $X^0 = \{x \in R^n : G(x) = 0\}$ donde $G : R^n \to R^m$ es una función dos veces diferenciable. Sea $L(x) = f(x) + \lambda G(x)$ donde $\lambda \in R^m$. Supongamos que existe $B_r(x^*)$ una bola de centro $x^*$ y radio $r$,* *tal que*

(30) $$f(x^*) > f(x) \text{ para todo } x \in B_r(x^*) \cap X, \ x \neq x^*.$$

*Entonces la matriz hessiana de $L(\cdot, \lambda^*) : R^n \to R^m$, evaluada en $x^*$, $L''_{xx}(x^*, \lambda^*)$ es definida negativa, para todo h tal que grad $L(x^*, \lambda^*)h = 0$.*

*Demostración:* Observe que (30) es equivalente a

$$L(x^*, \lambda^*) > L(x, \lambda^*) \text{ para todo } x \in B_r(x^*) \cap X, \ x \neq x^*.$$

Use ahora las condiciones suficientes para máximo local. (Condiciones de segundo orden). □

El siguiente teorema define una condición suficiente para que $x^*$ sea un máximo de un programa de maximización con función objetivo cuasi-cóncava y restricciones convexas. Diremos que la función $G : R^n \to R^m$ es cuasi-cóncava si y solamente si los son cada una de sus funciones coordenadas. Notaremos como $G'(x)$ el jacobiano de $G$ evaluado en $x$.

## 8.2. Teoremas de Arrow-Enthoven

A continuación enunciaremos el teorema fundamental de la programación no lineal en el caso diferenciable. Primeramente en el caso general, luego en el caso en que nos restringimos a trabajar en el ortante positivo de $R^n$.

Consideremos el problema:

(31) $$\text{Maximizar } f(x) \text{ sujeto a } G(x) \geq 0.$$

TEOREMA 8.3. **(De Arrow-Enthoven, 1961)** *Sea $f$ una función real diferenciable en $X$ subconjunto abierto y convexo de $R^n$. y sea $G : G : R^n \to R^m$ cuasi-cóncava en X. Supongamos además que se verifica la condición de Slater, (ver corolario 6.6). Entonces, si $x^* \in R^n$ es una solución para el problema (31), existe $y^* \in R^m_+$ tal que*

(32) $$\begin{aligned} L_x(x^*, y^*) &= f_x(x^*) + y^* G'(x^*) = 0, && (i) \\ L_y(x^*, y^*) &= G(x^*) \geq 0, && (ii) \\ y^* L_y(x^*, y^*) &= y^* G(x^*) = 0. && (iii) \end{aligned}$$

Recíprocamente, *sea $x^* \in X$ e $y^* \geq 0$ tales que verifican las condiciones (i), (ii), y (iii) dadas en (32). Entonces si $f$ es cuasi-cóncava, $x^*$ resuelve (31).*

*Demostración:* Es inmediato verificar que si $x^*$ resuelve el problema de maximización, entonces la condición (ii) de (32) se verifica. Si además $f_x(x^*) = 0$ entonces basta elegir $y^* = 0$ para que todas las condiciones de (32) se verifiquen. Podemos entonces asumir que la derivada de $f$ evaluada en $x^*$ es no nula, es decir que, $f_x^* \neq 0$. Siendo $x^*$ optimal para $f$ en $F = \{x : G(x) \geq 0\}$ se sigue de la diferenciabilidad de $f$ que para todo $x \in F$ se verifica:

$$f(x^* + \lambda(x - x^*)) - f(x^*) = f_x^*(\lambda(x - x^*)) + r(\lambda(x - x^*)) \leq 0$$

para todo $\lambda \in (0, 1)$. De la definición de diferenciabilidad se sigue que:

$$f_x^*(\lambda(x - x^*)) \leq 0, \ \forall x \in F. \tag{33}$$

Sea $I = \{i : 1 \leq i \leq n : g_i(x^*) = 0\}$. Es fácil ver que $I \neq \emptyset$ pues en otro caso por la continuidad de las $g_i$, sería posible elegir $\mu > 0$ y una bola de centro $x^*$ y radio $\delta$, $B(x^*, \delta)$ tal que $x^* \pm \mu e \in B_{x^*}(\delta)$ y por lo tanto, a partir de (33) se obtiene $f_x^* \leq 0$ y $f_x^* \geq 0$, por lo que $f_x^* = 0$ lo que contradice la afirmación de que $f_x^* \neq 0$. Entonces para todo $i \in I$ se verifica que $g_i(x) \geq g_i(x^*)$ por la cuasi-concavidad de cada $g_i$, $i \in I$ se sigue que

$$grad\ g_i(x^*)(x - x^*) \geq 0, \ \forall x \in F. \tag{34}$$

Entonces por el teorema fundamental (6.4) aplicado a las ecuaciones (33) y (34), existe $v_i \geq 0$, $i \in I$ tales que

$$\frac{\partial f}{\partial x_i}(x^*) + \sum_{i \in I} v_i \frac{\partial g}{\partial x_i}(x^*) = 0.$$

La igualdad (*(i)*, 32) se concluye ahora eligiendo $y_i^* = v_i$ cada vez que $i \in I$ y cero en otro caso. Para estos mismos valores de $y^*$, como fácilmente puede comprobarse, se tiene la igualdad ((ii)32).

*Recíprocamente:* A partir de (32) se sigue que $grad\ f(x^*)(x - x^*) \leq 0$, $\forall\ x \in F$. Entonces la cuasi-concavidad de $f$ implica que $f(x^*) \geq f(x)$, $\forall\ x \in F$ lo que establece la optimalidad de $x^*$ en $F$. Para ver esto, observe que si $I \neq \emptyset$ entonces elegimos como anteriormente $y_i^*$, para cada $i \in I$, la condición (iii) impone $y_i^* = 0\ \forall i \notin I$. A partir de (*i*) se sigue que:

$$grad\ f(x^*)(x - x^*) \leq -\sum_{i \in I} y_i^* grad\ g(x^*)(x - x^*) \leq 0.$$

Ahora la cuasi-concavidad de $f$ termina la demostración. Si $I = \emptyset$ entonces $f_x(x^*) = 0$, y otra vez la cuasi-concavidad de la $f$ termina la demostración. □

COROLARIO 8.4. **(Arrow-Enthoven, 1961)** *Sea $f$ una función real cuasi-cóncava definida en $R_+^n$ y sea $G : R^n \to R^m$ cuasi-cóncava. Consideremos el problema:*

$$Maximizar\ \ f(x)\ \ sujeto\ a\ \ G(x) \geq 0,\ x \geq 0. \tag{35}$$

*Siendo* $G(x) = (g_1(x), g_2(x), \ldots, g_m(x))$. *Supongamos además que existe* $\bar{x} \in R^n : \bar{x}_i > 0, i = 1, 2, \ldots, n$ *y que además verifica* $g_i(\bar{x}) > 0, \ \forall i = 1, 2, \ldots, m$. *Entonces si* $x^* \in R^n$ *con* $G(x^*) \geq 0$ *es una solución para este problema existe* $y^* \in R^m_+$ *tal que*

$$(36) \qquad \begin{aligned} & f_x(x^*) + y^* G'(x^*) \leq 0, && (i) \\ & y^* G(x^*) = 0, && (ii) \\ & \left[ f_x(x^*) + y^* G'(x^*) \right] x^* = 0, && (iii) \end{aligned}$$

*Recíprocamente, sea* $x^* \in X$ *e* $y^* \geq 0$ *tales que verifican las condiciones (i), (ii), y (iii) dadas en (36). Entonces si* $f$ *es cuasi-cóncava, y si una de las siguientes condiciones es satisfecha,*

a) $f'_k(x^*) = \partial f(x^*)/\partial x_k < 0$ *para al menos un k; y tal que existe* $\bar{x} \in R^n_+$ *tal que* $\bar{x}_k > 0$ *y* $G(\bar{x}) > 0$.

b) $f'_j(x^*) = \partial f(x^*)/\partial x_j > 0$ *para al menos un* $j$ *tal que* $x^*_j > 0$;

c) $f'(x^*) \neq 0$ *y* $f$ *es dos veces diferenciable en un entorno de* $x^*$;

*entonces* $x^*$ *es optimal.*

*Demostración:* Para ver que las condiciones $(i), (ii)$ y $(iii)$ de (36) son necesarias, definimos $g_{m+k}(x) = x_k, \ k = 1, 2, \ldots, n$. Considere entonces

$$F = \{x \in R^n : g_j(x) \geq 0; j = 1, 2, \ldots, m + n\}.$$

De esta forma

$$L(x, y) = f(x) + \sum_{i=1}^{m+n} y_i g_i(x) = f(x) + \sum_{i=1}^{m} y_i g_i(x) + \sum_{i=1}^{n} y_i x_i$$

donde $\mu_i = y_{m+i}$. Repitiendo el razonamiento anterior hecho en el teorema (8.3) se obtiene facilmente que $L_x(x^*, y^*) = 0$ y que por lo tanto $grad\ f(x^*) + \sum_{i \in I} y^*_i grad\ g_i(x^*) + \sum_{i \in E} \mu_i e_i \leq 0$, siendo: $I = \{i \in \{1, 2, \ldots, m\} : g_i(x^*) > 0\}$, $E = \left\{ j \in \{1, 2, \ldots, n\} : x^*_j > 0 \right\}$, (este conjunto puede ser vacío), $e_i$ es el vector canónico en la i-ésima dirección, obsérvese que $grad\ x_i = e_i$. Finalmente del hecho de que $\mu_i = 0$ si $x^*_i > 0$, ( esto por $(ii)$ en (32) ) y en otro caso $\mu_i \geq 0$ se tiene que $\frac{\partial f}{\partial x_j}(x^*) + \sum_{i=1}^{m} \frac{\partial g_i}{\partial x_j}(x^*) \leq 0$, para todo $i = 1, 2, \ldots, m$. Si la desigualdad es estricta entonces debe ser $\mu_i > 0$ y por lo tanto $x_i = 0$. Por lo que la condición *(iii)* en (36) se cumple siempre.

*Recíprocamente:*

a) Si $I \neq \emptyset$. A partir de (36) (análogamente a lo hecho en la demostración del teorema 8.3) se sigue que $y^*_i = 0$ para todo $i \notin I$, de donde resulta que:

(37) $$grad\ f(x^*)(x-x^*) \leq -\sum_{i\in I} y_i^* grad\ g_i(x^*)(x-x^*) \leq 0,$$

para todo $x \in F$. Por lo que en este caso la demostración termina como en el teorema anterior. Supongamos ahora que $I = \emptyset$, es decir que se verifican las desigualdades $g_i(x^*) > 0, \forall i$. Consideremos entonces, $x^1 = x^* + e^k$ donde $e^k = (0, \ldots, 0, e, 0, \ldots, 0)$ para $e$ suficientemente pequeño, y cualquier $x \in F$ se tiene que $x(\lambda) = (1-\lambda)x + \lambda x^1$, $0 \geq \lambda \geq 1$. Las siguientes desigualdades se verifican:

$$\begin{aligned} f_x(x^*)(x(\lambda) - x^*) &= \\ &= (1-\lambda)f_x(x^*)(x-x^*) + \lambda\frac{\partial f}{\partial x_k}(x^*)(x(\lambda)-x^*)e^k < 0. \end{aligned}$$

Como la desigualdad vale para todo $\lambda \in (0,1)$ de la continuidad se deduce que $f_x(x^*)(x-x^*) < 0$. Luego por la cuasi-concavidad se sigue que $f(x) \leq f(x^*)$.

b) Supongamos que no existe $i$ que verifica la condición *a)* del corolario. Por lo tanto $f_x(x^*) \geq 0$ para todo $x \in R^n_+$. Razonando como en (37) obtenemos que $f_x(x^*)(x-x^*) \leq 0$. Para $x \in R^n_+$ tal que $G(x) \geq 0$ escribamos:

$$x(\alpha) = (1-\alpha)x, \quad y, \quad x^*(\alpha) = (1-\alpha)x^*, \ 0 \leq \alpha \leq 1.$$

Se sigue que:

$$f_x(x^*)(x^*(\alpha) - x^*) = -\alpha f_x(x^*)x^* < 0,$$

pues existe el menos una coordenada $x_j^* > 0$ para la que se verifica que $\partial f(x^*)/\partial x_j > 0$.

$$f_x(x^*)(x(\alpha) - x^*(\alpha)) = (1-\alpha)f_x(x^*)(x-x^*) \leq 0$$

Sumando las desigualdades anteriores, luego haciendo $\alpha \to 0$ y usando la condición de cuasi-concavidad (15) se obtiene el resultado.

c) Para el caso restante, ver [Kemp, M.; Kimura, Y.].

A continuación mostraremos algunas relaciones existentes entre funciones cuasi-cóncavas y sus hessianos orlados.

DEFINICIÓN 8.5. Llamaremos **hessiano orlado** de $f : X \to R$ en $x \in X$ donde $X \subset R^n$, a la matriz

$$[H(x)] = \begin{bmatrix} 0 & f'(x) \\ f'(x) & f''(x) \end{bmatrix}$$

donde $f'(x) = grad\ f(x)$ y $f''(x)$ representa la matriz hessiana de $f$ evaluada en $x$.

TEOREMA 8.6. **(De Arrow-Enthoven, 1961)** *Para función $f$ dos veces diferenciable definida en un subconjunto convexo $X$ de $R^n$ se verifica que:*

(1) *Si $f$ es cuasi-cóncava en $X$ entonces $[H(x)]$ es semidefinida negativa, en cada $x \in X$*
(2) *Es suficiente para que $f$ sea cuasi-cóncava en $X$ que $[H(x)]$ sea definida negativa en cada $x \in X$ para todo $h \in R^n$ tal que $f'(x)h = 0$.*

*Demostración:*

(1) Si $f'(x) = 0$ para $x \in X$ entonces la condición necesaria se verifica trivialmente. Supongamos entonces que $f'(x_0) \neq 0$ para algún $x_0 \in X$. Consideremos entonces el problema de: *Maximizar* $f(x)$ *s.a.* $f'(x_0)(x - x_0) \geq 0,\ x \geq 0$. Definamos entonces $G(x) = f'(x_0)(x_0 - x) \geq 0$ las condiciones definidas en ((36), (a), (b), (c)) con $y^* = 1$ se verifican para este caso. Por lo tanto $x_0$ es una solución para el problema de maximización. Luego $f(x_0)$ es un máximo bajo la restricción $f'(x_0)(x_0 - x) \geq 0$. Usando ahora el teorema 8.2 concluimos con que $H(x_0)$ es semidefinida negativa.
(2) Sea $[H](x_0)$ definida negativa para todo $h$ tal que $f'(x_0)h = 0$. Siendo $f$ dos veces diferenciable en $x_0 \in X$ se tiene que $hf''(x_0)h < 0$. Para $x$ suficientemente próximo a $x_0$ tal que $h = (x - x_0)$ se tiene que $f(x) < f(x_0)$ esto es $f(x_0)$ es un máximo local estricto para $f$ sujeto a la condición $f'(x_0)(x - x_0) = 0$. Esto significa que para todo $\bar{x} \in X$ se verifica que $\bar{x}$ maximiza a $f(x)$ sujeto a la restricción $f'(\bar{x})(x - \bar{x}) = 0$.

   Supongamos haber demostrado que lo mismo ocurre si consideramos la restricción $f'(\bar{x})(x - \bar{x}) \leq 0$. Llamemos a este, supuesto $(A)$. Sea entonces $x_1 \in X$ y sea $x_2$ una combinación convexa de $x_0$ y $x_1$. Por el supuesto $(A)$, debe verificase que $f(x_2) \geq f(x)$ para todo $x$ tal que $f'(x_2)(x - x_2) \leq 0$. Obsérvese que, por ser $x_2$ una combinación convexa de $x_0$ y $x_1$, no pueden verificarse simultáneamente las siguientes desigualdades:

$$f'(x_2)(x_0 - x_2) > 0,\ y\ f'(x_2)(x_1 - x_2) > 0;$$

   ni

$$f'(x_2)(x_0 - x_2) < 0,\ y\ f'(x_2)(x_1 - x_2) < 0;$$

   Luego será cierto que $f(x_2) \geq f(x_0)$ o bien $f(x_2) \geq f(x_1)$ es decir $f(x_2) \geq min\,\{f(x_0), f(x_1)\}$ por lo que $f$ es cuasi-cóncava.

Falta entonces probar la afirmación hecha en $(A)$. Consideremos la restricción definida por el conjunto $X_0 = \{x \in X : f'(x_0)(x - x_0) \leq 0\}$. Queremos probar que $f(x_0)$ es el máximo de $f$ restringido a $X_0$. Supongamos que no lo sea. En este caso existe $x_1 \in X_0$ tal que $f(x_1) > f(x_0)$. Sean $x(\lambda) = (1 - \lambda)x_0 + \lambda x_1$ y $g(\lambda) = f((1 - \lambda)x_0 + \lambda x_1)$. Se verifica que $g(1) > g(0)$ y que $g'(\lambda) = grad\ f(x(\lambda))(x_1 - x_0)$. Se tiene además que $g'(0) < 0$, por lo tanto existe $\bar{\lambda} \in (0, 1)$ que es mínimo relativo para $g$, para el que se cumple $g'(\bar{\lambda}) = 0$. Es posible elegir un $h$ suficientemente pequeño tal que $\bar{\lambda} + h \in (0, 1)$. Puede verificarse que $x(\bar{\lambda} + h) - x(\bar{\lambda}) = h(x_1 - x_0)$. Por lo tanto, $grad\ f(x(\bar{\lambda}))x(\bar{\lambda} + h) - x(\bar{\lambda}) = 0$ por o tanto $f(x(\bar{\lambda} + h)) < f(x(\bar{\lambda}))$ es decir $g(\bar{\lambda} + h) < g(\bar{\lambda})$. De donde la demostración se concluye por el absurdo. □

## 8.3. Programación multi-objetivo

Nos referiremos ahora al problema de maximizar funciones vectoriales $f : R^n \to R^k$ bajo determinadas restricciones.

DEFINICIÓN 8.7. Sea $f_1(x), \dots, f_k(x)$ y $g_1(x), \dots, g_m(x)$ funciones reales definidas en $X \subset R^n$. Diremos que $\hat{x} \in X$ es un máximo para $f(x) = (f_1(x), \dots, f_k(x))$ sujeto a $g_j(x) \geq 0,\ j = 1, \dots, m$, si se dan las siguientes condiciones:

(i) $g_j(\hat{x}) \geq 0, j = 1, \dots, m$, y $\hat{x} \in X$.

(ii) No existe $x$ tal que:

$$
\begin{aligned}
& f_i(x) \geq f_i(\hat{x}) && \forall i = 1, \dots, k \\
& f_i(x) > f_i(\hat{x}) && \text{para algún } i, \\
& g_j(x) \geq 0 && j = 1, \dots, m;\ \textit{con } x \in X.
\end{aligned}
\tag{38}
$$

El lector puede ver que los llamados *puntos eficientes* en la teoría de la producción, verifican esta definición. Es decir si $\bar{x}$ es eficiente, entonces con una cantidad menor o igual de insumos no puede producirse una cantidad mayor de producto. También es de interés remarcar que un *óptimo de Pareto,* es precisamente una asignación que verifica un sistema del tipo (38) siendo las funciones $f_i$ las correspondientes funciones de utilidad y $g(x)$ la restricción de factibilidad, ver por ejemplo [Balasko, Y. (88)].

De acuerdo a la definición anterior se tiene que si $\hat{x}$ realiza el máximo para la función vectorial $f(x)$ entonces

$$
\begin{array}{ll}
\hat{x} \text{ maximiza} f_{i_0}(x) & [esto\ es: \ f_{i_0}(\hat{x}) \geq f_{i_0}(x)] \\
sujeto\ a: & f_i(x) \geq f_i(\hat{x}) \\
f_i(x) \geq f_i(\hat{x}) & \forall i \neq i_0 \\
g_j(x) \geq 0 & j = 1, \ldots, m, \ x \in X.
\end{array}
$$

El siguiente teorema da una condición necesaria para máximo, que el lector verificará:

TEOREMA 8.8. **(Condición necesaria para máximo)** *Consideremos el conjunto $f_1, \ldots, f_k, \ g_1, \ldots, g_m$ de funciones reales y cóncavas definidas en un subconjunto convexo $X \in R^n$. Suponga que la condición de Slater se verifica (esto es, existe $\bar{x} \in X : g_j(x) \geq 0$ para todo $j$). Entonces si $\hat{x}$ maximiza $f(x) = (f_1(x), \ldots, f_k(x))$ restringido a $g_j(x) \geq 0 \ \forall j$, existe $\alpha \in R^k, \ \hat{\lambda} \in R^m$ con $\alpha \geq 0, \ \hat{\lambda} \geq 0$ y $\alpha \neq 0$ tal que $(\hat{x}, \hat{\lambda})$ es un punto de silla para $\phi(x, \lambda) = \alpha f(x) + \lambda g(x)$; esto es:*

$$\phi(x, \hat{\lambda}) \leq \phi(\hat{x}, \hat{\lambda}) \leq \phi(\hat{x}, \lambda) \ \ \forall x \in X, \lambda \geq 0.$$

Presentaremos ahora una condición suficiente:

TEOREMA 8.9. **(Condición suficiente para máximo)** *Consideremos el conjunto $f_1, \ldots, f_k, \ g_1, \ldots, g_m$ de funciones reales y cóncavas definidas en un subconjunto convexo $X \in R^n$. Suponga que existe $\hat{x} \in X, \alpha > 0$, y $\hat{\lambda} \geq 0$, tales que*

$$\alpha f(x) + \hat{\lambda} g(x) \geq \alpha f(\hat{x}) + \hat{\lambda} g(\hat{x}), \ \ \forall x \in X,$$

*y además:*

$$\hat{\lambda} g(\hat{x}) = 0, \quad g(\hat{x}) \geq 0.$$

*Entonces $\hat{x}$ es un máximo para $f(x)$ restringido a: $g(x) \geq 0, x \in X$.*

Obsérvese que si bien la concavidad de las funciones es necesaria para el teorema anterior, no lo es la convexidad de $X$.

El siguiente teorema se deduce inmediatamente de este:

TEOREMA 8.10. *Sean $f_1, \ldots, f_k; g_1, \ldots, g_m$ funciones reales definidas en un subconjunto $X \in R^n$. Suponga que existen $\hat{x} \in X$ y coeficientes $\alpha_1, \ldots, \alpha_k$ con $\alpha_i > 0$ para todo $i$, tales que $\hat{x}$ maximiza $\alpha f(x)$ restringido $g(x) \geq 0$ y $x \in X$. Entonces $\hat{x}$ maximiza $f(x)$ restringido a $g(x) \geq 0$, y $x \in X$.*

Para una aplicación de este teorema para caracterizar los óptimos de Pareto ver por ejemplo [Accinelli, E.; Brida, G. Plata, L.; Puchet, M.].

TEOREMA 8.11. *Sean $f_1, \dots, f_k; g_1, \dots, g_m$ funciones reales definidas en un subconjunto $X \in R^n$. Suponga que existe $\alpha \in R^k$ con $\alpha_i > 0$ para todo $i \in \{1, \dots, n\}$ y un punto silla $(\hat{x}, \hat{\lambda}) \in R^k \times R^m$ para los que se verifica:*

$$\phi(x, \hat{\lambda}) \leq \phi(\hat{x}, \hat{\lambda}) \leq \phi(\hat{x}, \lambda)$$

*con $\phi(x, \lambda) = \alpha f(x) + \lambda g(x)$. Entonces*

(1) *$\hat{x}$ maximiza $f(x)$ restringido a $g(x) \geq 0$.*
(2) *$\hat{\lambda} g(\hat{x}) = 0$.*

Para el caso en el que las funciones sean diferenciables, las condiciones de primer orden toman la forma

$$\alpha f_x(\hat{x}) + \hat{\lambda} g(\hat{x}) = 0$$

y los teoremas correspondientes se deducen en forma obvia.

Capítulo 9

# Economía y optimización no lineal

*Consideremos un consumidor típico con una función de utilidad $u(x)$ definida en su conjunto de consumo X. La función $u(x)$ es una función real definida en X. El consumidor elige x (su acción) de forma tal de maximizar $u(x)$. Su elección está restringida a un subconjunto de X, llamado la restricción presupuestaria.*
A Takayama.

Las aplicaciones de la programación no lineal en economía son abundantes y muy importantes. En definitiva la economía es la ciencia que intenta distribuir o utilizar optimamente recursos escasos. Es decir trata de maximizar una función objetivo con restricciones. De ahí la importancia central del teorema de Kuhn-Tucker. Mostraremos primeramente que los multiplicadores de Kuhn-Tucker pueden ser interpretados heurísticamente como los *precios de equilibrio (o precios sombra) de los recursos* de una economía. Luego presentaremos diferentes aplicaciones de la optimización no lineal, válidas tanto por su importancia en la teoría económica, como por sus enseñanza para la técnica que estamos estudiando.

Comenzaremos con el tema ya introducido en el ejercicio 6.26, referido a la interpretación económica de los multiplicadores de Kuhn-Tucker.

**Una interpretación de los multiplicadores de Kuhn-Tucker.** Supongamos que sea posible modificar las restricciones de un problema de optimización, en el que se trata de minimizar una función objetivo, $f : X \to R$ con $X \subseteq R^n$, definidas por funciones $g_i : X \to R^n$ de forma tal que $g_i(x) \leq 0$ para $i \in I$, siendo $I$ un conjunto de índices para las restricciones. Supongamos que estas modificaciones se realizan mediante la adquisición de una cantidad adicional de recursos en aquellos casos en que el óptimo $x^*$ implica que la restricción es activa, es decir en los casos en que $g_j(x^*) = 0, j \in E$, donde $E \subset I$ es el subconjunto de restricciones activas. Supongamos que el precio de la unidad adicional del $j-$ésimo recurso tiene un precio $v_j^*$, $j \in E$. Sea entonces $v^*$ el vector precios unitarios de los recursos. Supongamos que se adquieren $v_j$, $j \in E$ unidades adicionales de tales recursos. Tal modificación resulta interesante si se tiene la desigualdad $f(y^*) + \langle v^*, v\rangle \leq f(x^*)$. Esto es, el costo de producir bajo las nuevas condiciones $g_j(y^*) = v_j,\ \ j \in E$, el que es igual al costo $f(y^*)$, de producir $y^*$, donde $y^*$ minimiza $f$ con las condiciones $g_j(x) \leq v_j$ más el costo $\langle v^*, v\rangle$ de adquirir la cantidad adicional de recursos $v$, es menor que el costo de producir $x^*$ en la situación anterior. La desigualdad anterior corresponde a la siguiente: $\text{mín}_{x\in C} \left\{ f(x) + \sum_{j\in E} v_j^* g_j(x) \right\} < f(x^*)$ siendo $C = \{x : g_j(x) = v_j\}$.

Supongamos ahora que $v_j^* = \lambda_j^*,\ \ j \in E$ es decir, que el precio unitario del recurso $j$, está dado por el correspondiente multiplicador de Kuhn-Tucker. En estas condiciones se tiene que

$$\left\{ f(x) + \sum_{i\in E} \lambda_i^* g_i(x) \right\} \geq f(x^*),$$

es decir que

$$\min_{x\in C} \left\{ f(x) + \sum_{i\in E} \lambda_i^* g_i(x) \right\} = f(x^*),$$

es decir que a precios $\lambda^*$ la mejor opción es $x^*$, por lo tanto no hay incentivos a modificar la producción.

## 9.1. Dos aplicaciones

Presentaremos en esta sección dos aplicaciones de gran importancia en la teoría económica. El primero puede ser llamado el problema de la firma competitiva y el segundo el problema del consumidor.

EJEMPLO 9.1. El primer ejemplo será el problema de minimizar costos (MC) por parte de una firma competitiva que produce un único producto a partir de $n$ insumos. Asumimos que los precios unitarios de los insumos y el producto están determinados y no dependen de la actividad de la firma.

La firma deberá elegir los insumos que le permitan producir una cierta cantidad $y$, previamente determinada, del bien que ella produce, en forma tal de minimizar el costo de tal producción Los insumos utilizados serán indicados por un vector $x \in R^n$, cuyas coordenadas representan la cantidad utilizada del insumo correspondiente. Esta elección será realizada en forma acorde con la técnica de producción que la firma posee, la que será representada por una función de tecnología $f : R^n_+ \to R$, definida como $y = f(x)$ la que asumiremos estrictamente cóncava y diferenciable.

La firma competitiva elegirá entonces, $x \in R^n_+$ tal que resuelva el siguiente problema:

$$
\begin{array}{lll}
 & \text{Minimizar:} \quad wx, & (\text{Maximizar:} \quad -wx) \\
(39) & & \\
 & \text{sujeto a:} \quad f(x) \geq y & \text{and} \quad x \geq 0,
\end{array}
$$

donde, $w$ es el vector de precios (dado) de los insumos, admitimos $w_i > 0, \; i = 1, 2, \ldots n$; $x$ el vector de insumos, $y (> 0)$ el nivel del producto deseado, $f(x)$ la función de producción. Las condiciones de primer orden (CPO), para este problema son:

$$
\begin{array}{ll}
 & -w_i + \bar{\lambda}\frac{\partial f(\bar{x})}{\partial x_i} \geq 0, \quad [-w_i + \bar{\lambda}\frac{\partial f(\bar{x})}{\partial x_i}]\bar{x}_i = 0 \quad i = 1, 2, ..., n \quad (A) \\
(40) & \\
 & \bar{\lambda}[f(\bar{x}) - y] = 0, \quad f(\bar{x}) - y \geq 0. \qquad\qquad\qquad (B)
\end{array}
$$

Estas condiciones caracterizan la solución del problema de minimización del costo, a la que llamaremos demanda por insumos de la firma a precios $w$ y para el nivel $y$ de producción, al que representaremos por $\bar{x} = x(w, y)$. El valor del multiplicador también podrá ser obtenido a partir de estas condiciones y lo representaremos por $\bar{\lambda} = \lambda(w, y)$.

EJERCICIO 9.2. Muestre que si solamente se exige concavidad (no estricta) a la función de producción, la demanda de la firma puede no ser única.

El conjunto factible para este problema es $\mathcal{C} = \{x : x \geq 0, f(x) \geq y\}$. Suponga que existe $\bar{x} \geq 0$, tal que $f(\bar{x}) > y$ esto es que se cumple la condición de Slater, (ver corolario 6.6). Si la función de producción es estrictamente cóncava, entonces las condiciones (40) son necesarias para la existencia de un óptimo local. Por otra parte siendo la función objetivo lineal, y por lo tanto cóncava, las condiciones de primer orden son también suficientes para un óptimo global.

No obstante es perfectamente posible obtener una solución de esquina, esto es una solución donde se cumpla la desigualdad estricta en (40); $\bar{\lambda}\frac{\partial f(\bar{x})}{\partial x_i} < w_i$, en este caso $\bar{x}_i = 0$. Puede pensarse que para la tecnología existente es un factor muy caro y que por lo tanto no se usará.

En el caso en que $\bar{x}$ verifique las igualdades

$$
(41) \qquad \bar{\lambda}\frac{\partial f(\bar{x})}{\partial x_i} = w_i, \;\; y = f(\bar{x}),
$$

es posible obtener a partir del teorema de la función implícita (ver apéndice), una función $\bar{x}_i : R^n_{++} \times R \to R^n_+$ definida como $\bar{x} = x_i(w, y)$ llamada función de demanda (de largo plazo) de la firma por insumos . La referencia al largo plazo es debida a que suponemos que la firma puede elegir libremente sobre todos los insumos, a diferencia del corto plazo, que hace referencia al hecho de estar fijo algún o algunos insumos.

A partir de la función de demanda por insumos, es posible obtener una oferta óptima de la firma competitiva, es decir la cantidad de producto que la firma dejada a su libre arbitrio escogerá. Bastará para esto resolver el correspondiente problema de maximización de beneficios.

$$max_{y\in R_+}\pi(y) = py - wx(w,y). \tag{42}$$

La oferta óptima será función del precio $p$ del producto y de los precios $w$ de los insumos, la representamos por $y^* = y(p,w)$, los que la firma competitiva asume como determinados por el mercado, es decir, independientemente del nivel de actividad por ella desarrollado, pues este se supone pequeño relativo a la producción global.

EJERCICIO 9.3. Muestre el lector que en el caso de ser la función de tecnología cóncava, las condiciones de primer orden para el problema (42) son necesarias y suficientes para la existencia de la solución. Observe que $y = f(x(w,y))$.

EJEMPLO 9.4. Nuestro segundo ejemplo, es el problema de maximizar la función de utilidad supuesta cuasi-cóncava y derivable de un consumidor quien es un tomador de precios, y que tiene un ingreso fijo $M$.

Considérese una economía con $l$ bienes, el problema del consumidor es el siguiente:

$$\begin{aligned} &\text{maximizar}_{x\in R^l}\ u(x) \\ &\text{sujeto a: } \langle p,x\rangle \leq M, \quad x\geq 0, \end{aligned} \tag{43}$$

donde $u : R^n_+ \to R$ es la función de utilidad, $p \in R^l_+$ el vector de precios, cuyas coordenadas verifican $p_j > 0$ $j = 1,...,l$ y $M > 0$ el ingreso monetario.

Nótese que la restricción presupuestaria define un conjunto de restricciones convexo y compacto. Por ser $M > 0$ y $p$ un vector de precios positivos, existe $\bar{x} \in R^l_+$ tal que $p\bar{x} < M$. Además la condición $(b)$ del teorema (8.4) se verifica, desde que, por ejemplo, el consumidor prefiera más a menos. Las condiciones de primer orden para este problema son:

$$\begin{aligned} &\tfrac{\partial u(\bar{x})}{\partial x_j} - \bar{\lambda}p_j \leq 0, \quad [\tfrac{\partial u(\bar{x})}{\partial x_j} - \bar{\lambda}p_j]\bar{x}_j = 0, \\ &\bar{\lambda}(px - M) = 0, \quad p\bar{x} - M \leq 0, \end{aligned} \tag{44}$$

siendo $\bar{x} \geq 0$ y $\bar{\lambda} \geq 0$ y $j = 1, ..., l$. Como en el caso anterior, las condiciones dadas en (44) determinan la demanda y el valor del multiplicador en función de los parámetros, $p, M$.

En el caso de una función de utilidad cóncava (alcanza cuasi-cóncava) las condiciones (44) son necesarias y suficientes para la existencia del óptimo, naturalmente, siempre que se satisfaga la condición de Slater (ver corolario 6.6), la que en este caso, por ser $M > 0$, se cumple.

EJERCICIO 9.5. Muestre que la condición de cuasi-concavidad (no estricta) en la función de utilidad, no es suficiente para asegurar la unicidad de la solución.

Obsérvese que si hay algún tipo de **no saciedad local,** esto es que, en todo entorno de toda cesta de consumo, existe otra que es estrictamente preferible, como por ejemplo, lo que sucede si para algún $j \in \{1, ..., l\}$ se verifica que $\frac{\partial u(\bar{x})}{\partial x_j} > 0$ (esto implica $\bar{\lambda} > 0$) y si además $p_j > 0$. Bajo el supuesto de no saciedad local, el consumidor gastará enotnces, todo su ingreso. Luego, en el óptimo, la restricción presupuestaria se verificará con igualdad. No obstante esto no alcanza para evitar las soluciones $\bar{x}$ donde se cumple $\frac{\partial u(\bar{x})}{\partial x_h} < \bar{\lambda} p_h$ para algún $h \in \{1, ..., l\}$ en este caso el vector de precios, no será paralelo al gradiente de la curva de indiferencia del consumidor. Como se desprende de las (CPO), $\bar{x}_h = 0$. El sentido económico que corresponde a esta situación es que el bien $h$ es demasiado caro, con respecto a la utilidad marginal que su consumo ofrece, lo que haría que el agente no lo consuma.

EJERCICIO 9.6. Proponemos al lector resolver el problema del consumidor (43) en cada uno de los siguientes casos:

(1) El precio de algún bien es cero.
(2) Existe algún bien para el que se cumple que, $\frac{\partial u(\bar{x})}{\partial x_j} < 0$. Considere los casos en que $p_j \geq 0$ y $p_j \leq 0$.
(3) Si bien $\frac{\partial u(\bar{x})}{\partial x_j} > 0$ se verifica para el bien $j$–ésimo, su precio es negativo, es decir $p_j < 0$.

Interprete económicamente cada uno de estos casos y sus soluciones.

No obstante, en economía, es frecuente imponer condiciones que aseguren que la solución sea interior, es decir $\bar{x}_j > 0, \forall j = 1, \ldots, l$. Alcanzaría para obtener este tipo de soluciones que, por ejemplo, todas las derivadas parciales de la función de utilidad sean positivas, (decimos que el consumidor prefiere más a menos) o bien que el consumidor prefiera cualquier cesta con todas sus coordenadas positivas, a una que le ofrezca cero de algún bien. En este caso nos encontramos con la solución familiar:

$$(45) \qquad u_j(\bar{x}) = \frac{\partial u(\bar{x})}{\partial x_j} = \bar{\lambda} p_j, \;\; j = 1, 2, \ldots, l; \;\;\; p\bar{x} = M.$$

Es posible, en el caso de asumir por ejemplo la estricta cuasi-concavidad de la función de utilidad y la existencia de todas sus derivadas segundas, obtener, a partir de las igualdades (45), la demanda del consumidor y el valor de los multiplicadores de Lagrange, como funciones diferenciables de los parámetros $p$ y $M$. Esto se obtendrá como resultado del teorema de la función implícita. Analizaremos esta posibilidad en la sección siguiente. El multiplicador $\lambda$ puede ser interpretado como la utilidad marginal de la moneda.

EJERCICIO 9.7. Fundamente matemáticamente esta interpretación.

## 9.2. El problema del consumidor: La demanda

El teorema de la función implícita, ver sección (11.5), permitirá como veremos, una correcta definición de la función de demanda como función diferenciable de los precios y el ingreso. Bastará para esto imponer condiciones adecuadas en las funciones de utilidad. Estas condiciones no son muy restrictivas de acuerdo a las condiciones habitualmente consideradas en la teoría económica para las preferencias del consumidor, utilidad cuasi-cóncava y con derivadas segundas continuas.

Considere el caso en que la solución es interior, es decir, para el caso en que existen $\bar{x}$ con todas sus coordenadas positivas y $\bar{\lambda} > 0$ que verifican las ecuaciones:

$$(46) \qquad \begin{aligned} &\tfrac{\partial u(\bar{x})}{\partial x_j} - \bar{\lambda} p_j = 0 \;\;\; j = 1, ..., l, \\ &-p\bar{x} + M = 0. \end{aligned}$$

Luego, siendo la matriz de derivadas respecto de las variables $x$ y $\lambda$ de las funciones

$$(47) \qquad \begin{aligned} &F_j(x, \lambda, M, p) = \tfrac{\partial u(x)}{\partial x_j} - \lambda p_j, \;\; j = 1, ..., l; \\ &G(x, \lambda, M, p) = -px + M, \end{aligned}$$

evaluada en la solución $(\bar{x}, \bar{\lambda}, M, P)$

$$(48) \qquad M = \begin{bmatrix} u_{11}(\bar{x}) & \dots & u_{1l}(\bar{x}) & -p_1 \\ \vdots & \vdots & \vdots & \vdots \\ u_{l1}(\bar{x}) & \dots & u_{ll}(\bar{x}) & -p_l \\ -p_1 & \dots & -p_l & 0 \end{bmatrix}$$

invertible, lo que está asegurado por el hecho de ser la función de utilidad dos veces derivable y estrictamente cuasi-cóncava[1]. Con la notación $u_{ij}(\bar{x})$ representamos la segunda derivada de la función $u$ evaluada en $\bar{x}$, respecto de las variables $x_i$ y $x_j$, $i, j = 1, ..., l$. Podemos concluir entonces, utilizando el teorema de la función implícita (ver apéndice 11.5) en la existencia, continuidad y diferenciabilidad de la demanda individual, como función de los precios y el ingreso. Una representación de la modificación continua de la demanda con los precios, siempre que éstos se mantengan positivos, se muestra en la figura 23. La modificación de los precios conlleva el correspondiente cambio de las restricción presupuestarias de cada agente de la economía y consecuentemente se modifica la demanda.

EJERCICIO 9.8. A partir de las ecuaciones (41) y utilizando el teorema de la función implícita, obtenga la demanda de largo plazo por insumos de la firma competitiva.

## 9.3. La microeconomía y el teorema de separación de convexos

Finalizaremos esta sección mostrando que, tres de los lemas más importantes de la microeconomía así como el llamado segundo teorema del bienestar económico son, en definitiva, una aplicación directa del teorema de separación de convexos. El lector interesado en aplicaciones del análisis convexo a la producción económica podrá encontrar en [Uribe, P.] un excelente texto.

Recordamos que como corolario del teorema de separación de convexos, podemos asegurar que si un conjunto $K \subset R^n$ es convexo entonces para todo $\bar{x} \in fr(K)$, donde por $fr(K)$ representamos la frontera del conjunto $K$ (ver definición 2.19), existe $\bar{p} \in R^n$ tal que $\bar{p}\bar{x} \leq \bar{p}x, \forall\ x \in K$. (Este es el teorema de existencia del hiperplano soporte ya estudiado en la sección correspondiente al

[1] Recuerde que la función $u : X \to R$, $X \subset R^l$, dos veces diferenciable, es estrictamente cuasi-cóncava si y solamente si, la matriz $M = \begin{bmatrix} \partial^2 u(x) & [\partial u(x)]^T \\ \partial u(x) & 0 \end{bmatrix}$ es definida negativa (ver teorema 8.6). Por $\partial^2 u(x)$ representamos la matriz de derivadas segundas y por $\partial u(x)$ el gradiente de las función $u$.

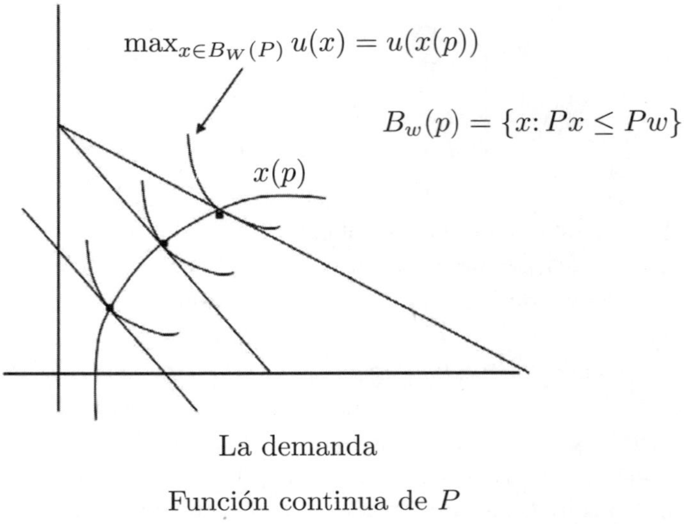


FIGURA 23. La demanda como función de los precios

teorema de separación de convexos). El hiperplano determinado por el vector $\bar{p}$, como el lector recordará, es denominado hiperplano soporte de $K$ en $\bar{x}$. Llamaremos a los vectores $\bar{p}$ vectores soporte.

Sea $H_k$ el conjunto de vectores soporte del conjunto convexo $K$. Definamos a continuación la aplicación soporte de $K$ $\mu_k :\rightarrow K$ definida como

$$\mu_k(p) = \{\bar{y} \in K : p\bar{y} = \text{ínf}(py),\ \forall\ y \in K\}.$$

LEMA 9.9. **(Lema de dualidad:)** *Supongamos que $K$ es estrictamente convexo. Entonces el gradiente de $\mu_k$ evaluado en $p$ grad $\mu_k(p) = \bar{y}$.*

*Demostración:* Es inmediato ver que en este caso existe un único $\bar{y} \in \mu_k(p)$ y además que pertenece a la frontera de $K$. Como fácilmente puede verse la función $\mu_k$ es lineal. Definamos ahora la función

$$\xi(\bar{p}) = \mu_k(\bar{p}) - \bar{p}y \leq 0\ \forall\ y \in K.$$

Dicha función alcanza su máximo valor en $\bar{y}$. Finalmente obtenemos que $grad\ \xi(\bar{p}) = grad\ \mu(\bar{p}) - \bar{y} = 0$. □

Sea $Y = \{(y, -x) \in R^n \times R^l,\ x > 0\}$ un conjunto de producción, de una firma que produce $n$ productos a partir de $l$ insumos. El conjunto de producción $Y$ es el conjunto de vectores insumo-producto, o planes posibles dada la tecnología existente. Supongamos que $Y$ es un conjunto convexo y cerrado (supuestos comunes en microeconomía) ver [Varian, H.] por ejemplo. Un vector $z \in Y$ se llama eficiente si $z \in fr(Y)$.

TEOREMA 9.10. **(De la eficiencia)** *Un vector $\bar{z}$ de insumo producto, es eficiente si y solamente si existe $\bar{p} \in R_+^{nl}$ vector con todas sus coordenadas positivas, tal que $\bar{p}\bar{z} \geq \bar{p}z \; \forall \; z \in Y$.*

*Demostración:* La suficiencia es obvia. El recíproco: La existencia es una inmediata consecuencia del teorema de existencia del hiperplano soporte mencionado en el comienzo del epígrafe. Si alguna coordenada $\bar{p}_i$ fuese negativa entonces la coordenada $i$-ésima de $v \in Y$ podría ser arbitrariamente grande. Lo que es un absurdo. □

Sea $\Pi : R_+^n \to R$, la función de beneficios de una empresa cuyo conjunto tecnológico $Y$ es convexo, $\Pi(\bar{p}) = max_{z \in Y} \bar{p}z = \bar{p}\bar{z}$. La existencia de $\bar{z}$ se deduce de las condiciones habituales exigidas para el conjùnto $Y$ de producción[2].

TEOREMA 9.11. **(De Hotteling)** *Sea $Y$ estrictamente convexo, entonces grad $\Pi(\bar{p}) = \bar{z}$. Es decir la oferta de productos y la demanda de insumos a precios $\bar{p}$ verifcan las igualdades respectivas que implican que de la derivada de la función de beneficios envaluada en $\bar{z}$ respecto a sus respectivos precios sea igual a $\bar{z}$.*

*Demostración :* La estricta convexidad de $Y$ muestra que $\Pi$ es un función, el resto es una aplicación directa del lema (9.9) □

Supongamos una empresa que produce un único producto a partir de $n-1$ insumos diferentes cuyos precios están dados por $w \in R_+^{n-1}$, con tecnología definida por una función $f$ convexa de forma tal que

$$Y = \{(q, -z_1, \ldots, -z_{n-1}) \in R^n : q - f(z) \leq 0, \; z_1 > 0, \ldots, z_n > 0\}.$$

Los costos quedan definidos por la función

$$c(\bar{w}, q) = min_{z:q \leq f(z)} \bar{w}z = \bar{w}\bar{z}.$$

TEOREMA 9.12. **(De Shepard)** *Si la demanda por insumos $z(w, q)$ consiste de un único punto entonces grad $_w c(w, q) = \bar{z}$.*

*Demostración:* Si admitimos la estricta convexidad de la función $f$, la unicidad de la demanda de insumos se deduce inmediatamente. Lo restante es nuevamente una aplicacion del lema de dualidad. □

Finalmente veamos la relación entre la demanda hicksiana y la función de gasto. Supongamos una economía con $n$ bienes diferentes cuyo espacio de consumo es $X \subset R^n$ y un agente cuya función de utilidad está dada por $u : R^n \to R$, cóncava. Recordamos que se define como **demanda hicksiana** la demanda que minimiza el gasto que permite alcanzar un nivel de utilidad

---

[2]Por ejemplo la existencia de $a \in R^n$ tal que $z \leq a, \;\; \forall \; z \in Y$.

determinado. A precios $p$ fijos el gasto corresponde al valor de la cesta de bienes elegida es decir $px$ si dicha cesta es $p$. Definimos ahora la **función de gasto** $e : R^n \times R \rightarrow$ como:

$$e(\bar{p}, \bar{u}) = min_x \; px$$

$$s.a. : u(x) \geq \bar{u}$$

La cesta de bienes $\bar{x}$ que resuelve este problema es precisamente la demanda hicksiana: $\bar{x} = h(\bar{p}, \bar{u})$. Obsérvese que siendo la función de utilidad cóncava, entonces el conjunto $\{x \in X : u(x) \geq u\}$ es convexo. A partir del lema de dualidad podemos concluir ahora que, $grad\ _p e(\bar{p}, \bar{u}) = h(\bar{p}, \bar{u})$.

## 9.4. El segundo teorema del bienestar económico

Como una aplicación del teorema de separación de convexos, probaremos el teorema que garantiza la posibilidad de que todo óptimo de Pareto, puede ser alcanzado en forma descentralizada por una economía, a partir de una redistribución de la riqueza inicial existente. Un tratamiento amplio del tema puede verse en [Mas-Colell et al].

Considere una economía con $l$ bienes, $n$ consumidores, con preferencias $\succeq_i$ convexas, estrictamente monótonas (es decir cada consumidor prefiere más a menos de cualquier bien) y dotaciones iniciales $w_i \;\; i = 1, \ldots, n$. Suponemos además que en la economía existen $l$ bienes (por lo que $w_i \in R^l_+, \; i = 1, \ldots, n$). Sea $x = (x_1, \ldots, x_n)$ una asignación factible, es decir una lista de cestas de bienes, una para cada consumidor, por lo que $x_i \in R^l_+$ y que además verifica $\sum_{i=1}^n x_i = \sum_{i=1}^n w_i$. Decimos que una una asignación $x^*$ es Pareto optimal, si es factible y ningún integrante de la economía puede mejorar lo que le corresponde en $x^*$ sin que otro empeore.

TEOREMA 9.13. **(Segundo teorema del bienestar económico.)** *En las condiciones antedichas para toda asignación de recursos Pareto optimal $x^*$, existe un sistema de precios $p^* = (p_1^*, \ldots, p_l^*)$ tal que el par $(p^*, x^*)$ es un equilibrio walrasiano con transferencias.*

*Demostración:* Considere los conjuntos:

$$\mathcal{Y} = \left\{ z \in R^l_+ : z = \sum_{i=1}^n z_i, \; z_i \succeq x_i^* \right\}.$$

$$\mathcal{J} = \left\{ x \in R^l_+ : x = \sum_{i=1}^n w_i \right\}.$$

Como puede comprobarse fácilmente $\mathcal{Y}$ y $\mathcal{J}$ son subconjuntos convexos de $R^l$, cuya intersección es no vacía pues $x^*$ pertenece a ambos, pero $ri\mathcal{Y} \cap ri\mathcal{J} = \emptyset$. Ahora por el teorema de separación de convexos (3) en sección (3.3) existe $p^* \in R^l$ tal que $p^*z \geq p^*x \quad \forall z \in \mathcal{Y}, x \in \mathcal{J}$. Puede probarse que $p_i^* > 0$, $\forall i = 1, \ldots, l$. En efecto por la estricta monotonía de las preferencias se tiene que $z = \sum_{i=1}^n x_1^* + e_j$ pertenece a $\mathcal{Y}$ por lo que $p^*z \geq p^*x^*$. Esto supone que $p^*e_j \geq 0$, luego $p_j^* \geq 0$ siendo $e_j = (0, \ldots, 0, 1, 0, \ldots, 0)$ el vector con ceros en todas sus coordenadas con excepción de la $j$-ésima, donde tiene un uno, se deduce la desigualdad para todo $p_j^*$, $j = 1, \ldots, l$. Para un nivel de riquezas $w_i^* = p_i^* x_i^*$ el par $(p^*, x^*)$ es un equilibrio walrasiano. □

El lector no familizarizado con el tema puede encontrrá una exposición detallada en [Mas-Colell et al].

Dedicaremos la próxima sección al análisis de sensibilidad, y al llamado *teorema de la envolvente*.

Capítulo **10**

# Análisis de sensibilidad

*La verdadera optimización es la contribución revolucionaria de la investigación moderna a los procesos de decisión*
G. B. Dantzig.

Se analizarán las modificaciones en la solución de un problema de programación no lineal, cuando se modifican los parámetros del problema, por ejemplo el precio de alguno de los insumos o factores de producción, o el total a producir $y$ en el caso de minimizar un costo o maximizar beneficios, o bien en el precio de alguno de los bienes, o el ingreso en el caso de un consumidor que maximiza su función de utilidad. Para considerar estos problemas en forma general trabajaremos con las siguientes funciones: $f(x, \alpha)$ y $g_j(x, \alpha)$, $j = 1, 2, \ldots, n$, reales, continuamente diferenciables, definidas en $R^{n+l}$ donde $x \in R^n$, $\alpha \in R^l$, que el lector particularizará. Consideremos el problema de fijado un vector $\alpha$ de parámetros, hallar $x$ tal que:

$$(49) \quad \begin{aligned} &\text{maximizar:} && f(x, \alpha) \\ &\text{sujeto a:} && g_j(x, \alpha) \geq 0, \quad j = 1, 2, \ldots, n \quad x \geq 0. \end{aligned}$$

Las condiciones de primer orden para este problema son:

$$\begin{aligned} &f_x(\bar{x}, \alpha) + \bar{\lambda} g_x(\bar{x}, \alpha) \leq 0, && [f_x(\bar{x}, \alpha) + \bar{\lambda} g_x(\bar{x}, \alpha)]\bar{x} = 0 \\ &\bar{\lambda} g(\bar{x}, \alpha) = 0, && g(\bar{x}, \alpha) \geq 0. \end{aligned}$$

Por $f_x(\bar{x}, \alpha)$ representamos el gradiente de $f$ evaluado en $(\bar{x}, \bar{\alpha})$, análogamente para $g_x(\bar{x}, \alpha)$ en todas las restricciones. Con $\bar{x} \geq 0, \bar{\lambda} \geq 0$.

El análisis de sensibilidad se refiere a las modificaciones que aparecen en la solución óptima $\bar{x}(\alpha)$ y $\bar{\lambda}(\alpha)$ ante modificaciones del parámetro $\alpha$.

Consideraremos el caso más sencillo en el que la solución es interior, esto es $\bar{x}_i > 0, \forall i$ y $\bar{\lambda}_j > 0, \forall j$. Por este motivo las (CPO) quedan restringidas a las igualdades:

$$(50)\qquad \begin{aligned} &f_x(\bar{x},\alpha)+\bar{\lambda}g_x(\bar{x},\alpha)=0\\ &g(\bar{x},\alpha)=0. \end{aligned}$$

Estas $(n+m)$ ecuaciones, se usarán para obtener, $(n+m)$ incógnitas

$$(51)\qquad \begin{aligned} &\bar{x}_i = x_i(\alpha),\ \ i=1,2,\ldots,n;\\ &\bar{\lambda}_j=\lambda_j(\alpha),\ \ j=1,2,\ldots,m. \end{aligned}$$

A a partir del teorema de la función implícita aplicado al sistema ( 50) obtenemos las funciones diferenciables definidas en (51) las que a su vez permiten definir una función diferenciable a la que llamaremos **función valor** o máximo valor.

$$F(\alpha)=f[x(\alpha),\alpha]$$

Definamos también la función:

$$\Psi(\alpha)=f[x(\alpha),\alpha]+\lambda(\alpha)g[x(\alpha),\alpha]$$

a la que llamaremos función pertubación.

## 10.1. Teorema de la envolvente

La aplicación del teorema de la función implícita a las condiciones de primer orden, (50) permiten analizar las repercusiones de cambios en los parámetros en los resultados de los problemas de maximización, aún sin conocer explicitamente la función máximo valor. El llamado teorema de la envolvente da esta posibilidad:

TEOREMA 10.1. **(De la envolvente)** *Sean $F$ y $\Psi$ diferenciables, entonces tenemos que: $F_\alpha=\Psi_\alpha=\Phi_\alpha$ esto es:*

$$\frac{\partial F(\alpha)}{\partial\alpha_j}=\frac{\partial\Psi(\alpha)}{\partial\alpha_j}=\frac{\partial\Phi(x(\alpha),\lambda,\alpha)}{\partial\alpha_j},$$

*donde $\Phi(x,\lambda,\alpha)=f(x,\alpha)+\lambda g(x,\alpha)$ es el lagrangiano,mientras que $x(\alpha)$ representa a la solución del problema de maximización definido en (49).*

*Demostración:* La prueba se sigue de aplicar la regla de la cadena y aplicar las (CPO), definidas en (50):

$$\Psi_\alpha=\Phi_x x_\alpha+\Phi_\lambda\lambda_\alpha+\Phi_\alpha=\Phi_\alpha,$$

$$F_\alpha = f_x x_\alpha + f_\alpha = -\lambda g_x x_\alpha + f_\alpha = \lambda g_\alpha + f_\alpha = \Phi_\alpha,$$

para obtener la segunda igualdad se usó la primera ecuación del sistema (50), para la tercera se usó la segunda ecuación de dicho sistema, pues $g_x x_\alpha + g_\alpha = 0$.

Para justificar el nombre de este teorema[1] considere el siguiente cambio de variables: $\beta = (\alpha_1, \ldots, \alpha_{l-1})$ y el siguiente problema de maximización:

$$(52) \qquad \begin{aligned} F(\alpha_l) &= \text{máx}_\beta\, F(\beta, \alpha_l) \\ s.a &: g(\beta, \alpha_l) = b. \end{aligned}$$

Supongamos que se fija $\bar{\alpha}_j$, sea entonces $\bar{\beta} = \beta(\bar{\alpha}_j)$ la solución para el correspondiente problema de maximización. Se verifica entonces que $F(\alpha_j) \geq F(\bar{\beta}, \alpha_l)$ con igualdad sólo en $\alpha_j = \bar{\alpha}_j$. Luego $F(\alpha_l) - F(\bar{\beta}, \alpha_l) \geq 0$, esta diferencia alcanza su mínimo en $\alpha_j = \bar{\alpha}_j$ por lo que se verificará que

$$(53) \qquad \frac{dF(\bar{\alpha}_l)}{d\alpha_l} - \frac{\partial F(\bar{\beta}, \bar{\alpha}_l)}{\partial \alpha_l} = 0.$$

Esta igualdad representa el contenido fundamental del teorema de la envolvente. Obsérvese que esta conclusión se puede obtener a partir de aplicar la regla de la cadena a: $F(\alpha_l) = F(\beta(\alpha_l), \alpha_l)$ siendo $\beta(\alpha_l)$ la solución del problema (52) y de la correspondiente condición de primer orden: $\partial F(\beta(\alpha_l), \alpha_l)/\partial \beta = 0$.

Por lo que $F(\alpha_l)$ y $F(\bar{\beta}, \alpha_l)$ coinciden en $\alpha_j = \bar{\alpha}_l$, donde $F(\bar{\beta}, \alpha_l)$ alcanza su máximo, y donde además se verifica que la derivada total de $F(\alpha_l)$ coincide con la derivada parcial de $F(\bar{\beta}, \alpha_l)$ respecto a $\alpha_j$. Las siguientes dos ecuaciones definen la envolvente de la familia curvas $F(\beta, \alpha_l)$ parametrizadas por $\alpha_l$, en el plano $(F, \alpha_l)$,

$$(54) \qquad \begin{aligned} \phi(\bar{\beta}, \bar{\alpha}_l) &= F(\bar{\alpha}_j) - F(\bar{\beta}, \bar{\alpha}_l) = 0, \\ \phi_{\alpha_l}(\bar{\beta}, \bar{\alpha}_l) &= \tfrac{dF(\bar{\alpha}_l)}{d\lambda_l} - \tfrac{\partial F(\bar{\beta}, \bar{\alpha}_l)}{\partial \alpha_l} = 0. \end{aligned}$$

[1]Sea $\{\gamma_\alpha\}$ una familia $S$ de curvas suaves en el plano dependientes del parámetro $\alpha$. Una curva suave $\gamma$ se denomina *envolvente* de la familia $S$ si en cada uno de sus puntos es tangente al menos a una curva de la familia y si en cualquier segmento de la misma es tangente a un conjunto infinito de curvas de la familia. Si la familia de curvas está definida para cada $\alpha = \bar{\alpha} \in (a, b)$, por la ecuación $\gamma(\beta, \bar{\alpha})$ entonces la envolvente $\gamma$ a la familia $S$ se determina por las ecuaciones:

$$\phi(\beta, \bar{\alpha}) = \gamma(\beta) - \gamma(\beta, \bar{\alpha}) - = 0 \quad \phi_\alpha(\beta) = 0.$$

Ver [Pogorélov, A.].

Para cada $\alpha_l$ fijo las ecuaciones $\phi(\beta(\alpha_l), \alpha_l) = 0$, siendo $\beta(\alpha)$ solución del problema (52) y $\phi_{\alpha_l}(\beta, \alpha_l) = 0$ define la **envolvente** a la familia de superficies parametrizada por $\alpha_l$. A partir de las ecuaciones anteriores obtenemos, la ecuación de la envolvente $\epsilon(F, \alpha_l) = 0$.

## 10.2. Aplicaciones a la microeconomía

Como aplicación del teorema de la envolvente analizaremos la repercusión que la modificación en el ingreso del consumidor o en alguno de los precios, tiene en la utilidad obtenida por el consumidor racional.

EJEMPLO 10.2. Consideremos el problema del consumidor, asumamos $p > 0$ y sea $x(p, M)$ la solución del problema, siendo $\lambda(p, M)$ el multiplicador de Lagrange. En este caso $\alpha = (p, M)$. La función de utilidad del consumidor será: $u$. Definimos :

$$U(p, M) = u[x(p, M)],$$

como la **función de utilidad indirecta**.

La función lagrangiana será: $\Phi = u(x) + \lambda(M - px)$. Por el teorema anterior tendremos:

$$\partial U / \partial M = \lambda(p, M)$$

Esto es el *multiplicador de Lagrange representa la utilidad marginal del ingreso*. Por otra parte obtenemos:

$$\partial U / \partial p_j = -\lambda x_j, j = 1, 2, \ldots, n.$$

Esto significa que un aumento en el precio disminuirá la satisfacción del consumidor.

Las igualdades obtenidas nos permiten obtener la **identidad de Roy**:

$$\partial U / \partial p_j + x_j \partial U / \partial M = 0, j = 1, 2, \ldots, n.$$

EJEMPLO 10.3. **(Una interpretación del multiplicador)** Consideremos el problema de elegir $x \in R^n$ tal que:

$$maximizar : \quad f(x)$$

$$sujeto\ a : \quad g_j(x) \leq b_j, \quad j = 1, 2, \ldots, m$$

El lagrangiano será: $\Phi(x, \lambda, b) = f(x) + \lambda[b - g(x)]$

Aplicando el teorema anterior con $F(b) = f[x(b)]$ obtenemos:

$$\frac{\partial F(b)}{\partial b_j} = \lambda_j, j = 1, 2, \ldots, m$$

Entonces el j-ésimo multiplicador de Lagrange, representa el variación marginal del valor del máximo $F(b)$ con respecto a la j-ésima restricción. Interpretando $b_j$ como la cantidad existente del j-ésimo recurso, $\lambda_j$ representa la pérdida en el valor máximo $F(b)$ por la pérdida de una unidad del mencionado recurso, por lo tanto es un precio sombra.

Sugerencia: considere el problema de minimizar el costo, ya presentado, y haga las interpretaciones correspondientes. Verifique que el multiplicador $\lambda$ representa el costo marginal por elevar en una unidad el producto. Observe también que en el óptimo, la demanda por el j-ésimo factor es igual a la variación marginal del costo respecto a su precio.

El lector interesado podrá verificar también el lema de Hotelling, esto, en un problema de maximizar beneficios, para una firma competitiva que produce $m$ productos a partir de $n$ factores, la variación marginal del beneficio $\pi(p, w) = py - wx$ respecto del precio del i-ésimo producto es igual a la producción óptima del mismo, y que el beneficio decrece con el aumento del precio de los factores.

También puede obtenerse, a partir de la verificación anterior, asumiendo que la función beneficio es dos veces diferenciable, la llamada **simetría de Hotelling,** esto es:

$$\partial x_j / \partial w_i = \partial x_i / \partial w_j$$

Estas relaciones pueden encontrarse en [Varian, H.].

## 10.3. La envolvente de las curvas de costo en el corto plazo

Supongamos que para producir un determinado producto en cantidad $y$ se utilizan $n + 1$ insumos, $n$ de ellos variables y uno fijo, en cantidades $x \in R^n$ variables y $k \in R$ constante. Supongamos que $w$ representa el vector de precios de los insumos variables y que $g(k)$ es el costo fijo, asumimos $g$ convexa. Por lo que producir $y$ con una tecnología $f(x, k)$ con $f'_k(x, k) > 0$, tiene asociado un costo $C(y, w, k)$ que se obtiene de resolver el problema

(55)
$$\begin{aligned} &\text{mín}_x\, wx + g(k) = \{\text{máx}_x -[wx + g(k)]\} \quad s.a: \quad f(x, k) \geq y,\ x \geq 0. \\ &s.a: \quad f(x, k) \geq y,\ x \geq 0. \end{aligned}$$

Sea $C(w, y, k) = wx(w, y, k) + g(k) = \text{mín}_x\, wx + g(k)\ s.a.\ y = f(x, k)$, por lo que $C(w, y, k)$ representa el costo de corto plazo para producir una cantidad $y$

de producto con precios de los insumos variables definidos por $w$ y $k$ el monto del insumo fijo.

El lagrangiano para este problema es

$$\Phi(x, \lambda) = -[wx + g(k)] + \lambda[f(x, k) - y].$$

Asumiendo $w, y, k$ como parámetros obtendremos una demanda por insumos variables, $x(w, y, k)$, por lo que $C(w, y, k) = wx(w, y, k) + g(k)$ y para el multiplicador $\lambda = \lambda(w, y, k)$.

Por el teorema de la envolvente obtenemos:

$$\text{(56)} \qquad \begin{aligned} \partial C(w, y, k)/\partial y &= \partial\Phi/\partial y = -\lambda(w, y, k), & (a)\\ \partial C(w, y, k)/\partial w_j &= \partial\Phi/\partial w_j = -x_j(w, y, k), & (b)\\ \partial C(w, y, k)/\partial k &= \partial\Phi/\partial k = -g'(k) - \lambda\partial f(x, k)/\partial k. & (c) \end{aligned}$$

Si fijamos el valor de $k = \bar{k}$ obtenemos la función de costos de corto plazo a partir de la igualdad

$$C(w, y, \bar{k}) = wx(w, y, \bar{k}) + g(\bar{k}).$$

Denotaremos por $C(w, y)$ a la función de costos de largo plazo. En el largo plazo todos los factores son variables, la firma puede elegir libremente todos los insumos, aún aquellos considerados fijos en el corto plaza,.

$$C(w, y) = \min_{k,x} wx + g(k) \quad s.a: \quad y = f(x, k).$$

Sea

$$\bar{\Phi}(x, k, \bar{\lambda}) = -[wx + g(k)] + \bar{\lambda}[f(x, k) - y]$$

el correspondiente lagrangiano para el problema de largo plazo.

A partir del teorema de la envolvente obtenemos:

$$\text{(57)} \qquad \begin{aligned} \partial C(w, y)/\partial y &= \partial\bar{\Phi}/\partial y = -\bar{\lambda}(w, y), & (a)\\ \partial C(w, y)/\partial w_j &= \partial\Phi/\partial w_j = -x_j(w, y), & (b)\\ \partial C(w, y)/\partial k &= \partial\Phi/\partial k = -g'(k) - \lambda\partial f(x, k)/\partial k. & (c) \end{aligned}$$

Al resolver el problema de largo plazo, para cada valor de $y$ fijo encontraremos un valor $k(y)$ correspondiente al valor de $k$ que minimiza el costo de producir $y$ asumiendo ahora este insumo ahora también variable. Sea $y = \bar{y}$ dado y sea $\bar{k} = k(\bar{y})$ la correspondiente demanda por el insumo $k$ en el largo plazo. Supongamos ahora que consideramos este valor del producto como predeterminado. El costo de corto plazo asumiendo $k = \bar{k}$, verificará la igualdad:

$$\text{(58)} \qquad C(w, \bar{y}, \bar{k}) = C(w, \bar{y}).$$

A partir de las ecuaciones (56) y (57) concluimos en que

(59) $$C'_y(w,\bar{y}) = C'_y(w,\bar{y},\bar{k}).$$

A esta conclusión se puede llegar también a partir de las definiciones de las funciones involucradas, pues es claro que

$$C(w,y,\bar{k}) \geq C(w,y)$$

es decir que $C(w,y,\bar{k}) - C(w,y) \geq 0 \;\; \forall y \geq 0$.

De esta forma, para $w$ fijo, en el plano $(C,y)$ la curva $\{(C(w,y),y)\; y \geq 0\}$ define la envolvente a la famila de curvas $\{(C(w,y,k),y)\; y \geq 0\}$. Es decir que para cada $y \geq 0$, encontramos $k$ tal que

(60) $$C(w,y) - C(w,y,k) = 0,$$
$$C'_y(w,y) - C'_y(w,y,k) = 0.$$

Por lo tanto, la curva de largo plazo forma la envolvente de las curvas de corto plazo. Fijado $w$, cada una de estas curvas coincide con la curva de largo plazo, en un único punto en el que además ambas son tangentes.

## 10.4. Ejercicios

EJERCICIO 10.4. Considere el problema de maximizar $f(x)$ sujeto a $g(x) + \alpha \leq 0$ siendo $f$ y $g$ funciones reales con dominio en $X \subset R^n$ y $\alpha \in R$. Muestre que si $f$ y $g$ son cóncavas entonces la función perturbación definida para cada $\alpha \in A$ siendo $A$ convexo es cóncava.

EJERCICIO 10.5. Encuentre la función valor $F(\alpha)$ y la perturbación $\phi(\alpha)$ correspondientes al problema:

$$max_{x \in R^2_{++}} x_1^{\frac{1}{2}} x_2^{\frac{1}{2}}$$

$$s.\,a:\;\; \alpha_1 x_1 + \alpha_2 x_2 \leq \alpha_3$$

donde $\alpha \in R^3$.

EJERCICIO 10.6. Considere una firma que produce un producto a partir de un insumo variable $x \in R$ y un insumo constante $k$, suponga $g(k) = k^2$ y $f(x,k) = x^{\frac{1}{2}} k^{\frac{1}{2}}$. Obtenga las curvas de costos de corto y largo plazo, en el plano $(C,y)$.

Capítulo **11**

# Apéndices

En los siguientes apéndices se presentan algunas demostraciones y comentarios no realizados en el texto, pero que, por creerlos de interés y a los efectos de simplificar la vida del lector interesado, las incluimos acá. Su lectura no es esencial para la comprensión de los temas presentados, pero algunos de ellos son en cierta forma paradigmáticas y completan el conocimiento adquirido de los temas estudiados en el libro.

## 11.1. Apéndice I. Topologías equivalentes

Mostraremos la equivalencia entre las diversas topologías lineales de Hausdorff en $R^n$. Sea $(X, \tau)$ un espacio topológico. Decimos que la topología $\tau$ es Hausdorff si separa puntos, es decir si dados dos puntos diferentes $x$ e $y$ existen abiertos disjuntos que los contienen. Puede demostrarse que si $\tau$ es Hausdorff, entonces todo conjunto compacto es cerrado.

Sea $X$ espacio vectorial. Decimos que una topología $\tau$ en $X$ es lineal si las funciones

- $f : X \times X \to X$ definida como $f(x, y) = x + y$ y
- $g : R \times X \to X$ definida como $g(\alpha, X) = \alpha x$,

son $\tau$ continuas. De esta forma el par $(X, \tau)$ define un espacio vectorial topológico.

TEOREMA 11.1. **(Topologías equivalentes en $R^n$)** Todo espacio vectorial topológico, de dimensión finita admite una única topología lineal de Hausdorff.

*Demostración:* Sea $X = R^n$ y $\tau_1$ una topología lineal y Hausdorff en $X$ y sea $\tau$ la topología generada por la norma euclidiana $\|x\|_2$. Mostremos primeramente que $\tau_1 \subset \tau$. Para esto consideremos la función identidad

$$I : (X, \tau) \to (X, \tau_1).$$

Si demostramos que esta función en continua habremos demostrado que $\tau_1 \subseteq \tau$. Considere $\{x_\alpha\}$ una sucesión de $R^n$ tal que $x_\alpha \rightarrow 0$ de acuerdo a $\|x\|_2$. Esto supone que cada sucesión coordenada $\{x_{\alpha i}\}$ converge a cero. Luego $x_\alpha = \sum_{i=1}^{n} x_i e_i$ siendo $e_i$ los vectores canónicos, converge a cero según $\tau_1$. Luego la identidad $I$ por ser lineal es continua como función de $(X, \tau)$ en $(X, \tau_1)$. Mostraremos a continuación que: $\tau \subset \tau_1$. Sea $B = \{x \in R^n : \|x\|_2 < 1\}$ y sea $S = \{x \in R^n : \|x\|_2 = 1\}$. Por ser $S$ compacto en $\tau$ y como por la parte anterior sabemos que $\tau_1 \subset \tau$, se sigue que $S$ es $\tau_1$ compacto. Luego, como $\tau_1$ es Hausdorff, entonces $S$ es cerrado. Luego como $0 \notin S$ existe $V$ entorno de 0 con la topología $\tau_1$, tal que $V \cap S = \emptyset$. Además $V \subseteq B$, pues si no lo fuera, existiría $x \in V$ tal que $\|x\|_2 > 1$, por lo que $x/\|x\|_2 \in V \cap S$ lo que es absurdo. Luego $V \subseteq B$ por lo que $\tau \subseteq \tau_1$. □

## 11.2. Apéndice II. Continuidad de funciones

Haremos en este apéndice algunos comentarios sobre la continuidad de funciones. En primer lugar es interesante destacar que el hecho de ser una función entre dos espacios topológicos una función continua, depende de las topologías elegidas. Una topología con pocos abiertos en el dominio de las funciones, dará como resultados *pocas* funciones continuas. Cuanto más rica en abiertos sea la topología considerada en el dominio, más funciones continuas definidas en el espacio topológico en el que se encuentra el dominio habrá (recuerde el lector la definición 2.44). En el caso de ser el dominio un subconjunto de $R^n$ las funciones continuas serán las mismas para toda topología Hausdorff y lineal. En segundo lugar, es importante destacar que la definición de continuidad en espacios métricos realizadas en términos de proximidad, es equivalente a la definición, introducida en el texto en la sección (2.8), que sólo hace referencia a conjuntos abiertos, si consideramos la topología cuya base está formada por las bolas abiertas con la métrica considerada. Una función $f : X \rightarrow R^n$ definida en $X \subseteq R^m$, se dice *continua* en el punto $a \in X$ cuando para cualquier $\epsilon > 0$ dado, se puede obtener un $\delta > 0$ tal que para todo $x \in X$ cuya distancia al punto $a$ sea menor que $\delta$ es transformado por $f$ en un punto $f(x)$ que dista de $a$ en menos que $\epsilon$. En forma simbólica

$$\forall \epsilon > 0, \exists \delta > 0 : x \in X, \text{tal que } \|x - a\| < \delta \Rightarrow \|f(x) - f(a)\| < \epsilon.$$

En términos de bolas, la continuidad de $f$ en $a$ se expresa así: Para toda bola abierta $B'$ de centro en $f(a)$ en $R^m$, existe una bola abierta de centro en $a$ en $R^n$ tal que $f(B \cap X) \subset B'$. Remarquemos que la continuidad de una función es una propiedad local. Observemos que toda función es continua en un punto aislado: *Sea a un punto aislado del dominio de f, entonces f es continua en a.* En efecto, obsérvese que si $a$ es aislado existe $\delta > 0$ tal que $B_a(\delta \cap X) = \{a\}$. Luego para cualquier $\epsilon > 0$ se tiene que $\|f(x) - f(a)\| < \epsilon$, cada vez que $x \in X$ verifique $\|x - a\| < \delta$ pues $x = a$.

EJERCICIO 1A Construya una función $f : R \to R$ tal que:

(1) Sea continua en un sólo punto.

(2) No sea continua en ningún punto.

EJERCICIO 2A Defina en $R$ la topología discreta, para la cual todo punto es un abierto. Muestre que toda función $f : R \to R$ es continua, pero que si dotamos a $R$ de la topología trivial (los úncos abiertos son $R$ y el vacío) entonces sólo son continuas las funciones constantes.

## 11.3. Apéndice III. Teorema de Heine-Borel

La importancia del teorema de Heine-Borel radica en el hecho de que permite afirmar que en $R^n$ un conjunto es cerrado y acotados si y solamente si, es compacto. Esta equivalencia es de importancia central en economía pues permite concluir, mediante la utilización del teorema de Weirstrass, que en economías con conjuntos de consumo en $R^n$ la demanda del consumidor existe cuando por ejemplo, los precios son positivos y las funciones de utilidad continuas. Lamentablemente, este teorema no se verifica para espacios más generales, lo que trae importantes desafíos metodológicos para la teoría económica (similares por su dificultad, a los aparejados por los conos positivos con interior vacío, propios de los espacios vectoriales topológicos de dimensión infinita), ver por ejemplo [Araujo, A. (87)].

Para la demostración del teorema de Heine-Borel, usaremos el teorema de Lindelöf.

TEOREMA 11.2. **(de Lindelöf)** *Sea $X \subset R^n$ un conjunto arbitrario. Todo cubrimiento abierto $X \subseteq \cup A_\lambda$ admite un subcubrimiento numerable, $X \subseteq A_{\lambda_1} \cup A_{\lambda_2} \cdots \cup A_{\lambda_n} \cup \cdots$.*

*Demostración:* Considere la familia $\mathcal{B}$ de las bolas abiertas de centro en los racionales y con radio racional y tales que cada una de ellas esté contenida en algún $A_\lambda$. Esta familia es numerable y cubre $X$. Para ver que cubre $X$ considere $x \in X$, luego existe una bola $B_x(2r) \subset A_\lambda$. Además existe un racional $x_i$ tal que $x \in B_{x_i}(r)$, falta probar que esta bola está contenida en $A_\lambda$. En efecto, si $y \in B_{x_i}(r)$ entonces $\|y - x\| \leq \|y - x_i\| + \|x_i - x\| \leq 2r$. Por lo que $y \in B_x(r) \subseteq A_\lambda$. Luego enumerando las bolas de la familia y eligiendo el correspondiente $A_\lambda$ que contiene a la bola en consideración, $B_i \subset A_{\lambda_i}$, obtenemos la cobertura numerable. □

El teorema de Lindelöf vale para todo espacio topológico con base numerable. Basta que exista en el conjunto un subconjunto denso numerable. Decimos que un subconjunto $D$ de un espacio topológico $(X, \tau)$ es denso en $X$, si para todo $x \in X$ y para todo entorno $V_x$ de $x$, existe $h \in D \cap V_x$.

Veamos ahora el teorema de Heine-Borel en dos etapas:

TEOREMA 11.3. **(de Heine-Borel)** *Sea $K$ subconjunto de $R^n$. Entonces:*

(1) *Si $K$ es acotado y cerrado, entonces de toda cobertura de $K$ podemos extraer una subcobertura finita.*
(2) *Si de toda cobertura de $K$ podemos extraer una subcobertura finita, entonces $K$ es compacto.*

Con esto habremos probado la equivalencia de en $R^n$ entre conjuntos compactos y conjuntos acotados y cerrados. La afirmación de que $K$ en $R^n$ es compacto si y solamente si toda sucesión tiene una subsucesión convergente, se deduce del teorema de Bolazano-Weierstras que afirma que toda sucesión limitada en $R^n$ tiene una subsucesión convergente.

*Demostración de 1:* Por el teorema de Lindelöf podemos empezar con una cobertura numerable $\{A_{\lambda_i}, i \in N\}$ de $K$. Sea $K \subset \bigcup_{i=1}^{\infty} A_{\lambda_i}$. Consideremos la familia decreciente de compactos

$$K_i = K \bigcap (A_{\lambda_1} \cup \cdots \cup A_{\lambda_i})^c$$

para cada $i \in N$. Luego para todo $x \in K$ a partir de cierto $h \in N$ se verifica que $x \notin K_j\ \forall j \geq h$. Luego $\bigcap_{i=1}^{\infty} K_i = \emptyset$, por lo que algún $K_i$ es vacío, finalmente $K \subset K_i^c$ es decir $K \subseteq A_{\lambda_1} \cup \cdots \cup A_{\lambda_i}$. □

*Demostración de 2:* Consideremos las bolas abiertas de radio 1 y centro en los puntos de $K$. Esto es una cobertura de $K$, luego podemos extraer una cobertura finita, por la tanto $K$ está limitado. Si $K$ no es cerrado, existe $a \in \bar{K} - K$. Consideremos ahora $A_i$ el complemento de la bola cerrada de centro $a$ y radio $1/i$. Luego para todo $x \in K$ se verifica que $\|x - a\| > 1/i$ para algún $i$. Puede verse que $K \subseteq \cup_i A_i$. Por lo que la familia $A_i \quad i \in N$ es una cobertura de $K$ y no existe subcobertura finita. □

## 11.4. Apéndice IV. Lema de Zorn

Recordamos que el lema de Zorn es uno de los principios básicos de la matemática. Para demostrarlo podemos recurrir a una serie de otros axiomas equivalentes, pero ninguno de ellos puede demostrarse independientemente de los otros. El lema de Zorn es una de las presentaciones de estos axiomas más usuales en matemática y en economía.

LEMA 11.4. **(De Zorn)** *Si toda cadena en un conjunto X parcialmente ordenado tiene una cota inferior, entonces X tiene un elemento minimal.*

Este lema es equivalente al axioma de elección, al principio de buena ordenación, al lema de Kuratowsky, y a otros, todos equivalentes entre si, pero ninguno se puede demostrar sin hacer uso de alguno de ellos. Estos axiomas o principios están en la base de la matemática y casi nada se puede construir sin apelar a algunos de ellos. Ver [Kelley, J.].

El axioma o principio llamado de elección, presenta también un enunciado "convincente intuitivamente" pero cuya demostración necesita del lema de Zorn.

AXIOMA DE ELECCIÓN 11.5. Si $X_a$ es un conjunto no vacío para cada punto $a$ de un conjunto de índices $A$, entonces hay una función $e$ de $A$ tal que $e(a) \in X_a$ para cada $a \in A$.

Este axioma lo que dice es que en cualquier colección de conjuntos no vacíos se puede *elegir* un elemento en cada uno de ellos.

El lema de Zorn permite demostrar el siguiente teorema de existencia del óptimo de Pareto. **Teorema** *Si en una economía con un número finito de consumidores, suponemos que cada uno de ellos tiene preferencias semi continuas superiormente entonces existe una asignación óptimo de Pareto individualemte racional.* La demostración de este teorema puede verse en [Aliprantis, C.D.; Brown, D.J.; Burkinshaw, O.].

## 11.5. Apéndice V. Teorema de la función implícita

El teorema de la función implícita juega en economía un importante papel el que trasciende las aplicaciones que presentamos en este libro, ver por ejemplo la sección 9.2 . No obstante entendemos que estas aplicaciones son paradigmáticas, motivo por el cual incluimos su discusión. A los efectos de completarla y por la gran cantidad de sus posibles aplicaciones, daremos la demostración del teorema de la función implícita, en el que dichas aplicaciones y discusión, se fundamentan.

Sea $F : X \times Y \to Z$ una función entre los espacios vectoriales $X = R^n$, $Y = R^m$ y $Z = R^l$. Queremos resolver la ecuación $F(x, y) = 0$ sabiendo que existe un punto solución, $F(x_0, y_0) = 0$, para $y$ en un entorno de $(x_0, y_0)$ es decir se trata de encontrar un mapa $x \to y(x)$ tal que $y(x_0) = y_0$ y $F(x, y(x)) = 0$. La condición para la existencia de tal mapa como una función es la existencia del operador inverso de $F_y(x_0, y_0)$ :

$$F_y(x_0, y_0)^{-1} : Y \to Z$$

como un operador lineal entre los espacios $Y$ y $Z$. Esto es equivalente a que la derivada parcial de Fréchet $F_y(x_0, y_0) : Y \to Z$ sea una transformación lineal biyectiva. La clave para la existencia de la solución puede verse a partir del desarrollo clásico de $F$ en series de potencias:

$$F(x, y) = F(x_0, y_0) + a(x - x_0) + b(y - y_0) + \textit{términos de orden superior},$$

siendo $F(x_0, y_0) = 0$ y $b = F_y(x_0, y_0)$ se obtiene que $F(x, y) = 0$ si y solamente si:

$$y - y_0 = -b^{-1}a(x - x_0) + \textit{términos de orden superior}.$$

Enunciaremos a continuación el teorema de la función implícita en la forma de Hildebrandt y Graves de 1927, la que fue presentada para $X, Y, Z$ como espacios de Banach, para los fines de nuestro trabajo estos espacios son espacios reales como definidos al comienzo de este apéndice.

TEOREMA 11.6. **(De la función implícita)** *Supongamos que*

(i) *La función $F : U(x_0, y_0) \subseteq X \times Y \to Z$ está definida en un entorno abierto $U(x_0, y_0)$ y $F(x_0, y_0) = 0$, siendo $X = R^n, Y = R^m$ y $Z = R^l$.*
(ii) *$F_y$ existe y es biyectiva en $U(x_0, y_0)$.*
(iii) *$F$ y $F_y$ son continuas en $(x_0, y_0)$,*

*entonces las siguientes afirmaciones son ciertas:*

(a) Existencia y unicidad: *Existen unos números positivos $r$ y $r_0$ tales que, para todo $x \in X$ que verifique $\|x - x_0\| \leq r_0$ existe exactamente un $y(x) \in Y$ tal que $\|y(x) - y\| \leq r$ y $F(x, y(x)) = 0$.*
(b) Construcción de la solución: *La sucesión:*

$$y_{n+1} = y_n - F_y(x_0, y_0)^{-1}F(x, y_n),$$

*converge a la solución $y(x)$ para todo $x : \|x - x_0\| \leq r_0$.*
(c) Continuidad: *Si $F$ es continua en un entorno de $(x_0, y_0)$ entonces $y(\cdot)$ es continua en un entorno de $x_0$.*
(d) Diferenciabilidad: *Si $F$ es $C^m$, $1 \leq m \leq \infty$ en un entorno de $(x_0, y_0)$ entonces $y(\cdot)$ también es $C^m$ en un entorno de $x_0$.*

NOTACIÓN *Decimos que una función es $C^m$ si admite derivadas de orden $m$ continuas.*

La demostración sigue los lineamientos de la hecha en [Lima, L.].
*Demostración:* Para la demostración de los incisos $(a)$ y $(b)$ definimos:

$$g(x, y) = F_y(0, 0)y - F(x, y).$$

La ecuación $F(x, y) = 0$ es equivalente a la siguiente:

$$y = F_y(0,0)^{-1}g(x,y) = T_x y,$$

note que $x$ es en $T_x$ un índice y no una indicación de derivada parcial.

Sen $\|x\|$, $\|y\|$, $\|z\|, \leq r$. Como $g_y(0,0) = 0$, siendo $F$ y $F_y$ continuas en $(0,0)$ el teorema de Taylor[1] permite escribir:

$$\|g(x,y) - g(x,z)\| \leq sup_{0<\tau<1}\|g_y(x, z + \tau(y - z))\|\|y - z\| = o(r)\|y - z\|.$$

Siendo $g(0, 0) = 0$ y $g$ continua en $(0, 0)$ se sigue que

$$\|g(x,y)\| \leq \|g(x,y) - g(x,0)\| + \|g(x,0)\| \leq o(r)\|y - z\| + o(r).$$

Siendo $o(r)$ un infinitésimo del orden de $r$. Como

$$\|T_x y\| \leq \|F_y(0,0)^{-1}\|\|g(x,y)\|,$$

$$\|T_x y - T_x z\| \leq o(r)\|F_y(0,0)^{-1}\|\|y - z\|.$$

Ahora por el teorema de punto fijo de Banach, para cada $x : \|x\| \leq r$ existe $y(x)$ tal que $y = T_x y$.

Inciso (c): La continuidad del mapa $(x, y) \to T_x y$ implica la continuidad de la función $x \to y(x)$.

La demostración del inciso ($d$) puede verse en [Zeidler, E.]. □

A continuación demostaremos el teorema de punto fijo de Banach para contracciones. Recordamos que una transformación $T : M \to M$ en un espacio métrico $(X, d)$ completo, se dice k-contractivo si existe una constante $k$ positiva y menor que 1, $0 \leq k < 1$, tal que $d(Tx, Ty) \leq kd(x, y)$ para todo $x, y \in M$.

TEOREMA 11.7. **(De punto fijo de Banach)** *Sea $(X, d)$ un espacio métrico, y sea $T : M \subseteq X \to M$ un operador contractivo, que transforma el subconjunto cerrado $M$ en si mismo. Entonces se verifica que:*

- (a) Existencia y unicidad: *Existe una única solución para la ecuación $x = Tx$, $x \in M$. Es decir la transformación $T$ tiene un único punto fijo.*
- (b) Convergencia: *La sucesión de iteraciones $x_{n+1} = T(x_n)$ converge a $x$ para cualquier elección de $x_0$.*
- (c) Error: *Para todo $n$ se verifca que $d(x_n, x) \leq k(1 - k)^{-1}d(x_0, x_1)$.*

[1]El teorema de Taylor para $f : U(x) \subseteq X \to Y$ en $C^n$ definida en un entorno de $x$ permite escribir para todo $h$ en un entorno del origen

$$f(x + h) = f(x) + \sum_{k=1}^{n-1} \frac{1}{k!} f^{(k)}(x)h^k + o(\|h\|^n), \; h \to 0.$$

Consecuentemente si $n = 0$ $f(x + h) = f(x) + o(1), \; h \to 0$.

*Demostración:* La sucesión $x_{n+1} = Tx_n$ es de Cauchy. Esta afirmación sigue de la siguiente cadena de igualdades y desigualdades:

$$d(x_n x_{n+1}) = d(Tx_{n-1}, Tx_n) \leq$$

$$\leq kd(x_{n-1}, x_n) \leq k^2 d(x_{n-2}, x_{n-1}) \leq \cdots \leq k^n d(x_0, x_1).$$

Una aplicación reiterada de la desigualdad triangular y luego la suma de la serie geométirca da por resultado:

$$d(x_n, x_{n+m}) \leq d(x_n, x_{n+1}) + d(x_{n+1}, x_{n+2}) + \cdots + d(x_{n+m-1}, x_{n+m}) \leq$$

$$\leq (k^n + k^{n+1} + \cdots + k^{n+m-1}) d(x_0, x_1) \leq k^n (1-k)^{-1} d(x_0, x_1).$$

Por lo tanto $x_n$ es una sucesión de Cauchy. Como $X$ es completo entonces $x_n \to x$. Ahora como $x_{n+1} = Tx_n$ haciendo $n \to \infty$ se sigue que $x = Tx$. La unicidad se prueba por el absurdo. Supongamos que $x \neq y$ tales que $x = Tx$ e $y = Ty$. Se tiene entonces que $d(x, y) = d(Tx, Ty) \leq kd(x, y)$, como $0 \leq k < 1$ se tiene que $d(x, y) = 0$ i.e. $x = y$. □

## 11.6. Apéndice VI. Programación lineal

En este apéndice veremos que algunos de los resultados de la programación lineal, pueden obtenerse en forma alternativa a la expuesta en la sección 5.6 e inmediata a partir de las condiciones que caracterizan a un punto silla. Probablemente uno de los resultados más importantes de la programación lineal es la relación dual. Esta relación se refiere a la existente entre los siguientes dos problemas, uno dual del otro:

$$\begin{aligned} &\text{máx}_{x \in R^l}\, px \\ &s.a.: Ax \leq r, \ con\ x \geq 0. \end{aligned} \tag{61}$$

con $p \in R^l$ un vector dado, $r \in R^m$ y $A$ una matriz $m \times l$.

$$\begin{aligned} &\text{mín}_{w \in R^m}\, wr \\ &s.a.: A^{tr} w \geq p, \ con\ w \geq 0. \end{aligned} \tag{62}$$

Los siguientes teoremas fueron probados originalmente sin recurrir a la programación no lineal, no obstante aquí los probaremos usando programación no lineal.

TEOREMA 11.8. **(De dualidad)**

(1) *Existe una solución $x^*$ para (61) si y solamente si existe una solución $w^*$ para (62)*

(2) *$x^* \geq 0$ y $w^* \geq 0$, verifican $Ax^* \leq r$, $A^{tr}w^* \geq p$ así como $w^*(r - Ax^*) = x^*(A^{tr}w^* - p) = 0$ si y solamente si, $x^*$ es solución para (61) y $w^*$ lo es para (62) más aún en este caso $px^* = rw^*$.*

*Demostración:* Inciso [(1)] Supongamos que $x^*$ es solución de (61). Sabemos que existe entonces $w^* \in R^m$ tal que $(x^*, w^*)$ es un punto silla para $\phi(x, w) = px + w(r - Ax)$, esto es:

$$\phi(x, w^*) \leq \phi(x^*, w^*) \leq \phi(x^*, w), \ \forall x \geq 0, w \geq 0.$$

Definimos ahora

$$\psi(w, x) = -\phi(x, w) = -px - w(r - Ax) = -wr + x(A'w - p).$$

Se sigue entonces que:

$$\psi(w, x^*) \leq \psi(w^*, x^*) \leq \psi(w^*, x), \ \forall x \geq 0, w \geq 0.$$

De donde se sigue que $w^*$ maximiza $-wr$ restringido a: $A'w - p \geq 0$, y $w \geq 0$. Esto es que $w^*$ es optimal para el problema (62). Recíprocamente, si $w^*$ resuelve (62), entonces procediendo como anteriormente, obtenemos $x^*$ tal que $\psi(w, x)$ tiene un punto silla en $(w^*, x^*)$. Lo que implica que $\phi(x, w)$ tiene un punto silla en $(x^*, w^*)$ y es por lo tanto una solución optimal para (61).

Inciso [(2)] Si $x^*$ y $w^*$ son respectivamente soluciones optimales para (61) y (62), entonces $(x^*, w^*)$ y $(w^*, x^*)$ son puntos sillas de $\phi(x, w)$ y $\psi(w, x)$ respectivamente. Luego por el teorema (6.8, item 2) se tiene que $w^*(r-Ax^*) = x^*(A^{tr}w^* - p)$. Como $\phi(x, w) = -\psi(w, x)$ se tiene que $px^* = w^*r$. Recíprocamente, supongamos que $x^*$ y $w^*$ verifican $w^*(r - Ax^*) = x^*(A^{tr}w^* - p) = 0$ con $Ax^* \leq r$ y $A^{tr}w^* \geq p$. Entonces si $x^* \geq 0$ y $w^* \geq 0$ se tiene que

$$\begin{aligned} \phi(x, w^*) &= px + w^*(Ax - r) = w^*r + (p - w^*A)x \leq w^*r = \\ &= w^*r - x^*(A^{tr}w^* - p) = px^* + w^*(r - Ax^*) = \phi(x^*w^*) = \\ &= px^* \leq px^* + w(r - Ax^*) = \phi(x^*, w). \end{aligned}$$

Por lo que $(x^*, w^*)$ es punto silla de $\phi(x, w)$ se deduce entonces que $x^*$ es solución del problema (61) y $w^*$ de su dual. □

El siguiente teorema se deduce fácilmente:

TEOREMA 11.9. **(De Goldman-Tucker)** *Existe una solución óptima $x^*$ y $w^*$ para los problemas (61) y (62) respectivamente si y solamente si existe $(x^*, w^*)$ punto de silla de $\phi(x, w) = px + w(r - Ax)$.*

La demostración queda a cargo del lector.

# Bibliografía


[Accinelli, E. (07)] *La topología de las correspondencias y el equilibrio de Nash" Economía Dinámica, Economía Aplicada y Teoría de Juegos: Ensayos en Homenaje a Ramón García-Cobián.* Editado por César Martinelli y Loretta Gasco. CH 8.*Ed. Fondo editorial de la Pontificia Universidad Católica del Perú.* (2007).

[Accinelli, E. (05)] *Elementos de la topología y de la teoría de conjuntos en la teoría del equilibrio general.* UAM(A), Eon-Sociales (2005).

[Accinelli, E. (03)] *Existence of GE: are the cases of non existence a cause of serious worry*? General Equilibrium: Problems and Prospects. Ed. F.Petry and F. Hahan, Routledge (2003).

[Accinelli, E.; Brida, G. Plata, L.; Puchet, M.] *Bienestar social, óptimos de Pareto y equilibrios walrasianos.* El Trimestre Económico dedicado a las VI JOLATE, 75, pp. 125-134 . Enero (2008).

[Aliprantis, C.D.; Border, K.C.] *Infinite dimensional analysis* Springer-Verlag (1994).

[Aliprantis, C.D.; Brown, D.J.; Burkinshaw, O.] *Existence and optimality of competitive equilibrium.* Studies in Economic Theory, vol 4. Springer-Verlag (1990).

[Apostol, T.] *Calculus.* Ed Reverté (2003).

[Araujo, A. (85)] *Lack of Pareto optimality in economies with infinitely many commodities* The need for impatience. Econométrica, 53 pp 455-461, (1985).

[Araujo, A. (87)] *The non-existence of smooth demand in general Banch spaces* Journal of Mathematical Economics, 17 pp 1, 11, (1987).

[Araujo, A. and Monteiro P.K. (93)] *The general existence of extended price equilibrium with infinitely many commodities.* Journal of Economic Theory, v.63, pp 408-426, (1993).

[Araujo, A. and Monteiro P.K.(90)] *Notes on programing when the positive cone has an empty interior.* Journal of Optimization Theory and Applications, v.67/ 2, pp 395-410, (1990).

[Arrow, K.; Enthoven, A.] *Quasi Concave Programing.* Econmetrica 29, pp 779-800 (1961).

[Arrow, K.; Hurwicz, L,; Usawa, H.] *Constraint Qualifications in Maximization Problems.* Naval Research Logistics Quarterly Vol 8/2 junio (1961).

[Aubin, J.P.] *Optima and Equilibria* Graduate Tecxts in Mathematics. Ed. Spronger Verlag, (1993).

[Balasko, Y. (09)] *The equilibrium manifold.* Mit Press. (2009).

[Balasko, Y. (88)] *Foundations of the Theory of General Equilibrium.* Academic Press, inc. (1988)

[Bazaraa, M.S.; Shetty, C.M.] *Foundations of Optimization.* Lecture Notes in Economics and Mathematical Systems, vol 122, (1976).

[Brown, J.] *Equilibrium analysis with non-convex technologies.* Hand Book of Matehematical Economics, vol 4. Ed by W. Hildenbrand and H. Sonnenschein, chapter 36. North Holland, (2006).

[Brézis, H.] *Analyse fonctionelle.* Masson Editeur de París (1983).

[Coruzeix, J.P.; Ocaña, E; Sosa, W.] *Análisis Convexo* Monografías de IMCA No. 33 (2003).

[Debreu, G. (a)] *Theory of Value: An Axiomatic Analysis of Economic Equilibrium* New Haven and London, Yale University Press (1959).

[Debreu, G. (b)] *Continuity properties of paretian utility.* International Journal of Economics setiembre (1964).

[Duffie, D.] *Dynamic Asset Pricing Theory.* Princeton University Press (1992)

[Kuhn,H.W.; Tucker, A. W.] *Nonlinear Programming.* Proceedings of 2nd Berkeley Symposium, 481-492, Berkeley: University of California Press (1951).

[Kelley, J.] *Topología General.* Eudeba (1962).

[Kemp, M.; Kimura, Y.] *Introduction to Mathematical Economics.* Springer-Verlag, (1978).

[Lima, L.] *Curso de Analise. Volume 2.* Ed. Sociedad Brasilera de Matemáticas, Projeto Euclides.

[Luenberger, D. (a)] *Optimzacion by vectorial space methods* Ed. John Willey and Sons, Inc (1969).

[Luemberguer, D. (b)] Microeconomic Theory, McGraw Hill, (1995).

[Maden, P.] *Concavidad y optimización en microeconomía.* Ed. Alizanza Editorial (1986).

[Mantel, R.] *Equilibrio con rendimineto crecientes a escala* Anales de la Sociedad Argentina de Economía Política 1, pp 271-283, (1979).

[Mas-Colell, A. (1985)] "The Theory of General Equilibrium, A Differentiable Approach". Cambridge University Press.

[Mas-Colell, A. (86)] *The price equilibrium existence problem in topological vector lattices.* Econometrica 54: pp 1039-1054. (1986)

[Mas-Colell et al] *Microeconomic Theory.* Ed. Oxford Univeristy Press (1995).

[Mas-Colell, A, and Zame, W.R.] *Equilibrium theory in infinite dimensional spaces.* Handbook of Mathematical Economics, IV, 1835-1898. (1991)

[Pogorélov, A.] *Geometría diferencial.* Ed. Mir, Moscú (1984).

[Rockafellar, T.] *Convex Analysis.* Princeton University Press (1970).

[Takayama, A.] *Mathematical Economics.* Cambridge University Press (1994).

[Uribe, P.] *Análisis de Actividades y Teoría del Capital.* Universidad de Guadalajara , México (1997).

[Varian, H.] *Micreconomic Analysis.* Ed. Norton, New York. Third edition.

[Zeidler, E.] *Nonlinear Functional Analysis and its Applications* Ed. Springer-Verlag (1993).

# Índice alfabético

*Introducción a la optimización no lineal*, de la colección Aportaciones Matemáticas, editada por la Sociedad Matemática Mexicana y la Universidad Nacional Autónoma de México, se terminó de imprimir en los talleres de CREATIVA IMPRESORES, Quetzalcoatl 69, Tlaxpana, Miguel Hidalgo, 11320, México, D.F. Tel. 5703-2241, en el mes de agosto de 2009. El tiraje en papel Bond blanco de 90 gramos, de 70 x 95 cm, consta de 750 ejemplares en pasta rústica con acabado en plastificado mate. Familia tipográfica: Computer Modern 12 pt.

**Apoyo técnico:**

**Instituto de Matemáticas, UNAM**

**Depto. de Publicaciones**

Gabriela Sanginés, Leonardo Espinosa, Celia Osorio

**Depto. de Difusión**

Gabriela Artigas, Víctor Hugo Alcántara, Lissette Martínez

# Sociedad Matemática Mexicana

## Junta Directiva de la Sociedad Matemática Mexicana 2008–2010:



La Sociedad Matemática Mexicana fue fundada en el año de 1943. Entre sus tareas fundamentales destacan: Estimular y mantener el interés por la investigación matemática en México; publicar revistas científicas; contribuir al mejoramiento de los programas de estudio y la enseñanza de las matemáticas en el país; estimular la elaboración y publicación de libros de texto en matemáticas; organizar conferencias, reuniones, congresos y concursos de matemáticas; cooperar en la resolución de los problemas matemáticos que se presentan en el sector productivo del país, así como los que surgen en las investigaciones de otras ciencias; promover el convencimiento entre la sociedad mexicana de que las matemáticas son parte integral de la cultura básica y de las habilidades de uso cotidiano de la población.

correo electrónico: smm@smm.org.mx

http://www.smm.org.mx

## Instituciones patrocinadoras de la Sociedad Matemática Mexicana:

- *Benemérita Universidad Autónoma de Puebla*
- *Centro de Investigación en Matemáticas, A. C.*
- Centro de Investigación y de Estudios Avanzados
- Consejo Nacional de Ciencia y Tecnología
- *Fundación Universidad de las Américas, Puebla*
- Instituto Politécnico Nacional "Unidad Adolfo López Mateos"
  - Escuela Superior de Física y Matemáticas
- Instituto Tecnológico Autónomo de México
- *Instituto Tecnológico Superior de Lerdo, Durango*
- *Instituto Tecnológico Superior de Puerto Vallarta*
- Secretaría de Educación Pública
  - Subsecretaría de Educación Media Superior
  - Subsecretaría de Educación Básica
  - Subsecretaría de Educación Superior
- Universidad de Guadalajara
- *Universidad de Sonora*
- Universidad Anáhuac del Sur S.C.
- Universidad Anáhuac del Norte S.C.
- Universidad Autónoma de Aguascalientes
- Universidad Autónoma de Baja California
- Universidad Autónoma de Ciudad Juárez
- *Universidad Autónoma del Estado de Hidalgo*
- Universidad Autónoma del Estado de Morelos
- Universidad Autónoma de Nuevo León
- Universidad Autónoma de Querétaro
- Universidad Autónoma de San Luis Potosí
- Universidad Autónoma de Yucatán
- *Universidad Autónoma de Zacatecas*
- Universidad Autónoma Metropolitana
  - *Unidad Iztapalapa*
- Universidad Juárez Autónoma de Tabasco
- Universidad Nacional Autónoma de México
  - *Facultad de Ciencias*
  - *Instituto de Matemáticas*
- Universidad Pedagógica Nacional

Se han distinguido con letra cursiva los Miembros Institucionales de la SMM.

# PUBLICACIONES DEL INSTITUTO DE MATEMÁTICAS, UNAM:

## MONOGRAFÍAS DEL INSTITUTO DE MATEMÁTICAS

1 *Localization in non commutative rings.* B. J. Mueller (1975).
2 *Teoría de los números algebraicos.* A. Díaz-Barriga, A. I. Ramírez-Galarza, F. Tomás (1975).
3 *Integrales de medida positiva.* G. Zubieta (1976).
4 *Rings with polynomial identities.* B. J. Mueller (1977).
5 *Grupos profinitos, grupos libres y productos libres.* L. Ribes (1977).
6 *Introducción a la teoría de las clases características en la geometría algebraica.* A. Holme (1978).
7 *Embeddings, projective invariants and classifications.* A. Holme (1979).
8 *The relative spectral sequence of Leray-Serre for fibrations pairs.* C. Prieto (1979).
9 *Caminatas aleatorias y movimiento browniano.* D. B. Hernández (1981).
10 *On polarized varieties.* T. Matsusaka (1981).
11 *Métodos diagramáticos en teoría de representaciones.* C. Cibils, F. Larrión, L. Salmerón (1982).
12 *Espacios simplécticos sobre $\beta$-anillos y anillos de Hermite, trasvecciones simplécticas.* E. Fernández Bermejo (1982).
13 *Abelian integrals.* G. Kempf (1983).
14 *On Selfinjective algebras of finite representation type.* J. Waschbüsch (1983).
15 *On ideal theory in Banach and topological algebras.* W. Zelazko (1984).
16 *Teoría general de procesos e integración estocástica.* T. Bojdecki (1985).
17 *La figura espectral de operadores.* C. Hernández Garciadiego, E. de Oteyza (1986).
18 *Teoría de punto fijo.* A. Dold. Traducción: C. Prieto. Vol. I, Vol. II, Vol. III (1986).
19 *Projective embeddings of algebraic varieties.* J. Roberts (1988).
20 *Teoría general de procesos e integración estocástica.* 2a. Edición. T. Bojdecki (1989).
21 *Análisis funcional I.* C. Bosch Giral, E. Fernández Bermejo (1989).
22 *Introducción a la topología de las variedades de dimensión infinita.* L. Montejano (1989).
23 *Introducción a la teoría de representaciones de álgebras.* R. Martínez-Villa (1990).

## MEMORIAS DEL 50 ANIVERSARIO DEL INSTITUTO DE MATEMÁTICAS. 1942–1992.

## MATEMÁTICAS EN LA UNAM. MEMORIAS DEL 60 ANIVERSARIO DEL INSTITUTO DE MATEMÁTICAS. (2003).

*Topología algebraica. Un enfoque homotópico.* M. Aguilar, S. Gitler, C. Prieto. Coedición de Instituto de Matemáticas, UNAM – McGraw-Hill Interamericana Editores (1998).

## CUADERNOS DE OLIMPIADAS DE MATEMÁTICAS.

1 *Combinatoria.* M. L. Pérez-Seguí. 2a. Reimpresión de la 3a. edición (2008).
2 *Principios de olimpiada.* A. Illanes Mejía. 3a. Reimpresión de la 2a. edición (2008).
3 *Geometría.* R. Bulajich, J. A. Gómez Ortega. 6a. Reimpresión (2009).
4 *Geometría. Ejercicios y problemas.* R. Bulajich, J. A. Gómez Ortega. 5a. Reimpresión (2008).
5 *Teoría de números.* M. L. Pérez-Seguí. 2a. Edición (2009).
6 *Desigualdades.* R. Bulajich, J.A. Gómez Ortega 3a. edición (2007).
7 *Inequalities.* R. Bulajich, J.A. Gómez Ortega (2005).
8 *Las olimpiadas de matemáticas en San Luis Potosí, 1987–2005.* R. Bulajich, C. J. Rubio (2008).
9 *Matemáticas preolímpicas.* M. L. Pérez-Seguí. 1a. Reimpresión (2009).

## TEMAS DE MATEMÁTICAS PARA BACHILLERATO.

1 *Cuando cuentes cuántos...* H. A. Rincón Mejía 1a. Reimpresión de la 2a. edición (2009).
2 *Sistemas de ecuaciones y de desigualdades.* A. I. Ramírez Galarza 1a. Reimpresión (2008).
3 *La historia de un empujón: un vistazo a las ecuaciones diferenciales ordinarias y a los sistemas dinámicos.* L. Ortiz Bobadilla y E. Rosales González 2a. edición (2007).
4 *Dos o tres trazos.* S. Cárdenas Rubio 2a. edición (2008).
5 *Estadística descriptiva para bachillerato.* M.P. Alonso Reyes, J.A. Flores Díaz (2004).
6 *Relaciones de equivalencia.* M. Cruz Terán (2006).

7 *Mosaicos.* L. Hidalgo (2007).
8 *Funciones Circulares.* M. Cruz Terán (2008).

---

---

# PUBLICACIONES DE LA SOCIEDAD MATEMÁTICA MEXICANA Y DEL INSTITUTO DE MATEMÁTICAS:

## APORTACIONES MATEMÁTICAS

### Serie: INVESTIGACIÓN

1 *Coloquio de sistemas dinámicos. Memorias. Guanajuato, México, 1983.* Editado por J. A. Seade, G. Sienra (1985).
2 *Categorical topology - The complete work of Graciela Salicrup.* Edited by H. Herrlich, C. Prieto (1988).
3 *Sistemas dinámicos holomorfos en superficies.* X. Gómez-Mont, L. Ortíz-Bobadilla. 2a. edición (2004).
4 *Simposio de probabilidad y procesos estocásticos. Memorias. Guanajuato, México 1988.* Editado por M. E. Caballero, L. G. Gorostiza (1989).
5 *Topics in algebraic geometry. Proceedings. Guanajuato, México 1989.* Editado por L. Brambila-Paz, X. Gómez-Mont (1992).
6 *Seminario internacional de álgebra y sus aplicaciones. Memorias. México 1991.* Editado por L. M. Tovar, C. Rentería, R. H. Villarreal (1992).
7 *II Simposio de probabilidad y procesos estocásticos. I Encuentro México-Chile de análisis estocástico. Memorias. Guanajuato, México 1992.* Editado por M. E. Caballero, L. G. Gorostiza (1992).
8 *Taller de geometría diferencial sobre espacios de geometrías. Memorias. Guanajuato, México 1992.* Editado por L. del Riego, C. T. J. Dodson (1992).
9 *Poblaciones aleatorias ramificadas y sus equilibrios.* A. Wakolbinger (1994).
10 *Una Introducción a la geometría computacional a través de los teoremas de la galería de arte.* V. Estivill-Castro (1994).
11 *III Simposio de probabilidad y procesos estocásticos. Memorias. Hermosillo, México 1994.* Editado por M. E. Caballero, L. G. Gorostiza (1994).
12 *IV Simposio de probabilidad y procesos estocásticos. Memorias. Guanajuato, México 1996.* Editado por L. G. Gorostiza, J. A. León, J. A. López-Mimbela (1996).
13 *Taller de variedades abelianas y funciones theta. Memorias. Morelia, Mich., México 1996.* Editado por R. Rodríguez, J. M. Muñoz Porras, S. Recillas (1998).
14 *Modelos estocásticos.* Editado por J. M. González Barrios, L. G. Gorostiza (1998).
15 *Inverse limits.* W. T. Ingram (2000).
16 *Modelos Estocásticos II.* Editado por D. Hernández, J. A. López-Mimbela, R. Quezada (2001).
17 *Topics in infinitely divisible distributions and Lévy processes.* A. Rocha-Arteaga, K. Sato (2003).
18 *Parametric Optimization and Related Topics VII.* Editado por J. Guddat, H. Th. Jongen, J.-J. Rückmann, M. Todorov (2004).
19 *Continuum Theory: in Honor of Professor David P. Bellamy on the occasion of this 60th Birthay.* Edited by I. W. Lewis, S. Macas, S. B. Nadler, Jr. (2007).

### Serie: COMUNICACIONES

1 *Programa de investigación del XVIII congreso nacional de la Sociedad Matemática Mexicana. Memorias. Mérida, México 1984.* Editadas por M. Clapp, J. A. Seade (1986).
2 *Teoremas límite de alta densidad para campos aleatorios ramificados.* B. Fernández (1986).
3 *Programa del XIX congreso nacional de la Sociedad Matemática Mexicana, Vol. I. Memorias. Guadalajara, México 1986.* Editadas por J. A. de la Peña, C. Prieto, G. Valencia, L. Verde (1987).

4 *Programa del XIX congreso nacional de la Sociedad Matemática Mexicana, Vol. II. Memorias. Guadalajara, México 1986.* Editado por J. A. de la Peña, C. Prieto, G. Valencia, L. Verde (1987).

5 *Programa del XX congreso nacional de la Sociedad Matemática Mexicana. Memorias. Xalapa, México 1987.* Editado por M. A. Aguilar, L. Salmerón, C. Vargas (1988).

6 *XXI Congreso nacional de la Sociedad Matemática Mexicana. Memorias. Hermosillo, Sonora 1988.* Editado por F. Aranda, J. Bracho, A. Sánchez Valenzuela, A. Vargas (1989).

7 *Breve introducción a códigos detectores-correctores de error.* C. Rentería, H. Tapia, W. Y. Vélez (1990).

8 *XXII Congreso nacional de la Sociedad Matemática Mexicana. Memorias. Puebla, Puebla 1989.* Editado por P. Barrera, A. Illanes, F. O'Reilly, S. Recillas (1990).

9 *XXIII Congreso nacional de la Sociedad Matemática Mexicana. Memorias. Guanajuato, México 1990.* Editado por A. García-Máynez, L. G. Gorostiza, J. Ize, M. Mendoza (1991).

10 *La estructura de los dendroides suaves.* S. Macías Alvarez (1993).

11 *XXIV Congreso nacional de la Sociedad Matemática Mexicana. Memorias. Oaxtepec, Morelos 1991.* Editado por O. Hernández, L. Montejano, B. Rumbos, A. A. Wawrzyñzyk (1992).

12 *XXV Congreso nacional de la Sociedad Matemática Mexicana Vol. I. Memorias. Xalapa, Veracruz 1992.* Editado por F. Larrión, A. Olvera, V. Pérez-Abreu, E. Vallejo (1993).

13 *XXV Congreso nacional de la Sociedad Matemática Mexicana Vol. II. Memorias. Xalapa, Veracruz 1992.* Editado por F. Larrión, A. Olvera, V. Pérez-Abreu, E. Vallejo (1993).

14 *XXVI Congreso nacional de la Sociedad Matemática Mexicana. Memorias. Morelia, Mich. 1993.* Editado por M. E. Caballero, J. Delgado, A. G. Raggi, J. Rosenblueth (1994).

15 *XI Escuela Latinoamericana de Matemáticas. Memorias. UNAM, México, D. F.; CIMAT, Gto. 1993.* Editado por X. Gómez-Mont, J. A. de la Peña, J. A. Seade (1994).

16 *XXVII Congreso nacional de la Sociedad Matemática Mexicana. Memorias. Querétaro, Qro. 1994.* Editado por J. A. León, A. Nicolás, F. Ongay, A. Tamariz (1995).

17 *Grupo de estudio con la industria y cursos en matemáticas industriales. Memorias. Oaxaca, Oaxaca 1995.* Editado por A. Fitt, R. Martínez-Villa (1996).

18 *XXVIII Congreso nacional de la Sociedad Matemática Mexicana. Memorias. Colima, Colima 1995.* Editado por J. L. Morales Pérez, S. Pérez Esteva, F. Sánchez Bringas, G. Villa Salvador (1996).

19 *Problemas combinatorios sobre conjuntos finitos de puntos.* B. M. Ábrego Lerma (1997).

20 *XXIX Congreso nacional de la Sociedad Matemática Mexicana. Memorias. San Luis Potosí, SLP 1996.* Editado por F. Avila Murillo, R. Montes-de-Oca, R. del Río Castillo, J. Muciño-Raymundo (1997).

21 *IV Escuela de verano de geometría y sistemas dinámicos. Memorias. Cimat, Guanajuato 1997.* Editado por O. Calvo, R. Iturriaga (1998).

22 *XXX Congreso nacional de la Sociedad Matemática Mexicana. Memorias. Aguascalientes, Ags. 1997.* Editado por A. López Mimbela, M. Neumann, M. Rzedowski, M. Shapiro (1998).

23 *Segundo grupo de estudio con la industria y cursos en matemáticas industriales. Memorias. Cocoyoc, Mor., México. 1997.* Editado por A. Fitt, R. Martínez-Villa, H. Ockendon (1999).

24 *3rd. International conference on approximation and optimization in the Caribean. Proceedings. Puebla, México. 1995.* Editado por B. Bank, J. Bustamante, J. Guddat, M. A. Jiménez, H. Th. Jongen, W. Römisch (1998).

25 *XXXI Congreso nacional de la Sociedad Matemática Mexicana. Memorias. Hermosillo, Son. 1998.* Editado por P. Padilla, R. Quiroga, C. Signoret, A. Soriano (1999).

26 *Tendencias interdisciplinarias de las matemáticas.* Editado por S. Gitler, C. Prieto (2000).

27 *XXXII Congreso nacional de la Sociedad Matemática Mexicana. Memorias. Guadalajara, Jal. 1999.* Editado por L. Hernández Lamoneda, R. Quezada, J. Martínez Bernal, H. Sánchez Morgado (2000).

28 *Lecturas Básicas en Topología General.* Editado por L. M. Villegas, A. Sestier, J. Olivares (2000).

29 *XXXIII Congreso nacional de la Sociedad Matemática Mexicana. Memorias. Saltillo, Coah. 2000.* Editado por J. Alfaro, M. Eudave, J. González Espino-Barros, E. Pérez Chavela (2001).

30 *XXXIV Congreso Nacional de la Sociedad Matemática Mexicana. Memorias. Toluca, Méx. 2001.* Editado por G. Contreras, C. Rentería, E. R. Rodríguez, C. Villegas Blas (2002).

31 *Tópicos de Geometría Algebraica.* Editado por L. Brambila, P.L. del Angel, A. García Zamora, J. Muciño (2002).

32 *XXXV Congreso Nacional de la Sociedad Matemática Mexicana. Memorias. Durango, Dgo. 2002.* Editado por M. Aguilar, R. Quiroga (2003).

33 (Número cancelado.)

34 *XXXVI Congreso Nacional de la Sociedad Matemática Mexicana. Memorias. Pachuca, Hgo. 2003.* Editado por M. Aguilar, R. Quiroga (2004).

35 *Memorias de la Sociedad Matemática Mexicana.* Editado por M. Aguilar, R. Quiroga (2005).

36 *Memorias de la Sociedad Matemática Mexicana.* Editado por M. Aguilar, R. Quiroga (2006).

37 *Memorias de la Sociedad Matemática Mexicana.* Editado por M. Aguilar, L. Hernández Lamoneda (2007).

38 *Memorias de la Sociedad Matemática Mexicana.* Editado por M. Aguilar, L. Hernández Lamoneda (2008).

39 *Modelos en estadística y probabilidad.* Editado por J.M. González-Barrios, J.A. León, A. Pérez, L.A. Rincón, J. Villa (2008).

**Serie: TEXTOS**

1 *Introducción a la topología – Graciela Salicrup.* Editado por J. Rosenblueth, C. Prieto. Nivel medio. 1a. Reimpresión (1997).

2 *Procesos estocásticos.* C. Tudor. Nivel avanzado. 3a. Edición (2002).

3 *Lectures on continuous-time Markov control processes.* O. Hernández-Lerma. Nivel avanzado (1994).

4 *Un curso de lógica matemática.* C. R. Videla. Nivel avanzado (1995).

5 *Rudimentos de mansedumbre y salvajismo en teoría de representaciones.* F. Larrión, A. G. Raggi, L. Salmerón. Nivel avanzado (1995).

6 *Teoría general de procesos e integración estocástica.* T. Bojdecki. Nivel avanzado. 1a. Reimpresión (2004).

7 *Intersection theory.* S. X. Descamps. Nivel avanzado (1996).

8 *Inverse problems.* H. W. Engl. Nivel avanzado (1996).

9 *El ABC de los splines.* P. Barrera, V. Hernández, C. Durán. Nivel elemental (1996).

10 *Lo antiguo y lo nuevo acerca de los conjuntos convexos.* H. Hadwiger. Traducción: L. Montejano. Nivel medio (1998).

11 *Matemáticas para las ciencias naturales.* J. L. Gutiérrez Sánchez, F. Sánchez Garduño. Niveles medio y avanzado (1998).

12 *Introducción a la teoría de redes.* M. C. Hernández Ayuso. Nivel medio 2a. Edición (2005).

13 *Teoría de conjuntos (una introducción).* F. Hernández Hernández. Nivel medio 2a. Edición (2003).

14 *Lectures on quantum probability.* A. M. Chebotarev. Nivel avanzado (2000).

15 *Construcción de procesos autosimilares con variancia finita.* J. E. Figueroa López. Nivel avanzado (2000).

16 *Grupos algebraicos y teoría de invariantes.* C. Sancho de Salas. Nivel avanzado (2001).

17 *Cohomología de Galois de campos locales.* F. Zaldívar. Nivel avanzado (2001).

18 *Dimension Theory: An Introduction with Exercises.* S.B. Nadler, Jr. Nivel avanzado (2002).

19 *Cómputo Numérico con aritmética de punto flotante IEEE. Con un teorema, una regla empírica y ciento un ejercicios.* M. L. Overton. Traducción: A. Casares Maldonado. Nivel medio (2002) Coedición SIAM.

20 *Topología Diferencial.* V. Guillemin, A. Pollack. Traducción: O. Palmas Velasco. Nivel medio (2003).

21 *Elementos de Probabilidad y Estadística.* A. Hernández-del-Valle, O. Hernández-Lerma. Nivel elemental (2003).

22 *Topología General.* D. Hinrichsen, J. L. Fernández Muñiz, A. Fraguela Collar, Á. Álvarez Prieto. Nivel medio (2003).

23 *Introducción a los grupos topológicos de transformaciones.* S. de Neymet U. Con la colaboración de R. Jiménez B. Nivel avanzado (2005).

24 *Breviario de teoría analítica de los números.* E. P. Balanzario. Nivel medio 1a. Reimpresión (2009) Coedición Reverté.

25 *Cálculo de probabilidades.* F. M. Hernández Arellano. Nivel elemental (2003).

26 *Números primos y aplicaciones.* F. Luca. Nivel avanzado (2004).

27 *Historia y desarrollo de la teoría de los continuos indescomponibles.* F.L. Jones. Traducción: S. Macías. Nivel medio (2004).

28 *Hiperespacios de continuos.* A. Illanes. Nivel medio (2004).

29 *Cadenas de Markov.* M.E. Caballero, V.M. Rivero, G. Uribe Bravo, C. Velarde. Nivel medio 2a. Edición (2008).

30 *The fixed point property for continua.* S.B. Nadler, Jr. Nivel avanzado (2005).

31 *Invitación a la teoría de los continuos y sus hiperespacios.* Editado por R. Escobedo, S. Macías, H. Méndez. Nivel medio (2006).

32 *Introducción a la teoría de grupos.* F. Zaldívar. Nivel medio 1a. Reimpresión (2009). Coedición Reverté.

33 *Hyperspaces of sets. A text with research questions.* S.B. Nadler, Jr. Nivel avanzado (2006).

**Contemporary Mathematics**

260 *First summer school in analysis and mathematical physics. Cuernavaca, Morelos, 1998.* Editado por S. Pérez-Esteva, C. Villegas-Blas. Contemporary Mathematics No. 260. Coedición de Aportaciones Matemáticas – American Mathematical Society (2000).

289 *Second summer school in analysis and mathematical physics. Cuernavaca, Morelos, 2000.* Editado por S. Pérez-Esteva, C. Villegas-Blas. Contemporary Mathematics No. 289. Coedición de Aportaciones Matemáticas – American Mathematical Society (2001).

336 *Stochastic Models.* Editado por J.M. González-Barrios, J.A. León, A. Meda. Contemporary Mathematics No. 336. Coedición de Aportaciones Matemáticas – American Mathematical Society (2003).

340 *Spectral Theory of Schrödinger Operators. Lecture Notes from a Workshop on Schrödinger Operator Theory. IIMAS, UNAM, Mexico, 2001.* Editado por Rafael del Río, Carlos Villegas-Blas. Contemporary Mathematics No. 340 Coedición de Aportaciones Matemáticas – American Mathematical Society (2004).

341 *Topological algebras and their applications. Fourth International Conference on Topological Algebras and Their Applications. Oaxaca, Mexico, 2002.* Editado por Hugo Arizmendi, Carlos Bosch, Lourdes Palacios. Contemporary Mathematics No. 341. Coedición de Aportaciones Matemáticas – American Mathematical Society (2004).

389 *Geometry and Dynamics International Conference in Honor of the 60th Anniversary of Alberto Verjovsky. January 6-11, 2003. Cuernavaca, Mexico.* Editado por James Eells, Etienne Ghys, Mikhail Lyubich, Jacob Palis, José Seade. Contemporary Mathematics No. 389. Coedición de Aportaciones Matemáticas – American Mathematical Society (2005).

476 *Fourth summer school in analysis and mathematical physics. Topics in Spectral Theory and Quantum Mechanics. Cuernavaca, Morelos, 2005.* Editado por Carlos Villegas-Blas. Contemporary Mathematics No. 476. Coedición de Aportaciones Matemáticas – American Mathematical Society (2008).

Información y pedidos:

Sra. Gabriela Sanginés, Depto. de Publicaciones
Instituto de Matemáticas, UNAM, Circuito Exterior
Ciudad Universitaria, 04510 México, D. F. MÉXICO
TEL: (52) (5) 622-44-96,
FAX: (52) (5) 550 13 42 y (52) (5) 616 03 48
e-mail: edicion@matem.unam.mx
WEB: http://www.matem.unam.mx
http://www.smm.org.mx